C000078329

Koelreuters, Joseph

Das Geschlaecht der Pflanzen

Koelreuters, Joseph Gottlieb

Das Geschlaecht der Pflanzen

Inktank publishing, 2018

www.inktank-publishing.com

ISBN/EAN: 9783750136472

D. Joseph Gottlieb Kölreuters

Vorläufige Nachricht

von einigen

das Geschlecht der Pflanzen

betreffenden

Versuchen und Beobachtungen.

Leipzig,

in der Gleditschischen Handlung.

1761.

Vorrede.

Ich übergebe hier dem geneigten Leser einen kurzen Auszug aus einer Abhandlung, die ich vielleicht mit der Zeit der gelehrten Welt vorlegen werde.[1]) Es ist diese Schrift schon bereits den 4. Oct. letztverwichenen Jahrs nebst einem Briefe an Sr. Hochedelgeb. Herrn Prof. Kästner abgeschickt worden, darinn ich ihn ersucht, er möchte sie bei der nächsten Gelegenheit zum Drucke befördern: sie muss aber aller Vermuthung nach bey den damaligen Kriegsunruhen zwischen Lübeck und Göttingen verlohren gegangen oder in fremde Hände gerathen seyn. Denn ich habe weder von Sr. Hochedelgeb. dem Herrn Prof. Kästner, iemals eine Antwort darauf erhalten, noch bis auf diese Stunde etwas davon erfahren können. Sie ist, so wie sie nun, auf Anrathen meiner hochgeschätzten Freunde in Leipzig, im Drucke erscheint, dem wesentlichen nach, eben dieselbe; nur sind hie und da einige nähere Nachrichten, die ich damals noch zurückzuhalten vor gut fand, von verschiedenen Dingen gegeben, und einige neuere Beobachtungen und Versuche, die ich damals noch nicht gemacht hatte, beygefügt worden. Ich würde sie mit besonderen Beweisen über das Geschlecht der Pflanzen begleitet haben, wenn ich es bey gegenwärtiger Absicht nicht für höchst überflüssig gehalten hätte. Die wichtigsten derselben kann ein ieder, der nur einigermassen einen Begriff von dieser Sache hat, selbst daraus herleiten. Ich schmeichle mir indessen mit der guten Hoffnung, dass ich, wo nicht durch die bereits vorgetragene Sätze schon allein, doch wenigstens durch den ganzen Plan aller meiner Beobachtungen und Versuche, die in obgedachter Abhandlung vorkommen werden, und wovon die hier angeführten nur ein kleiner Theil sind, einen ieden, auch den allerhartnäckigsten Zweiffler, von der Wahrheit des Geschlechts der Pflanzen vollkommen überzeugen werde. Es würde mich wenigstens, wenn sich wider alle Vermuthung ja noch einer finden sollte, der nach einer genauen Prüfung doch das Gegentheil behauptete, eben so sehr befremden, als wenn ich einen am hellen Mittage behaupten hörte, dass es Nacht wäre.

Gegeben den 1. Sept. 1761.

Vorläufige Nachricht
von einigen das Geschlecht der Pflanzen betreffenden Versuchen und Beobachtungen.

---

§ 1.

[1] Der Saamenstaub ist eine Sammlung organischer Theilchen, die bey einer ieden Pflanze eine bestimmte Gestalt haben; er ist das wahre Werkzeug, in welchem der männliche Saamen erzeuget, abgeschieden, und zur Aussonderung geschickt gemacht wird.

§ 2.

Der Bau des Saamenstaubs besteht: 1) in einer äussern, dickern Haut, oder vielmehr harten und elastischen Schale, in und auf welcher sich allenthalben in gleich weit von einander abstehenden Zwischenräumen die für den männlichen [2] Saamen bestimmte Aussonderungsgänge und Oeffnungen befinden. Die Aussonderungsgänge sind bey den mit Stacheln besetzten Gattungen von Saamenstaube die Stacheln selbst, und bey einem mit einer glatten Oberfläche begabten Saamenstaube die mehr oder weniger erhabene Wärzchen. Bey jenen, den Stacheln nehmlich, sind die äusseren Oeffnungen der Aussonderungsgänge an ihrer äussersten Spitze, und bey diesen, den Wärzchen, in der Mitte ihrer erhabenen Oberfläche. Durch die Substanz dieser elastischen Schale sieht man ein von gefässenähnlichen Fasern ausgebreitetes Netz, das bey einigen Gattungen von Saamenstaube in lauter fast regulär sechsseitige Augen, bey andern auf eine andere, mehr oder weniger reguläre Weise abgetheilet ist. Jedes Auge

oder iede Abtheilung schliesst einen Aussonderungsgang ein,
oder dienet ihm, wenn er sich in Gestalt eines Stachels oder
einer cylindrischen Röhre über die Oberfläche des Saamenstaubs erhebet, gleichsam zum Grunde.

Unmittelbar unter dieser elastischen Schale liegt 2) ein
dünneres, ungleich schwächeres, weisses Häutchen,
das jener ihre innere Fläche umkleidet. Es ist so fein, dass
sein organischer Bau nicht in die Augen fällt. Unter diesem
Häutchen liegt 3) ein dem Ansehen nach zellenförmiges
Gewebe, das die ganze Höhle des Saamenstaubs ausfüllet,
und gleichsam der Kern desselben ist. Es ist zwar über alle
massen fein; äussert aber doch unter gewissen Umständen
einen [3] grossen Grad der Elasticität. In diesem Gewebe
steckt die ganze Masse der männlichen Saamenmaterie, die
in ihrem unreifen Zustande körnicht, fest, und halbdurchsich-
tig ist, aber, so wie sie nach und nach den gehörigen Grad
der Reife erreicht, endlich in eine gleichförmige, flüssige und
durchsichtige Materie übergeht, und aus dem zellenförmigen
Gewebe heraus tritt. Das reif werden der körnichten Saamenmaterie geschieht allmählig von dem Umkreise nach dem
Mittelpunct des Saamenstaubs zu. Mit dem Anfange der
Reife jetzt erwähnter Materie erhält zugleich die äussere
dickere Haut des Saamenstaubs ihre gehörige Festigkeit und
Elasticität, drückt vermöge derselben von allen Seiten auf den
erstern flüssig gewordenen Theil der Saamenmaterie, und treibt
ihn, nach dem Orte des geringern Widerstandes, in die offenen
Aussonderungsgänge. Von diesem Augenblicke nun nimmt die
Aussonderung des männlichen Saamens ihren Anfang, und
hört nicht eher auf, bis der grösste Theil der körnichten
Materie reif und flüssig gemacht, und auf angezeigte Weise
ausgesondert worden, auch die elastische Schale des Saamenstaubs sich nun nicht weiter zusammenzuziehen vermögend ist.

§ 3.

Folglich besteht die natürliche Aussonderung des männlichen Saamens in einem von allen Seiten des Saamenstaubs
erfolgenden langsamen Ausflusse desselben.

[4]   ### § 4.

Das zerplatzen des Saamenstaubs, das Herr *Jussieu* zu
erst, und nach ihm *du Hamel*, *Needham* und andere mehr gesehen haben, ist eine gewaltsame und widernatürliche Wirkung

desselben, und rührt einig und allein von der grossen Quantität des vom Saamenstaube eingesogenen Wassers her, welches ihn öfters auf eine so gewaltige Weise ausdehnet, dass seine beiden Häute endlich davon bersten müssen.

§ 5.

Je unreifer ein Saamenstaub ist, je undurchsichtiger ist er, je weniger enthält er flüssigen, desto mehr hingegen noch körnichten und unzubereiteten Saamenstoff, und je leichter, geschwinder und mit desto grösserer Gewalt pflegt er im Wasser zu bersten, und die in ihm verschlossene körnichte Materie, gleich einer Dampfkugel, auszuwerfen; daher kömmt es, dass zuweilen eine Gattung von Saamenstaube zu einer Zeit diese gewaltsame Wirkung im Wasser entweder gar nicht, oder nur sehr selten äussert: da sie hingegen zu einer andern die gewöhnliche Erscheinung bey ihm war. Indessen zeigt der Saamenstaub doch auch im Wasser, wenn er anders schon einen Theil flüssigen Saamens in sich hat, eine kurz vor jener gewaltsamen vorhergehende, oder auch, ohne sie, ganz allein vorkommende Erscheinung, die seiner natürlichen Wirkung am nächsten kömmt, und bloss darinn von dieser unterschieden ist, dass bey ihr die von allen Seiten sich äussernde Aussonderung [5] des flüssigen Saamens in einer gleichen Zeit schneller und in grösserer Quantität geschieht, und bald hernach, aus Mangel mehreren Vorraths von flüssiger Materie, gänzlich aufhöret, da sie hingegen bey jener langsamer, in geringerer Quantität, und unter einerley Umständen fast in gleicher Stärke immer in einem Stücke fortgeht. Man müsste denn auch noch einen Unterschied darinn setzen wollen, dass in dem einen Falle der männliche Saamen, weil er seiner Natur nach sich keineswegs mit dem Wasser vermischt, in Strahlen, Streifen und Tropfen unterbrochen abfliesst, (welches sich auch aus dem, was bereits oben von der Lage der Aussonderungsgänge und ihren äussern Oeffnungen gesagt worden, wohl begreifen lässt) da er hingegen in dem andern sich so gleich nach seiner Aussonderung, besonders wenn der Saamenstaub von einem andern Körper nur in einer kleinen Fläche berühret wird, sich auf der Oberfläche desselben sammlen, in eins zusammenfliessen, und unter einem gemeinschaftlichen Abflusse sich gegen den unter ihm liegenden Körper hinziehen muss. Je mehrere Quantität zubereiteten Saamens ein Saamenstaub enthält, desto deutlicher, vollkommener und schöner zeigt

sich an ihm diese, in Betrachtung jener höchst gewaltsamen
Wirkung, sehr gelinde und der natürlichen am meisten gleichende
Aussonderung. Meistentheils wird beym Zerplatzen eines Saamenstäubcheus, ausser demjenigen, was sich von männlichen Saamen
schon kurz vorher von allen Seiten ausgesondert hat, auch
noch [6] mit der körnichten Materie zugleich der übrige zu-
rückgebliebene und minder flüssige Theil desselben ausgestossen. Fährt beym Zerplatzen sonst nichts, als die körnichte
Materie in Gestalt eines einigen zusammenhängenden Klumpens
oder langen Streifes heraus, so ist dieser nichts anders als
das zellenförmige Gewebe selbst, sammt aller in ihm noch ver-
steckten und fest eingewickelten körnichten Materie; er ist,
unter andern, ein wahres Kennzeichen eines noch ganz unreifen Saamenstaubs. Viel näher ist ein Saamenstaub seiner
Reife, wenn der Streif kleiner ist, weniger unter sich zusammen hängt, und sich von ihm hie und da viele Körnerchen
oder Kügelchen ablösen, oder auch gar ohne das zellenförmige
Gewebe in grosser Menge durch den Riss zum Vorschein
kommen, und sich ganz abgesondert von einander in dem
Wasser ausbreiten. Da diese Körnerchen 1) viel zu grob sind.
als dass sie in die Aussonderungsgänge eindringen könnten;
2) niemals, und auf keine andere Art zum Vorschein kommen.
als wenn beyde Häute des Saamenstaubs, nachdem sie weit
über ihren natürlichen Durchmesser und bis zum Bersten ausgedehnt worden, einen Riss bekommen, und sich diese gewaltsame Veränderungen 3) nur in einer Feuchtigkeit ereignen,
die ihrer Natur nach von der Natur des männlichen Saamens
und der weiblichen Feuchtigkeit, die zur Zeit der Blüte aus
dem Stigma ausgesondert wird, gänzlich unterschieden ist.
4) niemals aber in solche, deren Natur entweder den wesentlichen Bestandtheilen nach, [7] oder einer andern besondern
Eigenschaft wegen, mit der Natur dieser beyden Feuchtigkeiten übereinkommt, und in welchen noch überdiess die Aussonderung des männlichen Saamens, und seine innigste Vermischung mit ihnen, auf eine der natürlichen Aussonderung
und Vermischung des männlichen Saamens mit der weiblichen
Feuchtigkeit ganz ähnliche Weise von statten geht; da ferner
5) die Menge der Körnchen bey noch vollkommen ganzen und
unverletzten Saamenstäubchen mit der immer zunehmenden
Reife und Quantität flüssiger Materie abnimmt; und endlich
auch 6) eben dergleichen Körnerchen in dem noch unreifen
und zähern Theil der weiblichen Feuchtigkeit sich zeigen:

so fliessen natürlicher Weise folgende beyde Wahrheiten daraus.

§ 6.

Die körnichte Materie des Saamenstaubs, die Herr *Needham* für eine Sammlung von Keimen ausgegeben, ist nichts anders, als der noch rohe und unreife Stoff des männlichen Saamens.

§ 7.

Hingegen ist der wahre und reiffe männliche Saamen der Pflanzen jene feine, flüssige, gleichförmige Materie.

§ 8.

Beyde, sowohl der männliche Saamen, als die weibliche Feuchtigkeit auf den Stigmaten, sind öhlichter Natur; vermischen sich daher, wenn sie zusammenkommen, auf das innigste mit einander, und machen nach der Vermischung eine gleichförmige [8] Masse aus, die, wenn anders eine Befruchtung erfolgen soll, von dem Stigma eingesogen, durch das Stielchen zurück und bis zu den so genannten Saameneyern, oder unbefruchteten Keimen, geführet werden muss.

§ 9.

Nur der mit hervorragenden Wärzchen oder Röhren begabte Theil eines Pistills, er mag so gross oder so klein seyn, als er immer will, verdient eigentlich den Namen des Stigma: denn die weibliche Feuchtigkeit wird sonst an keinen andern Stellen, als nur an diesen, ausgesondert, und auch nach ihrer Vermischung mit dem männlichen Saamen durch keinen andern Weg wieder zurückgeführt. Man sieht also wohl, dass einige der berühmtesten neuern Kräuterverständigen diesem Theile bald zu enge, bald zu weite Gränzen in ihren Beschreibungen gesetzt haben. Es scheinen indessen doch zweyerley und von einander wohl unterschiedene Gattungen von Gefässen nach diesen Stellen hinzugehen. deren eine vielleicht zur Aussonderung der weiblichen Feuchtigkeit bestimmt ist, die andere aber die mit dem männlichen Saamen vermischte weibliche Feuchtigkeit in sich zieht, und den sogenannten Saameneyern oder Keimen zuführt. Man muss sich aber obgedachte Wärzchen nicht als einfache hohle Röhren vorstellen: denn sie selbst sind noch aus andern kleinern Röhrchen oder Gefässen zusammengesetzt: und da die ganzen Wärzchen bey den allermeisten Pflanzen noch einen viel kleinern Durchmesser haben,

als [9] der Durchmesser ihres Saamenstaubs ist: so fällt die
Unmöglichkeit, dass er mit seiner ganzen Substanz in dieselben hineinkomme, sehr bald in die Augen. Es ist nichts
leichter, als diejenigen auch nur durch den blossen Augenschein zu widerlegen, die etwas dergleichen bey dieser oder
jener Pflanze gesehen zu haben vorgeben.

§ 10.

Die Beutelchen der Staubkölbchen öffnen sich bey den
allermeisten Pflanzen allmählig, und bersten nicht, wie noch
viele auf den heutigen Tag fälschlich vorgeben, auf einmal auf.

§ 11.

Es wird bey einer jeden Blume eine gewisse zureichende
Anzahl Saamenstäubchen zu einer vollkommenen Befruchtung
erfordert. Diese Anzahl ist aber doch in Betrachtung gegen
die Anzahl aller in einer Blume befindlichen Saamenstäubchen
sehr gering. So habe ich z. E. bey der venetianischen Stundenblume oder Ketmia (Hibiscus Linn. Sp. Pl. no. 20 a.), bey der
ich in einer Blume von gewöhnlicher Grösse 4863 Saamenstäubchen gezählet, und die bey einer vollkommenen natürlichen Befruchtung in einer Saamenkapsel etliche und dreyssig
reiffe Saamen zu tragen pflegt, durch sehr viele Versuche gefunden, dass zu dieser Anzahl von Saamen nicht mehr als
funfzig bis sechzig Saamenstäubchen erfordert werden. Und
ich bekam deswegen nicht mehrere und vollkommnere Saamen,
wenn ich auch gleich eine zehnmal grössere Anzahl Saamenstäubchen dazu [10] genommen hatte. Je weniger ich hingegen unter erst erwähnter zureichenden Anzahl genommen,
desto geringer war auch die Anzahl der davon erhaltenen
Saamen, in Verhältniss gegen die Anzahl derer, die man durch
eine zu einer vollkommenen Befruchtung hinreichende Anzahl
Saamenstäubchen zu erhalten pflegt. Stieg ich herunter bis
auf zwanzig und funfzehn Saamenstäubchen, so erhielt ich
auch, wenn die Befruchtung noch anders glücklich von statten
gegangen, nur zehn bis sechzehn Saamen. Indessen waren
diese Saamen immer eben so vollkommen, als jene zahlreichere,
die durch eine zu einer vollkommenen Befruchtung hinreichende
Anzahl Saamenstäubchen erzeugt worden. Nicht selten ge-
schahe es, dass sich bey dieser letztern geringen Anzahl von

Saamenstäubchen zwar Spuren einer vorgegangenen Befruchtung gezeiget, die Saamenkapsel aber nach einiger Zeit welk zu werden angefangen, und endlich gar abgefallen. Nahm ich endlich noch weniger als zehen Saamenstäubchen, so war es eben so viel, als wenn ich gar keine genommen hätte: denn es zeigte sich alsdenn auch nicht einmal die geringste Spuhr einer darauf erfolgten Befruchtung; der Eyerstock verdarb in einer noch kürzeren Zeit darauf, und fiel ab. Alle diese Versuche sind in der besten Jahreszeit gemacht worden. Hingegen habe ich durch viele andere Versuche, die ich bey eben dieser Pflanze zu einer späteren Jahreszeit und bey kälterer Witterung angestellet, gefunden. dass so wohl zu einer vollkommenen, [11] als zu einer unvollkommenen, oder nur auf eine gewisse Anzahl Saamenkeime sich erstreckenden Befruchtung, eine ungleich grössere Anzahl Saamenstäubchen, als oben angegeben worden, erfordert werden: ja, dass endlich zu einer noch spätern Jahreszeit, und bey noch kälterer Witterung, öfters auch von einer sehr grossen Anzahl nicht einmal eine Befruchtung mehr erfolgt. Bey einer vollkommenen Blume von der gemeinen Jalape mit fünf Staubkölbchen, zählte ich einst zweyhundert drey und neunzig Saamenstäubchen, und bey einer ebenfalls vollkommenen und mit fünf Staubkölbchen begabten Blume von der neuen peruvianischen Jalape mit sehr langer Blumenröhre, belief sich die Anzahl der Saamenstäubchen auf drey hundert und ein und zwanzig. Indessen sahe ich aus dem Erfolge meiner noch zu rechter Zeit angestellten Versuche, dass bey beyden nur ein, höchstens zwey bis drey vollkommene Saamenstäubchen zu einer Befruchtung erfordert werden.

§ 12.

So wie sich die Anzahl der Saamenzellen nicht immer nach der Anzahl der Stigmate zu richten pflegt, so richtet sich auch die Befruchtung derselben nicht immer nach der Zahl der mit Saamenstaub belegten Stigmate. Ich habe bey verschiedenen Pflanzen, die mit fünf, vier, drey und zwey Stigmaten versehen sind, viele Versuche über den Erfolg eines, zweyer, dreyer und vier abgeschnittener Stigmate angestellet, und allezeit gefunden, dass, wenn ich auch nur eines derselben stehen gelassen, [12] und es mit einer genugsamen Quantität Saamenstaub beleget, doch dem ungeachtet in allen Zellen reiffe vollkommene Saamen erzeugt worden. Ich habe

diesen Umstand so gar bey solchen Pflanzen bemerket, bey
denen ich mir wegen der Lage, Richtung und übrigen Beschaffenheit ihrer Stigmate vielmehr den gegenseitigen Erfolg
versprochen hatte: als z. B. bey der Einbeer (Paris Linn.)
bey der die Stigmate bis auf ihren Grund von einander abgesondert, und an ihrer innern Seite, nach der ganzen Länge
hin, mit unzähligen Wärzchen besetzt sind. Ferner bey dem
Hyperico Linn. Sp. Pl. p. 783. n. 4. bey dem man doch aus
der besondern Wendung, unter welcher jedes der fünf von
einander ganz abgesonderten Stielchen auf eine eigene Zelle
gerichtet ist, das Gegentheil vermuthen sollte; u. a. m. Eben
diss habe ich auch bey den Schwerdtellilien, und bey verschiedenen Ketmienarten (Hibiscus Linn. Sp. Pl. n. 11. 13. 16.
20.) bemerkt. Der Grund hievon liegt wahrscheinlicher Weise
in dem Baue der den befruchtenden Saamen nach dem Eyerstocke führenden Gefässe, die etwas von der Natur eines
zellenförmigen Gewebes an sich haben, und also, so bald sie
ihre äussere Bedeckung, dadurch sie von einander abgesondert
waren, ablegen, und unter einer gemeinschaftlichen sich ver-
einigen, den Saamen unter sich vertheilen mögen: sollte auch
gleich ihre Vereinigung erst unmittelbar über dem Eyerstocke,
oder gar erst in demselben geschehen. Es streitet demnach
offenbar wider die Erfahrung, [13] wenn einige der neuern
Naturkündiger als einen allgemeinen Satz behaupten, dass in
einer Zelle, wo das darauf passende Stigma weggeschnitten
worden, keine Saamenbefruchtung erfolge. Indessen will ich
nicht leugnen, dass es Pflanzen geben möchte, bey denen
dieser Erfolg statt haben könnte. Aber von denen ist hier
die Rede nicht, bei welchen nicht nur das Stielchen, sondern
auch so gar der darzu gehörige Eyerstock seine eigene äussere
Bedeckung hat, wie man z. B. an den Ranunkeln, der Ackeley,
dem Rittersporn und andern mehr sehen kann: denn von diesen
versteht es sich schon von selbst, dass eben so viel Eyer-
stöcke leer und unbefruchtet bleiben müssen, als Stigmate
weggeschnitten werden.

§ 13.

Der Saamenstaub ist vor seiner Absonderung nicht vermittelst gewisser Stielchen oder Fäden an der innern Haut
der Kölbchen befestiget, sondern scheint vielmehr in besondern
häutichten Zellen, die zusammengenommen die innere Haut
der Kölbchen ausmachen, eingeschlossen zu seyn.

§ 14.

So wie gewisse einander nahe verwandte Pflanzen in andern wesentlichen Theilen eine Aehnlichkeit unter sich haben, so zeigt sich diese auch gemeiniglich in der Grösse und Gestalt ihres Saamenstaubs. Doch habe ich auch eben nicht selten Ausnahmen gefunden: So ist z. B. der Saamenstaub des gemeinen Fühlkrauts (Mimosa Linn. Sp. Pl. p. 518 n. 13.) rundlicht, und ausserordentlich [14] klein, ja der allerkleinste unter vielen hundert Gattungen, die mir bey meinen Untersuchungen vorgekommen; hingegen ist der Saamenstaub einer andern Gattung dieses Pflanzengeschlechts (Mimosa Linn. Sp. Pl. p. 519. n. 17.) länglicht, und gegen jenen sehr gross. Eine noch grössere Verschiedenheit sieht man zwischen dem Saamenstaube des gemeinen Weiderichs, (Lythrum Linn. Sp. Pl. p. 446. n. 1.) der länglicht ist, und zwischen dem von den Epilobiis und Oenotheris, der ein Dreyeck mit zapfenförmigen Ecken vorstellt. Man bemerckt auch, wiewohl selten, eine grosse Aehnlichkeit zwischen dem Saamenstaube von Pflanzen aus ganz verschiedenen natürlichen Ordnungen: der Saamenstaub des Erdrauchs (Fumaria Linn. Sp. Pl. p. 700 n. 4 et 7.) scheint eben so wohl aus vier bis sechs unter sich zusammengewachsenen Kugeln zu bestehen, als der Saamenstaub des Heydekrauts, (Erica Linn. Sp. Pl. p. 352. n. 1.) und der rothen Heidelbeer; (Vaccinium Linn. Sp. Pl. p. 351. n. 10.) Ist aber wohl, ausser dieser, auch nur die geringste Aehnlichkeit unter diesen Pflanzen zu entdecken? Das Geisblatt (Lonicera Linn. Sp. Pl. p. 173. n. 3.) kömmt in Ansehung seines dreyeckichten Saamenstaubs einigermassen mit den Epilobiis und Oenotheris überein, und ist doch gleichwohl in seinen übrigen Theilen von ihnen gänzlich unterschieden. Gleiche Bewandniss hat es mit dem Saamenstaube der Herzerbsen (Cardiospermum Linn. Sp. Pl. p. 366. n. 1.) und des Hexenkrauts (Circaea Linn. [15] Sp. Pl. n. 1. der ebenfalls ein Dreyeck vorstellt: wo ist aber die geringste Aehnlichkeit zwischen diesen Pflanzen und dem Geisblatte, oder zwischen ihnen und den Epilobiis und Oenotheris?

§ 15.

Die Bestäubung der Stigmate wird 1) durch eine zu diesem Endzwecke besonders geschickte Lage, Verbindung und unmittelbare Berührung der Geschlechtstheile untereinander, ohne irgend eine andre fremde oder äussere Beyhülfe, ganz allein, und meistentheils bey noch geschlossener Blume vollbracht. Unleugbare Beyspiele hievon sind fast alle Gräser; alle besondere, so wohl zungenähnliche als röhrenförmige fruchtbare Hermaphroditenblümchen der zusammengesetzten Blumen, bey denen sich die walzenförmige Staubröhre an ihrer innern Fläche aufschliesst, und den Saamenstaub in ihre eigene Höhle ausschüttet, welchen alsdenn die schief aufwärts gerichtete spitzige Wärzchen der zu gleicher Zeit durch die Staubröhre aufsteigenden Stigmate häufig auffangen, und den Ueberfluss desselben bey dem Durchgange durch die allmählig sich öfnende Spitze der Staubröhre vor sich hertreiben. Es ist daher offenbar falsch, und wider die Erfahrung, wenn Herr *Alston* vorgiebt, dass die Staubröhren dieser Blumen sich an ihrer äusseren Fläche öffnen. Eine dieser ähnliche Einrichtung sieht man an der carmoisinrothen und blauen Cardinalsblume (Lobelia Linn. Sp. Pl. p. 930 et 931 n. 10 et 11.) Ferner, alle Papilionähnliche flores papilionacei) und sehr viele von [16] den so genannten Kreuzblumen (flores cruciati:) der Lein (Linum Linn. Sp. Pl. p. 277. n. 1;) das Wollkraut (Verbascum Linn. Sp. Pl. p. 177. n. 1. et 2.); der Tabak (Nicotiana Linn. Sp. Pl. p. 180. n. 2. et 3.); die Glockenblumen (Campanula) u. d. m.

2) Durch eine kleine Erschütterung: sie geschehe nun durch den Wind, oder durch Insecten, oder durch beydes zugleich. Wenn die Birke blüht, so hängen die schlanke, lange, männliche Kätzchen senkrecht herunter; zu gleicher Zeit aber krümmen sich die kürzere, steife weibliche Kätzchen aufwärts. Oeffnen sich nun bey jenen die Staubkölbchen, so öffnen sich auch bey diesen die Schuppen, und entblössen vor ihnen die Stigmate. Jene fangen bey der geringsten Bewegung der Luft an, ihren Staub häufig von sich zu geben: diese fangen ihn auf, und werden dadurch befruchtet. So bald dieses geschehen, verdorren die männliche Kätzchen, und fallen ab; die weiblichen aber neigen sich wieder gegen die Erde.

Fast eine gleiche Bewandniss hat es mit der Haselstaude, den Buchen, Eichen, Tannen u. d. gl. So geben auch, bey der geringsten Erschütterung und Berührung, die männliche Blumen des Sparganii (Linn. Sp. Pl. p. 971. n. 1 et 2.) der Sagittariæ (Linn. Sp. Pl. p. 993. n. 2) der Iliobsthränen (Coix Linn. Sp. Pl. p. 972. n. 1. et 2.) des türkischen Weizens (Zea

Linn. Sp. Pl. p. 971. n. 1.) des Wunderbaums (Ricinus Linn. Sp. Pl. p. 1007. n. 1) u. d. m. ihren Staub von sich. Stehen gleich [17] bey dem Wunderbaume einige männliche Blumen oft unter den weiblichen, so stehen doch auch ihrer eben so viele über ihnen: und, wenn das letztere auch nicht wäre, so wird man doch nicht mehr zweifeln, ob der befruchtende Staub auch zu den weiblichen Blumen hinauf kommen könne, wenn man sehen wird, wie der ungemein leichte Staub, wenn auch eine gänzliche Windstille herrschet, bey der geringsten Bewegung der Pflanze sich nach allen Seiten ausbreitet. Ausserdem tragen auch noch bey dieser Pflanze die Insekten zum Bestäuben nicht wenig bey: wovon sich ein ieder, der auf das, was bey dieser Pflanze an einem schönen warmen Tage vorgeht, Achtung geben will, sich sattsam überzeugen kann. Hingegen fällt der schwerere und grössere Saamenstaub des türkischen Weizens und der Hiobsthräne, bey stiller Luft, fast gerade abwärts auf die weibliche unter den männlichen stehende Blumen. Es giebt aber auch Hermaphroditenblumen, bey denen die Staubkölbchen eine so vortheilhafte Lage gegen das Pistill haben, dass der Saamenstaub bey der geringsten Erschütterung der Blumen auf das gerade unter den Spitzen der Staubkölbchen stehende Stigma fallen mus. Hieher gehört die Wallwurz Symphytum Linn. Sp. Pl. p. 136. n. 1.) die Cerinthe Linn. Sp. Pl. p. 136. n. 1. das Saubrod Cyclamen Linn. Sp. Pl. p. 145. n. 1.) die Schneetröpfchen (Galanthus Linn. Sp. Pl. p. 288. n. 1.) verschiedene Gattungen von Nachtschatten (Solanum), u. a. m. denn die Staubkölbchen machen [18] bey diesen Pflanzen einen Kegel unter einander aus, unter oder zwischen dessen Spitze sich das Stigma befindet. Bey den letztern öffnen sich die Kölbchen wie bey dem türkischen Weizen, bloss an ihrer gerade auf das hervorragende Stigma gerichteten Spitze, aus welcher der Saamenstaub bey der geringsten Erschütterung herausrinnt, und auf das Stigma herabfällt.

Ein Beyspiel einer andern, aber nicht weniger bewundernswürdigen Einrichtung kann man an der gemeinen Gartenraute sehen. Wenn eine Blume derselben sich eben geöffnet hat, liegen die Staubfäden, und vornehmlich die Kölbchen derselben, noch in dem Bauche der Blumenblätter eingeschlossen; sie erheben sich aber wechselsweise aus ihnen, steigen empor, und legen sich endlich unter einem spitzigen Winkel ganz gestreckt über den Eyerstock hin, so, dass das bisher noch

geschlossene Kölbchen nächst über dem Stigma zu liegen
kömmt. Es öffnet sich bald hernach, und der Saamenstaub
fällt entweder bey einer geringen Erschütterung von sich selbst
auf das Stigma hin, oder wird durch Insekten, die sich zu der
Zeit bey der Blume in Menge einfinden, und auf derselben
allenthalben herumwandern, daran abgestreift. Selten geschieht
es. dass das stäubende Kölbchen das Stigma unmittelbar berührt. Hat der Staubfaden seine Dienste geleistet, so richtet
er sich wieder auf, und kehrt den vorigen Weg zurück. Es
steigen aber die Staubfäden, wie bereits angemerkt worden,
nicht alle zugleich, sondern [19] einer nach dem andern, auf.
kehren auch eben so wieder zurück, und beobachten unter
einander folgende Ordnung: den Anfang macht einer von den
auf die Kelcheinschnitte passenden Staubfäden, ihm folgt ein
anderer von eben der Art, diesem der dritte, und endlich
der vierte; nach diesen kommen die auf die Blumenblätter
passende Staubfäden, einer nach dem andern, und machen
den Beschluss. Bey den grössern, fünfblätterigen und mit
zehn Staubfäden begabten Blumen, die zwischen den andern
zahlreichern stehen, geht es eben so zu. Mitten im Sommer,
wenn die Hitze gross ist, verrichten die Staubfäden ihr Amt
in zween bis drey Tagen. je kälter aber nach und nach die
Witterung gegen den Herbst zu wird, desto langsamer geht
es auch damit her. Sie gebrauchen alsdenn oft mehr als
acht Tage Zeit dazu. Nimmt man den Staubfäden, so bald
sich die Blume geöfnet, ihre Kölbchen hinweg, so lassen sie
sich doch dadurch in ihrer Bewegung nicht im geringsten
stören. Ich habe diese kleine Entdeckung den 5 ten Jul. 1759
gemacht, und viele Beobachtungen darüber angestellet; ich
werde aber das besondere, das mich diese gelehret haben,
und wovon hier keine Erwähnung geschehen, zu einer andern
Zeit vorzutragen Gelegenheit nehmen. Nur will ich noch
dieses beyfügen, dass das Licht auf diesen Umstand keinen
sonderlichen Einfluss haben muss: denn ich habe durch Versuche gefunden, dass die Staubfäden, unter einerley Grad der
Wärme, ihr Amt in einem ganz dunklen [20] Zimmer eben
so geschwind und eben so sicher, als unter freyem Himmel,
verrichtet haben. *

----

*, Anm. Es hat oberwähnte, die Bewegung der Staubfäden
betreffende, Entdeckung ausser mir noch iemand gemacht; ich kann
aber, wenn es nöthig seyn sollte, glaubwürdige Zeugen aufweisen,

3) Durch eine stärkere Erschütterung, und einen den weiblichen Pflanzen günstigen Wind. Dieses Hülffsmittels bedient sich die Natur hauptsächlich bey dem Wachholder, den Weiden, Pistacien und Palmbäumen, bey der Pappel, dem Hanfe und Hopfen, u. a. m.

4) Durch ein schnelles Aufbersten der Staubkölbchen, wodurch aller in ihnen enthaltene Saamenstaub auf einmal in die Luft geschlagen, und auf das nächst dabey stehende Stigma hingetrieben, oder den entferntern weiblichen Blumen durch die Luft als ein befruchtendes Wölkchen zugeführet wird. *Vaillant* behauptet, diese Art der Bestäubung bey dem Mauerkraut (Parietaria), der indianischen Feige (Opuntia), dem Helianthemo und andern mehr gesehen zu haben. *Blair* sagt eben dieses von dem Maulbeerbaume. und *Alston* führt die grosse männliche Brennessel als ein Beyspiel [21] davon an. Das Bestäuben der Stigmate geschieht ferner

5) Durch Insekten allein: Das einige bisher bekannte Beyspiel ist der Feigenbaum; es haben aber einige Naturkundiger hiebey viele, und vielleicht ungegründete Zweifel geäussert. Ich habe keine Gelegenheit, hierüber Untersuchungen anzustellen. Wenn es aber eine unleugbare Erfahrung ist, dass der Saame der weiblichen Feigenbäume, die keine männliche zu Nachbarn haben, auch in demjenigen Lande unfruchtbar ist, in welchem er sonst, wenn diese ihnen zur Nachbarschaft gegeben sind, fruchtbar zu seyn pflegt, und bey dem Baue der Feigen selbst eine andere Art der Bestäubung fast unmöglich scheint: so sehe ich nicht ein, warum ich jene nicht für höchst wahrscheinlich halten sollte. Ist es denn etwas so gar seltenes, wenn sich die Natur, zur Erhaltung gewisser Creaturen, anderer, die mit ihnen gar keine Aehnlichkeit haben, bedienet? Die Erfahrung hat mich eben dieses, was man schon längst von dem Feigenbaume behauptet hat, bey vielen andern, und zum Theil sehr gemeinen, Pflanzen gelehret. Bey allen Kürbsengeschlechtern (Cucurbitaceae), bey allen Schwerdtellilien (Irides), und bey nicht wenigen Pflanzen aus der Malvenordnung (Malvaceae) geschieht die

---

die bekräftigen werden, dass ich sie in ihrer Gegenwart zu einer Zeit gemacht habe, da ich von des andern seiner noch nicht die geringste Nachricht haben konnte. Ungeachtet ich diese Entdeckung nur für eine Kleinigkeit halte, so sähe ich es doch nicht gern, wenn ein anderer von mir glauben sollte, dass ich mir etwas, das ihm zugehörte, unrechtmässiger Weise zugeeignet hätte.

2 *

Bestäubung der weiblichen Blumen und Stigmate allein durch
Insecten. Ich erstaunte, als ich diese Entdeckung an einer
von diesen Pflanzen zum erstenmal gemacht hatte, und sahe,
dass die Natur eine so wichtige Sache, als die Fortpflanzung
[22] ist, einem blossen Ungefähr, einem glücklichen Zufalle,
überlassen hat. Mein Erstaunen verwandelte sich aber bey
fortgesetzten Beobachtungen nach und nach in eine Bewunde-
rung eines, dem ersten Ansehen nach zufälligen, aber in der
That allersichersten Mittels, dessen sich hier der weise Schöpfer
bey der Fortpflanzung bedienet. Es verrathen zwar alle Bewegungen dieser kleinen Diener der Natur nur allzu offenbar,
dass sie, wenn sie diese Blumen besuchen, nichts weniger als
die Besorgung einer so wichtigen Sache zur Absicht haben.
Aber was ist daran gelegen? Genug ists, dass sie, ohne es
selbst zu wissen, die allerwichtigste Handlung, so wohl in
Absicht auf sich selbst, als in Absicht auf die Pflanzen vor-
nehmen. Ihr nothdürftiger Unterhalt, kleine Tröpfchen eines
süssen Saftes, sind in dem Grunde dieser Blumen versteckt.
Es kostet ihnen einige Mühe und Arbeit, ihn zu sammeln:
und bey diesen ihren mannigfaltigen Bewegungen geschieht
es eben, dass sie den Saamenstaub, den sie mit den Haaren
ihres Körpers, an denen er sich leichtlich anhängt, in grosser
Menge aufgefangen, an den Stigmaten wieder abstreifen.
Dieser ihre mit unzähligen Wärzchen, Röhren oder Stacheln
besetzte und mit ölichter Feuchtigkeit überzogene Fläche
macht, dass er an ihnen eher, als an andern Theilen der
Blume, kleben bleibt. Sie streifen ihn auch in einer Quantität an den Stigmaten ab, welche die zu einer vollkommenen
Befruchtung hinreichende Anzahl weit übersteigt; und dieses
[23] thun sie bey so vielen Blumen, dass die Natur ihren
Endzweck dabey vollkommen erreicht. Nun wird man endlich begreifen können, wie es zugehe, dass die Gurken und
Melonen in allzusehr geschlossenen Mistbeeten nicht gerathen
wollen. Man hat dem Winde die Bestäubung der weiblichen
Blumen bis auf den heutigen Tag zugeschrieben: man würde
aber nothwendig auf andere Gedanken haben kommen müssen,
wenn man auch nur bloss die Lage der männlichen und weiblichen Blumen unter einander, ihre Gestalt, und die Beschaffenheit des Saamenstaubs in eine nähere Betrachtung gezogen
hätte. Und wie kann man dieses thun, ohne so gleich die
wahre Ursache der Bestäubung in jenen geschäftigen Creaturen zu finden? Gewiss, ein ieder anderer, der vor mir diese

Betrachtungen angestellet hätte, würde sie längst entdeckt, und sich und allen Naturforschern von diesem Geheimnisse der Natur den Vorhang weggezogen haben. Wer sich von der Wahrheit dessen, was ich hier mit aller Zuversicht behauptet habe, überzeugen will, gehe bey stillem, heiterem und warmem Wetter (denn da geschehen die meisten Befruchtungen bey diesen Pflanzen) einen Tag hindurch auf alles, was bey einer von erst gedachten Pflanzen vorgeht, genau Achtung. Man wird alsdenn sehen, wie sich nach und nach allerley Insekten bey den Blumen, so bald sie sich zu öffnen anfangen, einfinden, in denselben herumwandern, und von einer zur andern übergehen werden. Man wird sehen, wie eines nach dem [24] andern bey seinen mannigfaltigen Bewegungen und Wendungen bald mehr bald weniger von dem, an der Säule einer männlichen Blume hängenden Saamenstaube mit den haarichten Theilen seines Körpers auffängt, und bald darauf entweder in eine andere Blume von eben der Art, oder auch in eine weibliche übergeht. Man stöhre es in diesem letztern Falle nicht, sondern erwarte seinen freywilligen Abzug, indem man indessen in einiger Entfernung alle seine Bewegungen beobachtet. Hat es ihn genommen, so besichtige man vermittelst eines schwachen Vergrösserungsglases die innere Fläche der Blume von allen Seiten: man wird alsdenn den eigenen Saamenstaub der Pflanze, wovon man zuvor nicht das geringste entdecken konnte, hie und da an den Haaren der Blume und besonders an dem Stigma, das doch vorher ganz rein gewesen, kleben finden. Dieses Schauspiel wird man bey einer Blume sehr oft sehen können; und das Stigma wird alsdenn gegen die Zeit, da sich die Blume zu schliessen beginnet, fast über und über mit Saamenstaube belegt seyn. Zuweilen wird man nicht ohne Vergnügen wahrnehmen, wie einige dieser Insekten sich in dem Saamenstaube gleichsam herum wälzen, wie sie ihren ganzen Körper mit demselben überziehen, und unter diesem neuen goldenen Kleide den weiblichen Blumen die befruchtende Materie in Menge zuführen. Man kann sich aber auch auf eine andere Art überzeugen, dass diese Art der Bestäubung die einige wahre sey: Man [25] lasse eine weibliche Blume von der einen Seite dem über die männlichen Blumen herstreichenden Winde immer ausgesetzt seyn, verhindere aber durch eine sorgfältige Aufsicht, so lange als sie offen bleibt, den Zutritt allen Insekten, die sich ihr zu nähern Lust haben möchten, so wird einen

die Erfahrung aus dem bald darauf erfolgenden Absterben
ihres Eyerstocks lehren, dass die Bestäubung bey dergleichen
Pflanzen nicht durch den Wind geschehen müsse; und man
wird auch, bey der genauesten Untersuchung, in diesem Falle
nicht das geringste von dem eigenen Saamenstaube auf dem
Stigma antreffen. Sollte man auch, wie es zuweilen vorzukommen pflegt, etwas von einem Saamenstaube darauf finden,
so wird man so gleich aus seiner Grösse, Gestalt und andern
Merkmalen erkennen können, dass er fremder Art ist. Es
giebt einige unter obangeführten Pflanzen, die nicht so lange
blühen, dass ein gedultiger zu besorgen hätte, die Gedult über
dem Versuche zu verlieren. Aber ich wende mich nun von
diesen Pflanzen zu den Schwerdtellilien. Es ist bekannt, dass
jene wesentliche weibliche Theile, die man Stigmate nennt,
an diesen Pflanzen allen Kräuterverständigen bis auf den
heutigen Tag ein unentdecktes Geheimniss geblieben sind.
Aus der Lehre von dem Geschlechte der Pflanzen konnte man
zwar wohl begreiffen, dass etwas dergleichen nothwendig vorhanden seyn müste. Es nahmen daher einige der neuern
Kräuterverständigen die drey innersten Blumenblätter, vermuthlich weil sie mitten in der Blume [26] stehen, für die
weiblichen Theile auf eine unbestimmte Weise an, und nannten
sie entweder Stielchen, oder gaben sie, nach ihrer ganzen
Ausdehnung, für Stigmate aus. Allein eine von diesen Be-
stimmungen begriffe nicht alles in sich, was sie in sich begreiffen sollte, und die andere begriffe zu viel in sich. Ich
schämte mich öfters bey mir selbst, wenn ich, als einer, der
von dem Geschlechte der Pflanzen überzeugt war, bey einer
so grossen Blume andern, die die wesentlichen Theile derselben kennen lernen wollten, meine Unwissenheit in dem
einen Stücke bekennen musste. Die Ungewissheit, worinn
ich schon seit vielen Jahren her gesteckt hatte, fiel mir endlich verdrüsslich. Ich entschloss mich auf einmal, alle Theile
der Blume mit einem Vergrösserungsglase genau zu betrachten,
in der Hoffnung, dass ich vielleicht so glücklich seyn könnte,
durch dieses Hülfsmittel denjenigen Theil, den ich mit blossen
Augen so lange vergebens gesucht hatte, zu entdecken. Ich
that es, und fand wirklich an einem gewissen Theil der Blume
etwas, das die wesentlichen Kennzeichen eines Stigma hatte.
Ich sahe nämlich, dass der dreyeckichte Einschnitt, der sich
an und unter dem obersten Theil des so genannten Stigma,
oder der drey innersten Blumenblätter befindet, an seiner

innern oder obern Fläche über und über mit spitzigen und mit einer Feuchtigkeit überzogenen Wärzchen besetzt war. So wahrscheinlich es mir nun vorkam, dass dieses Läppchen das wahre Stigma seyn könnte, so sehr wunderte es mich, dass ich [27] diese Wärzchen, die man bey einigen Gattungen von Schwerdtellilien gar wohl mit blossen Augen sehen kann, nicht eher bemerkt hatte. Ich liess es nicht dabey bewenden, sondern stellte sehr viele Versuche darüber an, die mich endlich vollkommen überzeugten, dass dieser kleine Theil das wahre Stigma bey diesen Pflanzen sey. Diese Versuche gaben mir Gelegenheit zu folgenden Beobachtungen: Wenn sich eine Schwerdtellilie bereits geöffnet hat, so liegen gedachte dreyeckichte Läppchen, die ich nun ins künftige jederzeit Stigmate nennen werde, an dem obern Theile der Stigmatenblätter noch fest angedrückt, so dass ihre innere mit Wärzchen versehene Fläche von diesen letztern ganz bedeckt ist. Die Staubkölbchen öffnen sich, ehe die Stigmate sich von den Stigmatenblättern entfernen. Es erheben sich aber auch diese allmählig, und entblössen den vordersten Theil ihrer inneren Fläche. Die Staubkölbchen öffnen sich so, dass aller Saamenstaub nach der ganzen Länge ihrer untern, und von der innern Fläche der Stigmate abgekehrten, Seite hin zu liegen kommt, und sind überdiss noch von den Stigmatenblättern, die sich über sie hin beugen, und sich fest an ihnen anschliessen, wie von einem flach ausgehöhlten Schirme ganz bedeckt. Die Stigmate haben eine höhere und mehr auswärts gerichtete Lage, und kehren, wenn sie sich auch vollkommen ausgebreitet haben, mehr ihre untere glatte, als ihre obere mit Wärzchen besetzte Fläche den Staubkölbchen zu. Der Saamenstaub ist [28] ziemlich gross, und hängt dergestalt unter sich zusammen, dass er, wenn keine äusserliche Gewalt dazu kömmt, so lange als er noch frisch ist, an seinen Kölbchen kleben bleibt. Von dem stärkeren Zusammenhängen der noch frischen Saamenstäubchen und ihrer Schwere, die nicht geringe ist, kommt es auch her, dass sie, wenn sie entweder durch eine starke Erschütterung, oder durch eine unmittelbare Berührung eines andern Körpers genöthiget werden, das Staubkölbchen zu verlassen sich niemals einzeln in die Luft erheben, und hie und da herumschweben, sondern vielmehr in kleinen Klümpchen auf das gerade unter ihnen liegende äussere Blumenblat herabfallen. Mit einem Worte: die ganze Anlage aller Theile der Blume unter einander, ihre Gestalt und

Eigenschaften zeigen offenbar, dass der Saamenstaub bey diesen
Pflanzen weder von sich selbst, noch durch den Wind auf
die Stigmate kommen kann, sondern dass sich die Natur bey
ihnen eines andern und sicherern Mittels bedienen muss, um
ihren Endzweck zu erreichen. Dieses sind nun die Insekten,
und zwar unter andern vornehmlich gewisse Gattungen von
Hummeln, die sich so häufig und so oft bey diesen Blumen
einfinden, und den Saamenstaub in einer solchen Quantität
auf die Stigmate bringen, dass man fast denken sollte, die
Natur hätte sie vor andern Insekten zu dieser Verrichtung
auserlesen. Es geht aber damit folgendergestalt zu: Wenn
eine Hummel eben im Begriffe ist, den süssen im Grunde der
Blume steckenden Saft in sich zu saugen, so drängt sie sich
[29] zwischen eines der äusseren Blumenblätter und das darauf
passende Stigmablatt hindurch, und kriecht in diesem engen
Raume so weit fort, bis sie mit dem Saugerüssel den Grund
der Blume erreichen kann, und streift so wohl bey ihrem
Eingange, als auf dem Rückwege, den sie rücklings heraus-
nimmt, mit ihrem haarichten Kopfe und Brust den an dem
Kölbchen hängenden Saamenstaub ab. Sie fliegt alsdenn ganz
bestäubt auf das zweyte und dritte äussere Blumenblatt, oder
auch auf eine andere Blume hin, und streift den aufgefangenen
Saamenstaub, indem sie sich von neuem hinein begiebt, an
der innern ihr im Wege stehenden Fläche das Stigma wieder
ab. Es geschieht nicht selten, dass der Saamenstaub bey
einer Blume schon meistentheils zuvor weggewischt wird, oder,
dass der Rest davon schon ausgetrocknet und verdorben ist,
ehe sich noch ihre Stigmate aus- und abwärts beugen (welches
sich bey der Iride Linn. Sp. Pl. p. 40 n. 16. gemeiniglich zuträgt); allein es fehlt nicht leicht an frischem Saamenstaube
aus andern in der Nachbarschaft stehenden Blumen, den bemeldte Insekten bey öfters wiederholten Besuchen an jener
ihren Stigmaten, wenn sie sich endlich gehörig geöffnet haben,
in Menge abstreifen. Ausser dem süssen Safte, den sie im
Grunde dieser Blumen finden, suchen sie auch noch eine andere
und vielleicht ebenfalls süsse Feuchtigkeit auf, die in dem
Grunde der Stigmate, und in der, von da aus in den Stigmatenblättern fortlaufenden Rinne ausgesondert wird. Auch
[30] bey dieser Gelegenheit streifen sie, wie ich öfters wahrgenommen habe, den Saamenstaub, der sich an ihren haarichten
Kopf und Vorderfüsse angehängt hat, an den feuchten Wärzchen
der Stigmate ab. Es finden sich auch, wiewohl etwas seltener,

einige Gattungen von Fliegen und andern Insekten bey den Schwerdtellilien ein, die zur Bestäubung der Stigmate ebenfalls das ihrige beytragen. Gleiche Bewandniss hat es mit dem Bestäuben der Stigmate bey gewissen Pflanzen aus der Malvenordnung, und zwar vornehmlich bey dem Geschlechte der Hibiscorum. Bey den allermeisten Gattungen dieses letztern ragen die Stigmate so weit über die Staubkölbchen hinaus, dass ein unmittelbares Berühren dieser Theile unter einander bey noch vollkommenem Zustande der Blume ganz und gar nicht möglich ist. Die stachlichte Saamenstäubchen dieser Pflanzen sind überdiess so gross und schwer, und kleben so fest an einander, dass sie sich auch durch eine starke Erschütterung und durch einen ziemlich heftigen Wind nicht leicht von einander trennen lassen. Wenn auch dieses sich einmal zuträgt, so erheben sie sich doch nicht in die Luft, sondern fallen entweder auf den Grund der Blume, oder auf das Blumenblatt nieder. Man kann schon aus der Art und Weise, wie die Saamenstäubchen ab und aufgetragen sind, aus ihrer Menge und aus den Stellen, die sie auf den Stigmaten eingenommen haben, leicht erkennen, dass sie weder durch eine Erschütterung noch durch einen Wind von den Staubkölbchen [31] können hinweggetrieben und auf die Stigmate gekommen seyn. Es erhellet solches auch noch überdem daraus, dass die Stigmate bey stiller Luft ungleich sicherer und stärker als bey windigem Wetter belegt werden. Das Bestäuben der Stigmate geschieht hier ebenfalls ganz allein durch verschiedene Gattungen von Hummeln, Wespen und Fliegen. Jene, die Hummeln und Wespen, suchen den im Grunde der Blumen befindlichen süssen Saft, und diesen ist es theils ebenfalls darum zu thun, theils aber finden sie auch, wie ich öfters bemerkt habe, einen besondern Geschmack an der öhlichten Feuchtigkeit der Stigmate und des Saamenstaubs, die sie mit ihrem Rüssel sehr geschickt abzulecken wissen. Bey dieser Gelegenheit bringen alle diese Insekten eine ungleich mehr als hinreichende Anzahl Saamenstäubchen auf die Stigmate, und zwar bey so vielen Blumen, dass man nicht leicht eine finden wird, die sie übergangen haben sollten. Und je günstiger die Witterung den Insekten ist, desto mehr kommt sie auch diesen Blumen, in Ansehung der von jenen abhängenden Bestäubung, und der auf diese erfolgenden Befruchtung, zu statten. Ich habe hierüber sehr viele und mancherley Versuche und Beobachtungen angestellt, die mich vollkommen

überzeugt haben, dass das Bestäuben der Stigmate weder der
Lage, die die Theile der Blume untereinander haben, noch
dem Winde, sondern bloss allein den Insekten zuzuschreiben
sey. Man kann also, so lange man nicht eine andere Art
und Weise der [32] Bestäubung bey obbemeldten zwoen natürlichen Pflanzenordnungen und bey vielen von der dritten entdecken kann, mit aller Wahrscheinlichkeit behaupten, dass
alle dahin gehörige Pflanzen, deren Anzahl gewiss nicht geringe ist, sich niemals ohne Insekten durch den Saamen haben
fortpflanzen können, und dass ihr gänzlicher Untergang auf
den Untergang solcher Insekten endlich gewiss erfolgen müsste.
Es giebt ohne allen Zweifel noch viele Pflanzen, deren Stigmate bloss allein von Insekten mit ihrem Saamenstaube belegt werden; ich werde sie aber nicht eher anführen, und
für dergleichen ausgeben, bis ich durch mehrere Versuche
und Beobachtungen davon überzeugt seyn werde. Nur einer
einigen Pflanze will ich noch hier gedenken, die, meiner
Meynung nach, unter den vorhergehenden mit Recht einen
Platz zu verdienen scheinet: die Staubkölbchen des Attichs
(Sambucus Linn. Sp. Pl. p. 269. n. 1.) stehen in einer ziemlichen Entfernung von dem kurzen im Grunde der Blumen
befindlichen Pistill. Die Saamenstäubchen sind elliptisch,
hängen mit ihren Spitzen unter sich zusammen, und lassen
sich eben deswegen so leicht nicht von ihren Kölbchen ab-
treiben. Ich würde daher niemals haben begreifen können,
wie der Saamenstaub zu dem Stigma kommen müsste, wenn
ich nicht gesehen hätte, dass unter andern vornehmlich gewisse Insekten, die man Blasenfüsse (Physapodes) nennt, ihn
reihenweise dahin schleppten. Es scheint endlich auch das
Bestäuben der Stigmate [33] b) bey vielen Pflanzen auf verschiedene Weise zu geschehen, und entweder von allen, oder
doch wenigstens von mehr als einer der bereits erwähnten
Ursachen bewirket zu werden. Eine etwas vortheilhafte Lage,
Erschütterung, Wind und Insekten tragen das ihrige dazu bey.
Indessen ist es sehr wahrscheinlich, dass das Bestäuben entweder überhaupt, oder doch wenigstens zu gewissen Zeiten,
von einem mehr als von dem andern abhängt. Bey verschiedenen Gattungen von Mohnpflanzen öffnen sich schon,
bey noch geschlossener Blume, die an das Stigma angedrückte
Staubkölbchen, und lassen etwas von ihrem Saamenstaube,
wenn sich die Blume öffnet, daran zurück. Bald darauf aber
kommen die Insekten, und bestäuben das strahlichte Stigma

vollends über und über mit Saamenstaube. Geht zu der Zeit ein starker Wind, so mag er wohl auch das seinige dazu bey-tragen. Mit den gelben und weissen Wasserlilien (Nymphaea Linn. Sp. Pl. p. 510. n. 1 et 2.) dem mexicanischen stachlichten Mohn (Argemone Linn. Sp. Pl. p. 508. n. 1.) der Gichtrose, dem Pomeranzenbaum, und bey verschiedenen Gattungen von Johanniskraut (Hypericum Linn. Sp. Pl. p. 783. n. 4; et p. 784. n. 5; et p. 785. n. 14.) hat es eine gleiche Bewandniss. Bey den Oenotheris (Linn. Sp. Pl. p. 346. n. 1 et 2.) öffnen sich schon bey geschlossener Blume die an den Stigmaten hart anliegende Kölbchen, und belegen die äussere Fläche der-selben mit ihrem Staube. Hat sich die Blume geöffnet, so begeben sich auch [34] die vier Stigmate, die zuvor gestreckt beysammen lagen, von einander, und krümmen sich auswärts zurück. Man siehet alsdenn den Saamenstaub theils an ihrer äusseren Fläche kleben, theils zwischen denselben an gewissen ungemein feinen Fäden hängen, die ihm eigen sind, und durch welche die Saamenstäubchen, wie durch ein Spinnengewebe, unter sich zusammenhängen. Nach und nach kommen allerley Fliegen, Hummeln und andere Insekten zu der Blume, und schleppen theils von dem noch auf den Kölbchen liegenden Saamenstaube, theils von demjenigen, der bereits schon an den Stigmaten hängt, von Zeit zu Zeit etwas auf dieser ihre innere Fläche hin, und breiten ihn zuletzt allenthalben auf derselben aus, Die Blumen des Weiderichs (Epilobium Linn. Sp. Pl. p. 347. n. 1 et 2.) öffnen sich, ehe noch ein Kölbchen seinen Staub von sich giebt, ehe das unter die Blume hinab-wärts gekrümmte Pistill sich zu erheben anfängt, und die vier fest auf einander liegende Stigmate sich auswärts krümmend von einander begeben, und ihre innere mit Wärzchen besetzte Fläche entblössen. Geschiehet dieses, so trifft es sich zwar manchmal, dass sich etwas von dem an einem Kölbchen hängenden Saamenstaub an irgend einer Stelle der mit Wärzchen besetzten Fläche abstreift: Es kömmt aber dieses in keine Vergleichung mit dem, was die Insekten dabey thun. Diese schleppen den, gleichfalls durch Fäden unter sich zu-sammenhängenden, Saamenstaub auf die innere Fläche häufig hin, und überziehen [35] sie gleichsam allenthalben mit dem-selben. Nimmt man gleich einer gewissen Anzahl Blumen ihre noch geschlossene Kölbchen hinweg, so werden doch ihre Stigmate allezeit mit einer genugsamen Quantität Saamenstaub überzogen, den die Insekten von andern in der Nähe stehenden

Blumen dahin tragen. Bey den spätern Blumen dieser Pflanze
geschieht das Bestäuben ohnedem ganz allein durch Insekten :
denn es öffnen sich bey ihnen die Kölbchen lange vorher,
ehe das Stigma sich aufrichtet und gehörig ausbreitet. Indessen verdirbt entweder der Saamenstaub auf den Kölbchen,
oder wird von Insekten hinweggeschleppt. Es würden also
die Stigmate unbelegt bleiben. und folglich keine Befruchtung
erfolgen können, wenn die Insekten nicht frischen Saamenstaub von andern Blumen dahin brächten. Ein diesem ähnliches Beyspiel ist der griechische Baldrian (Polemonium Linn.
Sp. Pl. p. 162. n. 1.). Bey den wilden Ochsenzungen (Echia ,
Winden Convolvuli), Jalapen, und bey verschiedenen Gattungen von Bilsenkraut Hyoscyamus Linn. Sp. Pl. p. 179.
n. 1. et p. 180. n. 3 et 5.) und Tabak (Nicotiana Linn. Sp.
Pl. p. 108. n. 1 et 4.) berührt zwar öfters ein stäubendes
Kölbchen das Stigma: es hat mich aber die tägliche Erfahrung gelehret, dass das Bestäuben bey diesen Pflanzen hauptsächlich, und auf eine viel sicherere und vollkommenere Weise
durch Insekten geschieht. Bey dem Löwenmaul Antirrhinum
Linn. Sp. Pl. p. 616. n. 21; et p. 617. n. 25.) und Feig-
warzenkraut (Scrophularia Linn. [36 Sp. Pl. p. 619. n. 2;
et p. 620. n. 3; et p. 621. n. 9 et 10.) liegen die Staubfäden
anfänglich in dem Grunde der Blume zurückgebogen, in einer
ziemlichen Entfernung von dem Stigma: sie erheben sich aber
endlich paarweise, und legen sich mit ihren stäubenden Kölbchen
hart an das Stigma an. so dass der Saamenstaub dasselbe
nicht selten unmittelbar berührt; und was durch die Lage
nicht geschieht, wird, zumal bey dem letztern, durch Insekten
vollbracht. Ueberhaupt sind die Insekten bey Pflanzen, bey
denen das Bestäuben nicht gewöhnlichermassen durch eine
unmittelbare Berührung geschieht, immer mit im Spiel, und
tragen das meiste zur Bestäubung, und folglich auch zur Befruchtung derselben, bey; und wahrscheinlicherweise leisten
sie, wo nicht den allermeisten Pflanzen, doch wenigstens einem
sehr grossen Theil derselben. diesen ungemein grossen Dienst:
denn es führen fast alle hieher gehörige Blumen etwas bey
sich, das ihnen angenehm ist, und man wird nicht leicht eine
derselben finden, bey der sie sich nicht in Menge einfinden
sollten.

§ 16.

Die von einigen der neuern Kräuterlehrer mit vieler
Dreistigkeit für Bastarte ausgegebene Pflanzen mögen in dieser

Absicht wohl nichts anders als unzeitige Geburten einer über-
triebenen Einbildungskraft seyn. Es sind vielleicht kaum einige
wenige darunter, die mit Recht diesen Nahmen verdienen
mögen. Wie kann man sie mit Gewissheit dafür ausgeben,
ehe man sie durch die Kunst, [37] und zwar durch die zuverlässigsten Versuche, hervorgebracht hat? So unwahrscheinlich es ist, dass von zwoen verschiedenen Gattungen
von Thieren, die in ihrer natürlichen Freyheit gelebt, jemals
ein Bastart erzeugt worden, so unwahrscheinlich ist es auch,
dass bey der ordentlichen Einrichtung, die die Natur bey dem
Pflanzenreiche gemacht hat, eine Bastartpflanze entstanden
sey. Die Natur, die jederzeit, auch bey der grössesten scheinbaren Unordnung, die schönste Ordnung beobachtet, hat dieser
Verwirrung bey den wandelnden Thieren ausser andern Mitteln
hauptsächlich durch die natürlichen Triebe vorgebeuget, und
bey den Pflanzen, bey denen ihre allzu nahe Nachbarschaft,
der Wind und Insekten zu einer widernatürlichen Vermischung
täglich Gelegenheit geben, wird sie denen davon zu besorgenden Wirkungen ohne Zweifel durch eben so sichere Mittel ihre
Kraft zu benehmen gewusst haben. Vermuthlich sind es eben
dieselben, die bey den Thieren, ausser den natürlichen Trieben,
statt finden. Vielleicht ist es auch, um einer solchen daher
zu besorgenden Unordnung vorzubeugen, eine von ihren Absichten gewesen, dass sie eine Pflanze nach Afrika versetzt,
und einer andern Platz in Amerika angewiesen. Vielleicht ist es zum Theil um dieser Ursache willen geschehen,
dass sie in die Grenzen einer gewissen Gegend nur solche
Pflanzen eingeschlossen, die in Ansehung der Struktur die
wenigste Aehnlichkeit untereinander haben, und die folglich
auch am wenigsten geschickt sind, eine Unordnung [38] unter
einander anzurichten. Wenn diese Muthmassungen ihren Grund
haben, wie ich fast glaube, so werden in den botanischen
Gärten, wo Pflanzen aller Art und aus allen Welttheilen, in
einem engen Raume beysammen sind, Bastartpflanzen wahrscheinlicherweise entstehen können, besonders wenn man sie
nach einer systematischen Ordnung, und folglich diejenige,
die die grösste Aehnlichkeit mit einander haben, zusammen-
setzt. Der Mensch giebt wenigstens hier den Pflanzen auf
eine gewisse Art eben die Gelegenheit, die er seinen, oft aus
weit von einander abgelegenen Welttheilen hergeholten,
Thieren giebt, welche er wider die Natur in einem Thier-
garten, oder in einem noch engern Raume, eingesperrt hält.

Würde wohl ein Stieglitz mit einem Canarienvogel jemals sich
begattet, und Bastartjunge erzeugt haben, wenn ihnen nicht
der Mensch die Gelegenheit, sich näher kennen zu lernen,
verschafft hätte? Sollten also wohl in botanischen Gärten
nicht bereits schon Bastartpflanzen entstanden seyn? Eben
die Gründe, die mir die Erzeugung derselben bey natürlichem
Zustande verdächtig machen, bewegen mich, sie unter diesem
widernatürlichen zuzugeben. Weil ich schon lange von dem
Geschlechte der Pflanzen überzeugt war, und an der Möglichkeit einer solchen widernatürlichen Erzeugung niemals ge-
zweifelt hatte, so liess ich mich auch durch nichts abhalten,
Versuche hierüber anzustellen, in der guten Hoffnung, dass
ich vielleicht einmal so glücklich seyn könnte, eine Bastartpflanze [**39**] zuwegezubringen. Ich habe es endlich auch,
nach vielen bey mancherley Pflanzen vergeblich angestellten
Versuchen, im vergangenen Jahr 1760 bey zwoen verschiedenen Gattungen eines natürlichen Geschlechts, nämlich bey
der Nicotiana 'paniculata' Linn. Sp. Pl. p. 180. n. 2. und der
Nicotiana 'rustica) Linn. Sp. Pl. p. 180. n. 3. so weit gebracht, dass ich mit dem Saamenstaube der erstern den Eyerstock der andern befruchtet, vollkommene Saamen erhalten,
und aus diesen noch in eben dem Jahre junge Pflanzen erzogen hatte. Da ich diesen Versuch bey vielen Blumen, zu
verschiedenen Zeiten, und mit aller nur möglichen Vorsicht gemacht, und dadurch iedesmal eine ordentliche Befruchtung und
vollkommenen Saamen erhalten hatte: so konnte ich gar nicht
glauben, dass etwa ein Versehen bey dem Versuche vorgegangen
seyn möchte, und dass die schon bereits aus dem Saamen erzogene Pflanzen, deren acht und siebenzig von hundert und
zehen Saamen aufgegangen, nur gewöhnliche Mutterpflanzen
seyn sollten. Ob ich gleich an ihnen damals eben noch nicht
viel besonderes und fremdes entdecken konnte, so hatte ich
doch zwischen dem natürlichen und dem durch Kunst hervorgebrachten Saamen schon einen merklichen Unterschied gefunden: welches mich um so weniger zweifeln liesse, dass die
daraus erzogene junge Pflanzen nicht wahre Bastarte seyn
sollten. Ich wurde endlich davon vollkommen überzeugt, da
ihrer etliche und zwanzig, die ich den Winter über theils in
der [**40**] Stuben, theils in einem kalten Gewächshause erhalten
hatte, letzt verwichenen Märzmonat zur Blüte kamen. Ich
wurde mit vielem Vergnügen gewahr, dass sie nicht nur allein
in der Ausbreitung der Aeste, in der Lage und Farbe der

Blumen überhaupt, gerade das Mittel zwischen den beyden
natürlichen Gattungen hielten, sondern dass auch bey ihnen
ins besondere alle zur Blume gehörigen Theile. die Staubkölbchen allein ausgenommen, gegen eben dieselben von den
beyden natürlichen gehalten, eine fast geometrische Proportion
zeigten; ein Umstand, der die alte aristotelische Lehre von
der Erzeugung durch beyderley Saamen vollkommen recht-
fertiget, und hingegen der Lehre von den Saamenthierchen,
oder den in dem Eyerstocke der Thiere und Pflanzen ursprünglich angenommenen und durch den männlichen Saamen
zu belebenden Embryonen und Keimen gänzlich widerspricht.
Die Staubkölbchen waren um ein merkliches kleiner, als sie
bey den beyden natürlichen Pflanzen sind, und enthielten folglich auch, dem Raume nach, nicht so viel Saamenstaub in
sich, als jene; er war auch überdem weisser und trockener,
und seine Theilchen hiengen nicht so stark unter einander zusammen. Dieser besondere Umstand bewog mich so gleich,
denselben durchs Vergrösserungsglas zu untersuchen. So vollkommen alle übrigen Theile dieser Bastarte waren, so unvoll-
kommen war dieser: denn, anstatt dass die Stäubchen der
beyden natürlichen eine ordentliche elliptische Gestalt haben,
und voll [41] männlichen Saamens sind, so waren diese hingegen ganz irregulär, eingeschrumpft, und gleichsam wie zer-
rieben; sie enthielten fast gar nichts von einer flüssigen Materie,
und waren, mit einem Worte, blosse leere Bälge. Die Fruchtbarkeit dieser neuen Pflanze schien mir daher so gleich äusserst
verdächtig. und der Erfolg rechtfertigte auch meinen Verdacht
vollkommen: denn unter einer fast unzählichen Menge Blumen
war auch nicht eine zu finden, die nur einen einigen Saamen
getragen hätte, wenn sie auch gleich mit einer grossen Quantität ihres eigenen Saamenstaubs belegt geworden; da hingegen
bey den beyden natürlichen Gattungen eine iede Kapsel vier
bis fünfhundert Saamen zu tragen pflegt. Es ist also diese
Pflanze im eigentlichen Verstande ein wahrer, und, so viel
mir bekannt ist, der erste botanische Maulesel, der durch
Kunst hervorgebracht worden ist; denn dass der Bastartbocks-
bart, dessen der berühmte Herr *Linnäus* in seiner neuen
Preissschrift gedenkt, keine Bastartpflanze im eigentlichen
Verstande, sondern höchstens nur ein halber Bastart, und
zwar in verschiedenen Graden sey, werde ich bey einer andern
Gelegenheit mit vielen Gründen, die theils aus der Natur und
Eigenschaft der zusammengesetzten Blumen und aus gewissen

über die Zeit der Befruchtung derselben angestellten Versuchen, theils aus der Beschaffenheit obgedachter vermeintlichen Bastarte selbst, die von mir aus Saamen, welche Herr
Linnäus zugleich mit seiner Preissschrift [42] der Erlauchten
Russ. Kayserl. Akademie der Wissenschaften überschickt hat,
erzogen worden, und letzt verwichenes Frühjahr im akademischen Garten zu St. Petersburg geblüht haben, klar und
deutlich erweisen.

Ob gleich der Bastarttabak an sich selbst unfruchtbar
ist, so habe ich doch viele seiner Blumen theils mit dem
Saamenstaube seiner Mutterpflanze, theils auch mit dem
Saamenstaube seiner Vaterpflanze befruchtet, und von beyderley Versuchen zwar vollkommene Saamen, aber in einer ungleich geringern Anzahl erhalten, als bey der einen so wohl
als bey der andern natürlichen Pflanze durch eine der Ordnung der Natur gemässe Befruchtung erzeugt werden. Von
dem erstern Versuche müsste ich, der Theorie nach zu urtheilen, gewöhnliche Mutterpflanzen erhalten, indem der eigene
männliche Saamen mit seinem weiblichen, von dem ich ihn
zuvor getrennt hatte, nun wieder vereiniget ist; von dem
andern aber sollte man wieder Bastarte erwarten, weil ihnen
der fremde männliche Saamen, den sie sich selbst zuzubereiten
nicht im Stande sind, von neuem wieder gegeben worden.
Indessen, so wahrscheinlich dieses auch zu seyn scheint, so
ist es doch am besten, dass man die völlige Entscheidung
dieser Sache von der Natur selbst erwarte. Von allem dem,
was ich bereits von dem Bastarttabak gemeldet habe, und
von seinen übrigen merkwürdigen Eigenschaften, worunter
man auch seinen viel [43] schnellern Wachsthum rechnen
kann, wodurch er sich unter gleichen Umständen mit seiner
Vater- und Mutterpflanze, von dem aufkeimenden Saamen an
bis zu seiner völligen Blüte von eben diesen unterscheidet,
werde ich inskünftige nähere Nachricht ertheilen.

Bey umgekehrtem Versuche, da ich nämlich das Stigma
der Nicotianae paniculatae mit dem Saamenstaube der Nicotianae rusticae belegt, habe zwar auch eine Befruchtung, aber
etwas unvollkommene Saamen erhalten. Sie waren kleiner
und viel magerer, als die natürlichen zu seyn pflegen, und
von sechzig derselben, die ich gesäet hatte, gieng nicht einer
auf. Indessen übertreffen sie doch die unbefruchteten Saamenkeime, die man von einer Blume erhält, deren Stigma nicht
mit Saamenstaub belegt worden, an Grösse und Vollkommenheit

noch weit; woraus man schliessen kann, dass in ihnen etwas von einer Befruchtung und einem darauf erfolgten Wachsthume vorgegangen seyn muss. Es ist mir dieser Umstand noch bey mehrern Pflanzen vorgekommen, und ich glaube, dass er einige Aufmerksamkeit verdient.

Ausser obenerwähntem mit der Nicotiana rustica ♀ und Nicotiana paniculata ♂ angestelltem Versuche ist mir auch noch eine ziemliche Anzahl anderer, die ich theils mit Pflanzen aus eben diesem Geschlechte, theils mit andern gemacht, glücklich gelungen; ich wünsche mir dabey nur [44] eine gute Gelegenheit von den davon erhaltenen Saamen einen rechten Gebrauch machen zu können.

Ich habe auch noch ausser diesen von andern Pflanzen durch eine solche widernatürliche Vermischung, dem äusserlichen Ansehen nach vollkommene Saamen erhalten: weil ich aber nicht mit völliger Gewissheit behaupten kann, dass sich nicht etwas von ihrem eigenen Saamenstaube dabey eingemischt haben mag, so will ich ihrer gegenwärtig nicht mit mehrerem erwähnen, sondern erwarten, was mit der Zeit aus ihnen werden wird. Bey vielen andern Pflanzen aber habe ich ihrer ziemlich nahen Anverwandtschaft ungeachtet, doch durch dergleichen Versuche nicht das geringste ausgerichtet, und es ist, in Absicht auf den Erfolg, eben so viel gewesen, als wenn ich sie gänzlich verschnitten, oder gar nicht mit Saamenstaube belegt hätte: Woraus ich zur Genüge ersehen, dass sich Bastartpflanzen nicht so leicht erzeugen lassen, als sich manche einbilden mögen, und dass eine widernatürliche Befruchtung eine weit grössere Aehnlichkeit voraussetzt, als sie von einigen, wider alle Wahrscheinlichkeit, als hinreichend angenommen wird.

§ 17.

Es lässt sich schon aus der Theorie sehr wohl begreifen, dass einer jeden Pflanze, von der man durch den männlichen Beytrag einer andern einen [45] vollkommenen Bastart erziehen kann, auch nur eine blosse Tinctur, und zwar in so viel verschiedenen Graden, wird gegeben werden können, als Proportionen in der Vermischung ihres eigenen Saamenstaubs mit der andern ihrem möglich sind; es bestärkt es aber auch die Erfahrung: denn ich habe erst kürzlich in Berlin und

auch bey meinem dermaligen Aufenthalte in Leipzig verschiedene Pflanzen von der Nicotiana rustica angetroffen, die
von meinem durch Kunst erzeugten Bastarttaback bloss darinn unterschieden sind, dass sich alle diejenigen Kennzeichen, die dieser von seiner Vaterpflanze angenommen hat,
nicht in einem so hohen Grade an ihnen zeigen, und dass sie,
dem äusserlichen Ansehen nach, noch eben so fruchtbar, als
die natürlichen, zu seyn scheinen. Da die Nicotiana rustica
und paniculata so wohl in Berlin als Leipzig schon seit verschiedenen Jahren her immer in der Nachbarschaft beysammen
gestanden, und die Erzeugung eines vollkommenen Bastarts
aus ihnen nun aus der Erfahrung bekannt ist: so wird ein
ieder, der nur einigermassen auf die bey erstgedachten beyden
Pflanzengattungen zur Zeit ihrer Blüte sich ereignenden Zufälle Achtung gegeben hat, leicht begreiffen, wie dergleichen
halbe Bastarte oder Varietäten haben entstehen können; und
aller Wahrscheinlichkeit nach werden viele der bisher bekannten Varietäten gleichen Ursprungs mit ihnen seyn. Der
weitere Erfolg meiner schon vor dieser Beobachtung auf
mancherley Art angestellten Versuche auf eine Tinctur oder
halbe Bastartbefruchtung [46] werden in dieser Sache ein
mehreres entscheiden. Sie betreffen theils Pflanzen, von denen
man vollkommene Bastarte erhalten kann, theils auch solche,
von denen man, wie ich aus vieler Erfahrung weiss, keine
erwarten darf.

§ 18.

Der süsse Saft, der in dem Grunde der Blumen ausgesondert wird, und den die Bienen und andere Insekten
fleissig sammlen, ist wahrscheinlicher Weise schon ein wahrer,
aber noch sehr dünner und flüssiger Honig, und bedarff, um
eben das zu seyn, was er in den Zellen der Bienen ist, keiner
anderen Zubereitung, als dass er den Ueberfluss seiner wässerigen
Theile verlieret, und dadurch die rechte Consistenz bekömmt.
Viele der alten und neuern Schriftsteller haben eben das, aber
ohne allen Beweis, gesagt. *Schwammerdamm* war einer andern
Meynung; er glaubte, dieser süsse Saft müste, um Honig zu
werden, in dem Magen der Bienen erst gähren und gekocht
werden. Er hat sich aber hierinn unfehlbar geirret. Um
diese zweifelhafte Frage zu entscheiden, machte ich 1760 mit
dem Anfange des Frühlings einen Versuch, und sammlete von

einem stark blühenden Pomeranzenbaume täglich diesen süssen
Saft ein. So wie er aus den Blumen kam, und so lange er
noch flüssig war, hatte er noch den Geruch der Blüten an
sich; er verlohr aber solchen nach und nach meistentheils,
zugleich [47] mit seiner Flüssigkeit, und nahm dagegen einen
Honiggeruch an. Nachdem ich das, was ich von einigen
Tagen her gesammlet, bey einer gelinden Wärme hatte abdünsten und zur gehörigen Consistenz kommen lassen, so
kostete ich etwas davon, und fand, dass es an Geschmack
dem besten Honig nichts nachgab, und mit diesem hierinn
vollkommen übereinkam. Alles, was ich gesammlet, und zur
Honigdicke gebracht habe, beträgt in einem Zuckergläschen,
das einen pariser Zoll im Durchmesser hat, sieben Linien;
ohne dasjenige, was von Zeit zu Zeit davon gekostet worden.
An Farbe ist es goldgelb. Den zweyten Versuch machte ich
bald nachher mit dem süssen Saffte, der von den weissen
Nektargruben der Kayserkrone in Gestalt grosser Tropfen
herabhängt. Er ist fast so flüssig und klar, als Wasser, und
hat einen süsslichten, aber dabey etwas widrigen und ekel-
haften Geschmack. Dieses letztere verräth sich auch durch
den Geruch. Unsere Hummeln machen sich nicht sonderlich
viel daraus, und ich konnte ihn ziemlich ruhig vor ihnen
sammlen. Die Aussonderung desselben nimmt mit dem öffnen
der Blume ihren Anfang, und dauret so lange fort, bis sie
anfängt zu verwelken; daher kann man ihn bey einer ieden
Blume, etliche Tage nacheinander, drey bis viermal sammlen.
Von sechs und vierzig Blumen brachte ich, dem Maasse nach,
ungefähr eine Unze davon zusammen. Beym Abdünsten nimmt
dieser Saft eine bräunlichte Farbe an, und wird endlich, wenn
[48] er die Honigdicke bekömmt, ganz dunkelbraunroth. Er
hat alsdenn zwar einen süssen, aber eben keinen sonderlichen
Honiggeschmack: denn es fehlt ihm die angenehme Schärffe
und das Gewürzhafte, das nach unserm Geschmacke ein guter
Honig haben soll. Das ekelhafte, das er in ganz flüssigem
Zustande an sich hat, verliert er durchs Verdicken meistentheils; indessen wollte ich eben nicht gut dafür seyn, dass
er nicht noch etwas von einer treibenden und zum Erbrechen
reitzenden Eigenschaft an sich haben möchte, die den Türken,
die in dieser Absicht die frischen Tropfen gebrauchen, wohl
bekannt seyn soll. Sollten die Bienen in solchen Gegenden
von Asien, wo die Kayserkrone häufig zu wachsen pflegt,
auch diesen süssen Saft einsammlen, und ihn in Menge unter

3*

ihren Honig mischen, so hätte man Ursache, sich dessen mit
einer gewissen Behutsamkeit zu bedienen. Den dritten Versuch machte ich mit dem süssen Safte aus den Blumen der
schwarzen Johannisbeeren (Ribes Linn. Sp. Pl. p. 301. n. 3.].
Er ist, so wie er aus den Blumen kömmt, schon etwas dick,
und wegen einer damit vermischten schmierigen Materie fast
ganz trüb; an Geschmack sehr süss, und von einem etwas
starken und unangenehmen Geruche. Dem ungeachtet sind
die Hummeln grosse Liebhaber davon. Ich brachte, dem
Maasse nach, über sechs Drachmen davon zusammen. Nachdem er bis zur Honigdicke abgedünstet worden, so zeigte er
eine röthlichbraungelbe Farbe. Er schmeckt sehr [49] süss.
aber doch nicht wie Honig, und lässt auf der Zunge etwas
unangenehmes und einigermassen bitteres zurück. Den vierten
Versuch machte ich mit dem sibirischen Erbsenbaume' (Robinia
Linn. Sp. Pl. p. 722. n. 3.]. Der frische Saft davon war
ganz klar; nachdem er aber gehörig verdickt worden, zeigte
er eine hellgelbe Farbe. Er hat eine angenehme Süssigkeit,
es fehlt ihm aber das Scharfe und Gewürzhafte. Mein fünfter
Versuch war, dass ich den süssen Saft von der gemeinen
Salbey (Salvia Linn. Sp. Pl. p. 23. n. 4.), dem Rossmarin,
dem Drachenkopfe (Dracocephalum Linn. Sp. Pl. p. 594. n. 2;
et p. 596. n. 10.), der Phlomide (Linn. Sp. Pl. p. 586. n. 8.),
Scutellaria (Linn. Sp. Pl. p. 599. n. 4.), dem Gliedkraut (Side-
ritis) und einigen andern aus dieser natürlichen Pflanzenord-
nung in ein Gläschen zusammen sammlete, und von Zeit zu
Zeit bey einer gelinden Wärme zur gehörigen Consistenz abdünsten liesse. Dieser verdickte Saft beträgt in einem Zuckergläschen, das zehen Linien im Durchmesser hat, sechs Linien.
Er ist an Farbe goldgelb, und kommt an Geschmack mit dem
besten Honig überein. Den sechsten Versuch machte ich mit
dem süssen Safte, der in dem Nektarsporne der indianischen
Kresse (Tropaeolum Linn. Sp. Pl. p. 345. n. 2.) ausgesondert
wird. So wie er aus der Blume kömmt, ist er ziemlich klar,
und hat einen Geruch, der mit dem Geruche der Blumen übereinkömmt. Beym Verdicken nahm er aber eine gelblichtweisse
Farbe an, und [50] verlohr nach und nach seinen vorigen
Geruch. Von diesem habe ich in einem Zuckergläschen, das
neun Linien im Durchmesser hat, sieben Linien zusammen-
gebracht. Er hat ebenfalls einen vollkommenen Honiggeschmack.
      Diess sind die vornehmsten Versuche, die ich über den

Nektarsaft der Blumen angestellet habe. Es ist hier der Ort
nicht, mich in eine weitläufige Abhandlung über diese Materie
einzulassen; ich werde solches auf eine andere Zeit versparen.
Inzwischen soll es mich freuen, wenn ich andern durch das,
was ich bereits vorgetragen, Gelegenheit gegeben habe, selbst
Versuche hierüber anzustellen, und die Sache durch ihren
eigenen Geschmack zu prüfen.

Fortsetzung

der

Vorläufigen Nachricht

von einigen

das Geschlecht der Pflanzen

betreffenden

Versuchen und Beobachtungen.

Von

Joseph Gottlieb Kölreuter,

der Arzneywissenschaft Doctor, und Herzogl. Würtemberg. Professor d. Naturhistorie.

Leipzig,

in der Gleditschischen Handlung, 1763.

Vorrede.

So sehr ich von der einen Seite überzeugt bin, dass sich das Geschlecht der Pflanzen aus meinen bisher angestellten Versuchen und Beobachtungen auf das vollkommenste erweisen lässt: so gewiss weiss ich auch von der andern, dass sie nicht weniger dienlich seyn werden, die Lehre von der Erzeugung durch beederley Saamen ausser allen Zweifel zu setzen, und den Ungrund eines jeden andern Lehrgebäudes zu zeigen. Ich möchte gern sehen, wie man nach irgend einem von den letztern die in meiner vorläuf. Nachr. und in gegenwärtiger Fortsetzung vorkommende Erscheinungen auf eine ungezwungene und verständliche Weise erklären wollte. Man versuche es aber, und prüfe sie nebst denen aus dem Thierreiche nach obgedachter Lehre: so wird man bald gewahr werden, wo sich die grössten Schwierigkeiten finden.

Da dieses Lehrgebäude in der Hauptsache mit der uralten Lehre des Hippokrates übereinkömmt: so sieht man wohl, dass es mir mehr darum zu thun ist, die Wahrheit zu vertheidigen, als meinen Namen durch eine neue Hypothese der Welt bekannt zu machen.

Uebrigens ist meine Absicht gar nicht, das Innere dieses Geheimnisses mit einer frevelhaften Kühnheit erforschen zu wollen; sie geht bloss allein auf das Materialische desselben: und diess ist etwas, das meines Erachtens noch nicht über die Sphäre des menschlichen Verstandes hinaus ist.

Calw, den 10. Dec. 1762.

Zu der Erzeugung einer jeden natürlichen Pflanze werden zwey gleichförmige flüssige Materien von verschiedener Art erfordert, die von dem Schöpfer aller Dinge zur Vereinigung für einander bestimmt sind. Die eine davon ist der männliche, die andere der weibliche Saame. Da diese Materien von verschiedener Art, oder ihrem Wesen nach von einander unterschieden sind: so ist leicht zu begreifen, dass auch die Kraft der einen von der Kraft der andern verschieden seyn muss. Aus der Vereinigung und Vermischung dieser beyden Materien. die auf das allerinnigste und ordentlicher weise nach einem bestimmten Verhältnisse geschieht, entsteht eine andere, die von mittlerer Art ist, und folglich auch eine mittlere, aus jenen beyden einfachen Kräften entstandene, zusammengesetzte Kraft besitzt: eben so wie aus der Vereinigung eines sauren und laugenhaften ein drittes, nämlich ein Mittelsalz entsteht. Diese dritte Materie ist alsdenn entweder so gleich nach geschehener Vermischung [6] schon bereits der Anfang oder die feste Grundlage einer belebten Maschine, oder sie bringt sie erst einige Zeit hernach aus sich selbst hervor. Niemals würde dergleichen etwas aus einem von jenen beyden Saamenstoffen allein haben entstehen können: so wenig, als entweder aus einem reinen sauren oder einem reinen laugenhaften Salze allein ein Mittelsalz werden, und sich ein Kristall bilden würde. Auf dieser Grundlage und ihrer wirkenden Kraft, die, nach der verschiedenen Art ihres beyderseitigen Saamenstoffs, bey einer jeden besonderen Gattung einer belebten Maschine. nothwendiger weise verschieden seyn muss, beruhet die ganze allmälig vor sich gehende Bildung der künftigen Pflanze, ihr besonderer organischer Bau oder ihre specifique Natur, wodurch sie sich von allen andern unterscheidet, und die Zubereitung der zu einer neuen ähnlichen Zeugung erforderlichen Saamenstoffe, und, mit einem Worte, alle diejenigen Vollkommenheiten, die zu dem Endzwecke, zu welchem

sie bestimmt ist, erfordert werden. Unter diesen Vollkommenheiten ist die Fruchtbarkeit oder die Eigenschaft ihres gleichen
hervorzubringen wohl unstreitig eine der vornehmsten, und
die jenen Endzweck grösstentheils zu erfüllen scheint. Alle
Bewegungen und Veränderungen, die von dem Keimen an
bis zur Blütezeit in einem jeden solchen Meisterstücke der
Natur vorgehen, scheinen bloss auf das grosse Zeugungswerk
gerichtet zu seyn, und daran, so zu sagen, mit vereinten
[7] Kräften zu arbeiten. Sie zielen alle dahin ab, diejenige
zusammengesetzte Materie, worauf sie gegründet sind, nach
und nach aufzulösen, und sie wieder in die zwey ursprüngliche Grundmaterien zu theilen, oder, eigentlicher zu reden,
diese letztern in einem vollen und, besonders von der einen
Seite, in einem ungleich grössern Maasse, als zu der vorher-
gegangenen Zeugung erfordert worden, selbst hervorzubringen.
Dass es so weit mit diesem grossen Werke gekommen sey,
verkündiget uns gleichsam der feyerliche Tag, an deme sich
die Blumen unserem Auge in ihrer vollen Pracht zeigen.
Und eben dieser den Pflanzen heilige Tag ist es auch, da
die Natur die letzte Hand an dieses Werk legt, indem sie
jene beyde Grundmaterien in einem gegen den ganzen Vorrath oft sehr kleinen, aber bestimmten Maasse an dem gehörigen Orte auf das allerinnigste mit einander vermischt,
und dadurch den Grund zu einer neuen Zeugung und einer
ähnlichen Pflanze legt.

Bey der Erzeugung eines vollkommenen und zugleich von
beyden Seiten im höchsten Grade unfruchtbaren Bastarts geht
es eben so, wie mit der Erzeugung einer jeden natürlichen
Pflanze, zu. Er durchläuft die Bahn seiner Bildung mit einer
gleichen Fertigkeit. Das scharfsichtigste Auge wird von seinem
Keime an bis zur grösstentheils vollbrachten Bildung seiner
Blumen keine geringere Vollkommenheiten, als an einer von
jenen, entdecken, und doch fehlt ihm eine der [8] vornehmsten,
und, vielleicht sage ich nicht zu viel, unter allen die vor-
nehmste, die Fruchtbarkeit: ein Umstand, davon es gewiss
dem grössten Philosophen, der eine solche Pflanze von ungefähr das erstemal zu Gesicht bekäme, nicht einmal träumen
würde. Wie! wenn nun eben dieser Philosoph sie noch durch
die ganze Blütezeit verfolgte, und aus der Aehnlichkeit, die
sie mit andern ihres Geschlechts gemein hat, den vermuth-
lichen Schluss zöge, dass eine jegliche ihrer Kapseln etliche
hundert, und alle zusammengenommen wenigstens 50 000 Saamen

geben würden: wie sehr würde er nicht darüber erstaunen,
wenn er sich in seiner Rechnung so betrogen fände, dass er
statt 50 000 nicht einmal einen einigen erhielte, und mehr
als tausend Blumen, eine nach der andern, ohne eine einige
Kapsel nach sich zu lassen, abfallen sähe? Gewiss, diese Begebenheit ist für einen Naturforscher eine der allerbewunderns-
würdigsten, die sich jemals auf dem weiten Felde der Natur
ereignet haben. Das wunderbare und unerwartete derselben
liegt aber nicht so wohl darinn, dass aus der Vereinigung
zweyer Materien, die von dem weisen Schöpfer zwar nicht
für einander bestimmt, aber doch gleichwohl ihrer Natur nach
nahe mit einander verwandt sind, eine Pflanze entstehen kann,
deren allmälige Bildung, wie bey einer natürlichen, von dem
Saamen an bis auf die Blüte ungehindert vor sich geht; sondern vielmehr in dem, dass eben diese Pflanze, wenn sie den
höchsten [9] Gipfel ihrer Vollkommenheit erreicht hat, denjenigen Endzweck, auf den sonst alle zur Bildung erforderliche Operationen gerichtet zu seyn scheinen, nicht zu erfüllen
im Stande ist, und bey aller ihrer scheinbaren Vollkommenheit die grösste Unvollkommenheit, die eine Pflanze nur immer
treffen kann, auf einmal verräth. Diese Unvollkommenheit
besteht nun hauptsächlich in dem gänzlichen Mangel an gutem
männlichen und weiblichen Saamen, und in der natürlicher
weise daher rührenden Unfruchtbarkeit. Betrachtet man aber
diese Begebenheit von der Seite ihrer Folgen: so wird man
mit Vergnügen wahrnehmen, dass diese wirkliche Unvollkommenheit eine wirkliche Vollkommenheit ist. Was für eine
erstaunliche Verwirrung würde nicht die eigenthümliche und
die Bastartart unverändert und beständig erhaltende Fruchtbarkeit solcher Pflanzen in der Natur anrichten? Was für
einen ungeheuren Schwarm von Unvollkommenheiten würde
sie nicht gebähren, und was für üble und unvermeidliche
Folgen müssten diese nicht nach sich ziehen? Ich komme
aber von dieser kleinen Ausschweifung auf das Zeugungswerk
zurück. Die Erfahrung lehrt uns, dass aus der Vereinigung
zweyer gleichförmigen flüssigen Saamenmaterien von verschiedener Art ein fester und organischer Körper entsteht, und
dass sich eine jede natürliche Pflanze jene zwey zu einer
neuen Zeugung erforderliche Saamenstoffe selbst zubereitet,
und, besonders den einen davon, nämlich [10] den männlichen,
augenscheinlich in einem viel grössern Maasse, als zu ihrer Erzeugung nöthig war, erschafft, und hingegen eine künstliche

zu eben dieser Operation entweder ganz und gar untüchtig ist, oder sie doch wenigstens nur auf eine sehr eingeschränkte und unvollkommene Weise vollbringt. Diese Begebenheit halte ich für den allerverwirrtesten Knoten in der ganzen Lehre von der Erzeugung, zu dessen Auflösung aller menschliche Verstand zusammengenommen noch vielleicht zu schwach seyn möchte. Ich werde mir daher den Kopf gar nicht darüber zerbrechen, sondern sie bloss als eine Erfahrung zum Grunde legen, wenn von der Erklärung verschiedener merkwürdigen Eigenschaften einiger aus meinen Versuchen erhaltenen Pflanzen in der Folge die Rede seyn wird.

§ 2.

I. Vers. *)

Nicot. panic. ♀

Nicot. rust. ♂

Ich habe in meiner vorläufigen Nachricht, S. 13. angezeigt, dass mir von sechzig Saamen der Nicot. panic. ♀ und rust. ♂ nicht ein einiger aufgegangen sey. Es ist mir aber [11] diesen letztern Sommer besser damit gelungen, als vor zwey Jahren: denn ich habe diesesmal von vier dergleichen Kapseln. deren Saamen zu verschiedener Zeit gesäet worden, acht Pflanzen erhalten: eine Anzahl, die gegen die Anzahl aller in vier Kapseln befindlichen Saamen gewiss geringe genug ist. Man wird vielleicht neugierig seyn, zu wissen, wie die Gestalt dieser Bastarte beschaffen gewesen. und was für Eigenschaften sie gehabt haben? Ich kann es mit wenigen Worten sagen: sie sind den Nicot. rust. ♀ und panic. ♂ in allen Stücken so ähnlich gewesen, als ein Ey dem andern, so ähnlich, dass ich selbst öfters beyderley Arten nicht hätte von einander unterscheiden können, wenn sie nicht an den Numern zu erkennen gewesen wären: ein Umstand. der die Lehre von der Erzeugung durch beederley Saamen aufs neue bestättiget. Ich habe sie alle in Scherben versetzt, damit die Versuche, die ich mit ihnen zu machen mir vorgenommen hatte, desto sicherer und zuverlässiger seyn möchten.

——— ———

*) Anm. Die Vers. XIX, XX, XXI sind im Jahr 1760, und 1—XV, desgl. XVIII, 1761 in St. Petersburg, XVI, XVII, XXII aber 1761 in Berlin und Leipzig gemacht worden.

Alle diejenigen, die nicht in die Nachbarschaft der natürlichen gekommen, und sich selbst überlassen worden sind,
warfen alle ihre Blumen unbefruchtet ab; eine hingegen, die
ich eine Zeit lang unter jenen in dem Garten stehen gelassen
hatte, setzte hie und da einige Kapseln an, die nach erlangter
Reife theils leer, theils mit einer kleinen Anzahl guter Saamen
versehen waren. Unter mancherley Versuchen, die ich an
dreyen gemacht hatte, belegte ich sie auch theils mit dem
[12] Saamenstaube ihrer Mutterpflanze, theils mit dem Saamenstaube ihrer Vaterpflanze, und erhielt von allen beyden reife
und vollkommene Saamen. Sie behalten also, wie die Nicot.
rust. ♀ und panic. ♂, ob sie gleich von der männlichen
Seite unfruchtbar sind, von der weiblichen einen geringen
Grad der Fruchtbarkeit.

§ 3.

II. Vers.

$$\text{Nicot.} \begin{matrix} \text{rust.} & ♀ \\ \text{panic.} & ♂ \end{matrix} \Big\} \quad ⚥$$

Nicot. rust. ♂.

Aus den Saamen dieses II. Vers. dessen in obgedachter
Abhandlung S. 42. Meldung geschehen, habe ich zwar keine
völlige rust. aber doch gleichwohl Pflanzen erhalten, die sich
ihnen überhaupt wieder genähert haben. Es waren ihrer
zehen, die ich aufwachsen liess, und deren Saamen aus vier
verschiedenen Kapseln genommen worden sind. Ich würde
damals nicht auf diese Muthmassung gefallen seyn, wenn ich
bedacht hätte, dass es damit nicht allein geschehen wäre,
wenn man diese ⚥ auf einmal wieder in eine rust. verwandlen
wollte, dass ihr dasjenige Grundwesen wieder gegeben würde,
dessen sie zuvor beraubt geworden ist; sondern, dass ihr auch
zugleich das andere Fremde, das sie von der panic. empfangen,
und das sich unter dieser neuen Gestalt mit der ganzen Pflanze
überhaupt, und [13] folglich auch insbesondere mit dem weiblichen Saamenstoffe auf das allerinnigste vermischt und vereiniget hat, völlig genommen werden müsste, wenn sie ihre
alte Gestalt und Eigenschaften wieder gänzlich annehmen
sollte. Nun ist aber das letztere unmöglich zu bewerkstelligen:
folglich kann auch zum erstenmal kein grösserer Grad der

wiederhergestellten Aehnlichkeit zuwegegebracht werden, als
von der Kraft des andern Grundwesens, das in unserer Gewalt ist, bewirkt werden kann. Ich kann mit Grunde voraussetzen, dass sich in dem Falle, wenn aus der rust. ♀ und
panic. ♂ eine ⚥ entstanden ist, die männliche Saamenmaterie
der ♂ mit der weiblichen der ♀ aufs genaueste vereiniget
haben muss, weil die durch die ganze Pflanze hindurch
herrschende mittlere Proportion ihr Daseyn allenthalben offenbar, und insbesondere auch an dem Eyerstocke genugsam verräth, und die von obangezeigtem Versuche erhaltene Pflanzen
keine völlige rust. geworden sind, sondern noch etwas von
der panic. behalten haben. Ich will, ohne mich gegenwärtig
in eine umständliche Beschreibung und Beurtheilung einzulassen, nur die vornehmsten Sätze anführen, die ich aus der
Gestalt und den Eigenschaften dieser Bastarte gezogen habe:

a) Alle diese Pflanzen haben sich überhaupt ihrer
Mutter, der rust. wieder genähert, einige mehr,
andere weniger.

[14] Es betrifft diese wieder erworbene Aehnlichkeit
hauptsächlich die Grösse derselben, in Ansehung deren sie
wieder abgenommen haben, die Substanz der Blätter, die Ausbreitung und Lage der Aeste und Blumen untereinander, und
die Gestalt. Grösse, Anzahl und Farbe der Blumen.

b) Dass sich einige dieser Pflanzen, ausser der
erstgemeldten allgemeinen Aehnlichkeit, noch
in einigen besondern Stücken der rust. vor
andern genähert haben.

Dahin gehört die zum Theil wieder erlangte Vollkommenheit des Saamenstaubs, die stumpfere und rundlichtere Gestalt der Kapseln, und die ziemliche Anzahl guter und vollkommener Saamen, wodurch sich einige vor andern hervor-
gethan haben.

c) Dass die Grösse, Gestalt und scheinbare Vollkommenheit der Kapseln mit der Vollkommenheit und Anzahl der darinn enthaltenen Saamen
nicht immer in einem gleichen Verhältnisse
gestanden ist.

d) Dass einige aus einem Samen oder Kapsel erzeugte Pflanzen, in Ansehung ihrer Fruchtbarkeit und der Gestalt gewisser Theile von
einander unterschieden waren.

e) **Dass einige, an statt sich in gewissen Stücken
der rust.** zu nähern, sich vielmehr [15] in Ansehung derselben nicht nur von dieser, sondern
so gar auch noch von der ☿ entfernt haben.
Hierunter rechne ich z. b. die bey etlichen von beyden
Seiten erfolgte gänzliche Unfruchtbarkeit, und die ausserordentlich schmalen und spitzigen Blätter und Kapseln einer andern.

f) **Dass es das Ansehen hat, als wenn durch dergleichen Versuche zu Missgeburten Gelegenheit
gegeben würde.**

§ 4.

III. Vers.

Nicot. $\genfrac{}{}{0pt}{}{\text{rust. } ♀}{\text{panic. } ♂}$ ♀

Nicot. panic. ♂.

Von dem Saamen dieses III. Vers. dessen ebenfalls in
obgedachter Abhandlung S. 42. Erwähnung geschehen, habe
ich aus vier verschiedenen Kapseln zehen Pflanzen erzogen,
die ihrem Vater, der panic. noch ähnlicher waren, als sie ihm
zuvor als Bastarte gewesen sind. Meine damals geäusserte
Muthmassung, nach der ich geglaubt hatte, dass ich aus diesem
Versuche wieder gewöhnliche Bastarte erhalten würde, weil
ihnen der fremde männliche Saame, den sie sich selbst zuzubereiten nicht im Stande sind, von neuem wieder gegeben
worden, ist also gar nicht eingetroffen. Ich hätte hier eben
so leicht, als von dem vorhergehenden Versuche, eine bessere
[16] geben können, wenn ich nur damals bedacht hätte, dass
der weibliche Saame eines aus der rust. ♀ und panic. ♂
erzeugten Bastarts schon vor der durch diese neue Bestäubung
zu bewirkenden Befruchtung an sich selbst und für seinen
Theil insbesondere eben so wohl, als alle andere Theile des
Bastarts, bereits etwas von der Natur der panic. zum voraus
besässe, und noch überdem durch diesen gegenwärtigen Versuch einen neuen Zuwachs davon bekäme, und dass folglich
aus eben dem Grunde, warum die durch den vorhergehenden
Versuch erhaltene Pflanzen etwas von der Natur der panic.
abgelegt, und sich ihrer Mutter. der rust. wieder genähert
haben, die von dieser Zeugung zu erwartende Pflanzen von

ihrem Vater, der panic. noch mehr annehmen, und ihm daher noch ähnlicher werden müssten, als sie ihm zuvor unter
ihrer ersten Bastartgestalt haben werden können, weil bey
dem vorhergehenden Versuche die Natur der rust. über die
Natur der panic. und bey dem gegenwärtigen die Natur der
panic. über die Natur der rust. die Oberherrschaft bekommen
hat: da hingegen diese beyde Naturen bey den Bastarten
einander das vollkommenste Gleichgewicht hielten.

Das, was alle diese Pflanzen mit einander gemein hatten,
und worinn sie durchgehends eine erhöhte Aehnlichkeit mit
der panic. zeigten, bestund darinn, dass ihre Blumen länger
geworden sind, als sie zuvor unter der Bastartgestalt [17] waren.
Sie waren zum Theil eben so schmal, und bey nahe von
gleicher Länge mit den Blumen der panic. zum Theil auch
etwas kürzer. Die besondere Aehnlichkeiten hingegen, die
einigen vor andern zu Theil geworden, betrafen hauptsächlich
die Lage, Gestalt und Substanz der Blätter, die Menge der
blätterlosen, geschlanken und dünnen Aeste, die Gestalt und
Grösse des Blumenkelchs, die Gestalt, Farbe und Weite der
Blumen, und die Gestalt, Grösse und äusserliche Vollkommenheit der Kapseln. Ich werde mich aber hier bey der um-
ständlichen Beschreibung und Beurtheilung aller dieser Pflanzen
nicht aufhalten, sondern nur die vornehmsten Sätze anführen,
die sich aus der Gestalt und den Eigenschaften derselben
haben herleiten lassen:

a) Alle diese Pflanzen sind ihrem Vater, der
panic. noch ähnlicher geworden, als sie ihm
zuvor unter ihrer ersten Bastartgestalt gewesen sind; einige in einem höhern, andere in
einem geringern Grade.

b) Dass einige aus einem Saamen oder Kapsel
erzeugte Pflanzen in Ansehung ihrer Fruchtbarkeit und der Gestalt gewisser Theile von
einander unterschieden waren.

c) Die allermeisten haben, anderer und zum Theil
grosser Aehnlichkeiten ungeachtet, von der
Fruchtbarkeit ihres Vaters, der panic. so gar
nichts angenommen, [18] dass sie vielmehr bey
diesem Versuche von beyden Seiten unfruchtbar geworden, und also in einen noch grössern
Grad der Unfruchtbarkeit gefallen sind, als
sie zuvor unter ihrer Bastartgestalt gehabt haben.

d) **Dass es das Ansehen hat, als wenn durch der-gleichen Versuche zu Missgeburten Gelegen-heit gegeben würde.**

e) **Dass die aus diesem Versuche entstandene Pflanzen eine grössere Verschiedenheit unter einander gezeigt haben, als die von dem vor-hergehenden.**

Da sich eine dieser Pflanzen, und zwar gerade diejenige, die unter allen zehen die grösste Aehnlichkeit mit ihrem Vater zeigte, unter andern mit ihr angestellten Versuchen auch mit dem Saamenstaube der panic. hat befruchten lassen, und die innerliche Vollkommenheit dieser Saamen durch eine noch diesen Herbst damit gemachte Probe ausser allen Zweifel gesetzt ist: so hoffe ich, künftigen Sommer Pflanzen davon zu erhalten, die ihrem Vater, der panic. noch viel ähnlicher seyn müssen, als sie ihm zuvor gewesen sind. Ja, ich mache mir so gar die Hoffnung, sie, wofern ihnen anders noch etwas an der völligen Aehnlichkeit mit jener abgehen, und die Fruchtbarkeit von der weiblichen Seite bleiben sollte, endlich in förmliche panic. zu verwandlen.

[19]   § 5.

IV. Vers.

Nicot. rust. ♀ } ♀
panic. ♂

Nicot. rust. ♀ } ♂ **)
*)peren. ♂

Von diesem Versuche erzog ich neun Pflanzen, deren Saamen aus vier verschiedenen Kapseln genommen worden.

---

*) Anm. Diese Pflanze ist ohne Zweifel eine blosse Varietät von der Nicot. maj. und lässt sich vornehmlich durch ihre sehr lange, schmale, spitzige und niederhängenden Blätter, durch ihre nahe beysammenstehende und unter einem sehr spitzigen Winkel von dem Stamme ausgehenden Aeste, und durch ihre sehr schmale und spitzige Kapseln von allen andern Varietäten obiger Gattung leicht unterscheiden.

**) Zu diesem und den folg. V, VI, X, XI, XII, XIII, XIV, XV Vers. habe ich von einem jeden Saamenstaube ungefähr gleich viel genommen, und, nachdem zuvor alles wohl untereinander ver-mischt worden, eine überflüssige Quantität davon aufgetragen.

Es gelten von ihnen alle diejenige Sätze, die ich von dem II Vers. § 3. angeführt habe, und ausser diesen noch folgender:

Dass es schien, als wenn die meisten dieser Pflanzen etwas von der peren. angenommen hätten. einige mehr, andere weniger.

[20]   § 6.

V. Vers.

Nicot. rust. ♀ } panic. ♂ } ♀

Nicot. panic. } peren. } ♂

Es waren fünf Pflanzen von drey verschiedenen Kapseln. Alle diejenige Sätze, die unter dem III Vers. § 4. vorgekommen, passen auch auf diese, und ausser ihnen noch folgender:

Dass diese Pflanzen von der peren. nichts angenommen haben.

§ 7.

VI. Vers.

Nicot. rust. ♀ } panic. ♂ } ♀

rust. } Nicot. panic. } peren. } ♂

Ich erzog von diesem Versuche nur eine Pflanze. Sie kam mit einer vom V Vers. vollkommen überein: es gilt daher von ihr eben das, was § 3. unter den Sätzen a) und c) vorgekommen ist. Ausserdem aber muss ich noch folgendes von ihr melden:

Dass sie weder etwas von der rust. noch von der peren. angenommen hat.

4*

[21]   § 8.

VII. Vers.

Nicot. ☿ { rust. ♀
              panic. ♂

propr. pulv. consp.

Unter den unfruchtbaren Bastarten, deren in meiner vorläufigen Nachricht S. 39. Erwähnung geschehen, waren einige, die dem äusserlichen Ansehen nach zwar mit jenen übereinkamen, aber von der männlichen Seite noch einen höchst geringen Grad der Fruchtbarkeit zeigten, und von ihrem eigenen Saamenstaube bisweilen noch einen oder etliche wenige Saamen gaben. Da ich beederley Bastarte aus einer kleinen Anzahl von zwey verschiedenen Kapseln untereinander gesäeten Saamen erhalten habe: so ist zu vermuthen, dass die eine Art von der einen, und die andere von der andern Kapsel mögen hergekommen seyn. Einen von diesen fruchtbaren Bastarten habe ich mit seinem eigenen Saamenstaube auf das sorgfältigste belegt, und aus den davon erhaltenen Saamen Pflanzen erhalten, die keine gewöhnliche ☿, sondern solche Bastarte waren, wie diejenigen gewesen sind, deren § 3 und § 5. Meldung geschehen ist. Es waren ihrer vier, die ich bis zur gänzlichen Vollkommenheit aufwachsen liess. Ihr Saamenstaub bestund schon wieder aus einer so grossen Menge guter vollkommener Stäubchen, dass auf die allermeisten Blumen befruchtete Kapseln erfolgten, [22] die nicht selten 200 gute Saamen enthielten. Da man hieraus offenbar sieht, wie stark sich eine so geringe Quantität guten Saamenstaubes, die obgedachte fruchtbare Bastarte gegeben haben, so gleich bey der nächsten Zeugung vermehrt, und wie wirksam sie sich in Absicht auf die Wiederherstellung der alten natürlichen Gestalt und Fruchtbarkeit bewiesen hat: so ist es höchst wahrscheinlich, dass dergleichen Pflanzen, wenn man sie immer wieder mit ihrem eigenen Saamenstaube belegt, sich mit der Zeit, und vielleicht in wenigen Jahren wieder in vollkommene Mutterpflanzen verwandlen werden. Ich ziehe daher folgenden Schluss daraus:

Dass sich unvollkommene Bastarte, die von der männlichen Seite noch einen geringen Grad der

Fruchtbarkeit besitzen, aus eigenen Kräften
wieder in Mutterpflanzen zu verwandlen scheinen.

§ 9.

VIII. Vers.

Nicot. rust. ♀

Nicot. $\left.\begin{array}{l}\text{rust. } ♀ \\ \text{panic. } ♂\end{array}\right\} ♂$

Der Saamenstaub, mit deme die rust. befruchtet worden ist,
war von einem solchen Bastarte, der, wie der vorhergehende,
von der männlichen Seite noch einen geringen Grad der Fruchtbarkeit [23] hatte. Der Versuch wurde an zwölf Blumen
gemacht. Sieben derselben verwelkten nach und nach. und
fielen unbefruchtet ab. Die übrigen gaben zwar reife Kapseln;
sie enthielten aber theils keinen einigen, theils nur einen oder
zwey vollkommene Saamen. Davon erzog ich zwey Pflanzen,
die keine natürliche rust. mehr waren, sondern mit einigen
von dem II Vers. § 3. übereinkamen. Bey der einen war
der Kelch und die Blumenröhre missgestaltet. Hieraus ziehe
ich folgende Sätze:

a) Dass der männliche Saame der ⚥, wodurch bey
dem gegenwärtigen Versuche die Befruchtung
geschehen ist, kein blosser reiner männlicher
Saame der rust. gewesen, sondern etwas von der
Natur der panic. an sich gehabt haben muss.

b) Dass es scheint, als wenn auch durch diesen
Versuch zu Missgeburten Gelegenheit gegeben
würde.

§ 10.

IX. Vers.

Nicot. rust. ♀

Nicot. panic. ♂.

Die Anzahl dieser Bastarte, deren Saamen aus sechs verschiedenen Kapseln genommen worden, belief sich diesen letztern
Sommer auf vier und zwanzig. Sie kamen insgesammt mit
den [24] Pflanzen des I Vers. § 2. überein, und verhielten
sich bey den mit ihnen angestellten Versuchen auf gleiche

Weise. Da bey ihrer Erzeugung alle mögliche Vorsicht an-
gewandt worden, und doch alle durchgehends von der weiblichen Seite noch in einem geringen Grade fruchtbar gewesen
sind: so halte ich diess billig für eine besondere und unzer-
trennliche Eigenschaft dieser so wohl aus der rust. ♀ und
panic. ♂, als aus der panic. ♀ und rust. ♂ erzeugten
Bastarte, und ziehe daher folgenden Schluss daraus:

Dass diese Bastarte von der männlichen Seite
gänzlich unfruchtbar, von der weiblichen aber
noch in einem geringen Grade fruchtbar sind.

Bey dieser Gelegenheit kann ich nicht vorbeylassen, zu
erinnern, dass die Grösse der Pflanzen und die Anzahl der
Blumen, die beederley Bastarte zu tragen pflegen, die Grösse
der rust. und die Anzahl ihrer Blumen weit übersteigt. Ob
sie aber auch darinn die panic. übertreffen, bin ich noch nicht
im Stande, mit Gewissheit zu behaupten: ich werde es aber
mit der Zeit zu bestimmen trachten.

§ 11.

X. Vers.

Nicot. rust. ♀

Nicot. panic. }
      peren. } ♂

[25] Es waren fünf von einer Kapsel erzogene Pflanzen.
Sie kamen alle mit den Bastarten des I und IX. Vers. vollkommen überein, und hatten von der peren. gar nichts angenommen.

§ 12.

XI. Vers.

Nicot. panic. ♀

Nicot. rust. }
      peren. } ♂

Es waren zwey Pflanzen von zwey verschiedenen Kapseln.
Sie verhielten sich vollkommen, wie die Bastarte des vorhergehenden X Versuchs.

§ 13.

XII. Vers.

Nicot. panic. ♀

Nicot. $\genfrac{}{}{0pt}{}{\text{panic.}}{\text{peren.}}$ ♂

Sechs Pflanzen von drey verschiedenen Kapseln waren gewöhnliche panic. und hatten von der peren. gar nichts angenommen.

§ 14.

XIII. Vers.

Nicot. panic. ♀

Nicot. $\genfrac{}{}{0pt}{}{\text{panic.}}{\substack{\text{rust.}\\\text{peren.}}}$ ♂

Funfzehen Pflanzen von vier verschiedenen Kapseln waren gewöhnliche panic. und hatten weder [26] von der rust. noch von der peren. etwas angenommen.

§ 15.

XIV. Vers.

Nicot. peren. ♀

Nicot. $\genfrac{}{}{0pt}{}{\text{peren.}}{\text{panic.}}$ ♂

Zehen Pflanzen von vier verschiedenen Kapseln waren gewöhnliche peren. und hatten von der panic. gar nichts angenommen.

§ 16.

XV. Vers.

Nicot. peren. ♀

Nicot. $\genfrac{}{}{0pt}{}{\text{peren.}}{\substack{\text{panic.}\\\text{rust.}}}$ ♂

Acht Pflanzen von vier verschiedenen Kapseln waren

gewöhnliche peren. und hatten weder von der panic. noch
von der rust. etwas angenommen. *)

[27]   § 17.

XVI. Vers.

Nicot. maj. vulg. ♀
Nicot. glut. ♂.

Diesen glücklich gelungenen Versuch habe ich den 11. Aug.
1761. zuerst in Berlin in dem [28] berühmten krausischen Garten,
bald nachher aber auch den 27. Aug. und 6. Sept. in Leipzig.
so wohl in dem botanischen Garten der dasigen Universität
auf gütige Erlaubniss meines Hochgeschätzten Freundes, Herrn

---

*) Anm. Da ich von den sechs vorhergehenden Versuchen
ziemlich viel Pflanzen, und zum Theil von verschiedenen Kapseln
erzogen, und doch keine einige darunter gewesen ist, die aus einem
andern, als entweder aus ihrem eigenen (§ 13, 14, 15, 16), oder in
Ermanglung dessen (§ 11, 12) aus einem fremden Saamenstaube,
vermittelst dessen sie als Mutterpflanze, wie aus der Erfahrung
bekannt ist (§ 2 und 10), Bastarte zu zeugen pflegt, entstanden
wäre: so hat es fast das Ansehen, als wenn sich durch dergleichen
Versuche nichts neues hervorbringen liesse. Insbesondere scheinen
die aus dem XIII. Vers. § 14. erhaltene Pflanzen die Hoffnung dazu gänzlich zu benehmen: weil der weibliche Saame der panic.
der sich doch sonst mit dem männlichen Saamen der rust. ver-
einigen lässt, sich, ohne das geringste von ihm angenommen zu
haben, bloss allein mit seinem ihm von der Natur bestimmten
eigenen männlichen Saamen verbunden hat. Ich wollte inzwischen
doch wünschen, dass ich Platz genug hätte, eine noch grössere
Anzahl solcher Pflanzen zu erziehen, damit ich im Stande wäre,
die Sache durch mehrere Beyspiele erweisen zu können. Vielleicht
würde ich aber meinen Endzweck eher erreicht haben, wenn ich,
an statt von einem jeden Saamenstaube gleich viel und eine überflüssige Quantität zu nehmen, von dem eigenen nur eine sehr geringe Portion, die zu der vollkommenen Befruchtung einer Kapsel
nicht einmal hinreichend gewesen wäre, und hingegen eine oder
mehrere fremde Arten im Ueberflusse aufgetragen hätte. Der weibliche Saame nähme vielleicht in einem solchen Falle, wenn es ihm
an einem genugsamen Vorrathe eigenen männlichen Saamens fehlen
sollte, bey seiner Vereinigung mit diesem noch zugleich so viel
von einem fremden an, als zu der Erzeugung einer gewissen Anzahl Saamen erforderlich wäre. Wenigstens glaube ich nun, dass
man auf erstbemeldte Art z. B. von dem Versuche Nicot. rust. ♀
und Nicot. rust. panic. ♂, oder dem umgekehrten von diesem, eher
Bastartvarietäten erhalten könnte, als wenn man zu eben diesem
Endzwecke von beederley Saamenstaube gleich viel, und von einem
jeden eine überflüssige Quantität nehmen würde. Bey allem dem

D. und Prof. *Bosens*, als auch in dem mit vielen seltenen Gewächsen prangenden Garten des weltberühmten Herrn D. und Prof. *Ludwigs*, dessen unzähliche Gunst- und Freundschaftsbezeugungen bey mir in unvergesslichem Angedenken bleiben werden, angestellet, [29] und aus dem mir gütigst überschickten reifen Saamen den letztern Sommer sieben Bastarte erzogen, die zwischen ihren Eltern, wie die Nicot. rust. ♀, panic. ♂ und Nicot. panic. ♀, rust. ♂ zwischen den ihrigen, in allem, ausgenommen, was ihre Grösse und die Anzahl der Blumen anbetraf, gerade die mittlere Proportion zeigten. Die Blätter waren nach Proportion breiter und stumpfer, auch klebrichter anzufühlen, als bey der ♀, aber in einem geringern Grade, als bey der ♂. Die Blättersubstanz machte gegen den Stiel hin auf einmal einen starken Absatz, und lief unterhalb diesem in einer mittelmässigen Breite auf beyden Seiten in der Gestalt eines Saums längst dem Stiele hinunter. Die Ausbreitung der Aeste, die Lage, Grösse, Gestalt und Farbe der Blumen überhaupt, und aller ihrer Theile insbesondere, hielt zwischen den beyden natürlichen gerade das Mittel; nur die Staubkölbchen allein waren kleiner und schmaler, als sie bey jenen zu seyn pflegen, und zwar aus eben dem Grunde, den ich in meiner vorläuf. Nachr. S. 40 und 41. von dem aus der rust. ♀ und panic. ♂ erhaltenen Bastarte angegeben habe. Hingegen trugen diese aus der maj. ♀ und glut. ♂ erzeugten Bastarte eine weit grössere Anzahl Blumen, und erreichten eine ungleich grössere Höhe, und einen viel weitern Umfang, als die natürlichen unter gleichen Umständen mit ihnen: denn die Höhe derjenigen, die im Mistbeete stehen geblieben oder ins Land versetzt worden sind, [30] betrug nach erreichter gänzlichen Vollkommenheit *)

---

ist es wunderbar genug, dass es Fälle giebt, wo der weibliche Saame von zween oder dreyerley männlichen Saamen, die sich als flüssige Materien untereinander vermischen, und ihm, so zu sagen, unter einer einförmigen Gestalt zufliessen, gerade nur die Theilchen seines eigenen in seine Vereinigung aufnimmt, und die andern hingegen, die er in Ermauglung jener auch annehmen würde, davon ausschliesst. Giebt es aber nicht ähnliche Fälle genug in der Chemie, und sollte diess nicht ein neuer Beweis seyn, dass bey der Erzeugung eines Pflanzenkeims und eines Kristalls gleiche Kräfte zum Grunde liegen, und dass beydes nach einem allgemeinen Naturgesetze vor sich geht?
*) Anm. So wohl hier als im folgenden wird allemal Pariser Maass verstanden. Das Zeichen ' bedeutet Schuhe, " Zolle, und ''' Linien.

8′, 1—10″; der ganze Umkreiss 24′; der grösste Durchmesser
des Stamms 2″, auch 2″, 3‴; und die grössten Blätter waren
2′, 2″, 9‴ lang, und 1′. 4″ breit. Niemals wird man prächtigere Tabakpflanzen gesehen haben, als diese waren. Sie
stellten eher Bäume. als jährliche Pflanzen vor. Was ihre
Eigenschaften anbetrifft, so waren sie von denen aus der rust.
und panic. erhaltenen Bastarten darinn unterschieden, dass sie
so wohl von der männlichen als weiblichen Seite den höchsten
Grad der Unfruchtbarkeit zeigten : ihre fast unzählige Blumen
fielen alle, noch ehe sie völlig welk wurden und verdorrten,
unbefruchtet ab, und liessen sich auf keine Art und Weise
mit irgend einem natürlichen Saamenstaube befruchten. Man
kann also hieraus schon einigermassen schliessen, dass sich
die Bastarte, die man mit der Zeit hervorbringen wird, in
dem Grade ihrer Unfruchtbarkeit nicht auf gleiche Weise verhalten werden. Ob ich auch aus dem umgekehrten Versuche,
wozu ich ausser der maj. auch die peren. als ♂ genommen,
Pflanzen erhalten werde, muss sich künftigen Sommer zeigen.

§ 18.

[31]   XVII. Vers.

Nicot. transylv. ♀

Nicot. glut. ♂.

Die ♀ ist allem Ansehen nach eine blosse Varietät von
der vorhergehenden ♀ (§ 17), und war in Leipzig unter dem
Namen des Siebenbirgischen Tabacks bekannt. Der Unterschied
zwischen ihnen besteht ausser einigen andern Merkmalen, die
hieher nicht gehören, vornehmlich darinn, dass die Blätter
der gegenwärtigen ♀ überhaupt breiter, kürzer und stumpfer
sind, und die längst dem Stiele hinlaufende Blättersubstanz
insbesondere breiter ist, und den Stamm oder Stengel, woran
sie sitzen, stärker umfasst; dass ihre Aeste unter einem
stumpfern Winkel von dem Stamme ausgehen, und die Blumen
kürzer, weiter und mit stumpfern Einschnitten begabt sind,
als bey der vorhergehenden ♀. In Betrachtung dieser Verschiedenheiten bestund der ganze verhältnissmässige Unterschied zwischen den aus dem XVI und XVII Vers. erhaltenen
Bastarten. Ich bekam von den letztern aus einer ziemlichen
Anzahl Saamen nicht mehr als drey, und ich habe weiter

nichts mehr von ihnen zu sagen, als dass sie mit denen von
dem XVI Vers. gleiche Eigenschaften gehabt haben. und
ebenfalls im höchsten Grade unfruchtbar gewesen sind.

[32]   § 19.

XVIII. Vers.

Nicot. rust. $\female$ } $\female$
panic. $\male$

Nicot. peren. $\male$.

Hier ist die Rede von einer ganz ovidischen Verwandlung, die aber in den Augen eines Naturforschers vor den
Verwandlungen jenes berühmten Dichters diesen grossen Vor-
zug hat, dass sie nicht in der Einbildung, sondern in der
Wirklichkeit besteht.

Ich belegte im verwichenen 1761 Jahr, vom 19 bis zum
29 April, zwanzig Bastartblumen $\female$ mit dem Saamenstaube
der $\male$, einer Pflanze. die ohne allen Zweifel auch eine Varietät von der $\female$ des XVI Vers. ist. (8. § 5. Anm.) Einige
Zeit hernach hatte es das Ansehen, als ob eine Befruchtung
darauf erfolgt wäre, und vom 25 May bis zum 6 Jun. wurden
die Kapseln reif abgenommen. Sie waren kleiner, als diejenigen, die durch den Saamenstaub der rust. oder panic. befruchtet worden sind, und enthielten auch eine viel geringere
Anzahl Saamen: denn sie gaben nur einen oder zwey, selten
aber mehrere dem Ansehen nach vollkommene Saamen, und
in der Hälfte von ihnen fand ich gar nur eine Parthie halb
befruchteter. grösstentheils aber ganz unbefruchtete Saamenbläschen. Diejenigen, die ich unter die guten zählen konnte,
waren hellbraun und ziemlich klein, und also in [33] der
Farbe und Grösse von den Saamen des II und III Vers.
merklich unterschieden. Von zehen dergleichen Saamen, die
ich den 24 März letztern Frühlings gesäet hatte, ging den
25 April einer auf, und von ungefähr eben so viel andern,
die einige Zeit hernach gesäet worden. bekam ich drey junge
Pflänzchen, wovon aber zwey, noch ehe sie recht aufgegangen,
so gleich .verdarben. Ich erhielt also nicht mehr als zwey
Pflanzen, und zwar aus zwey verschiedenen Kapseln, und versetzte sie alle beyde in Scherben.

Um die Neubegierde derjenigen zu befriedigen, die viel-
leicht.von diesen Pflanzen vor andern eine nähere Nachricht

zu haben wünschen möchten, will ich eine nach der andern beschreiben, und mich dabey etwas länger aufhalten, als es bisher bey irgend einer der vorhergehenden geschehen ist.

Es hatte die erstere kaum etliche Blätter getrieben, so sah man schon, dass sie kein gewöhnlicher Bastart von der Art, woraus sie von mütterlicher Seite entsprossen, werden würde: denn die Substanz der Blätter lief nach einem kleinen Absatze längst dem Stiele hinunter, da sie hingegen bey dem Bastarte ♀ und seinen beyden natürlichen Gattungen keinen dergleichen Saum zur Einfassung giebt. Sie waren auch nach Proportion ihrer Breite länger und spitziger, und an Farbe viel heller und gelblichter, auch von einer viel zartern und dünnern Substanz, als bey dem Bastarte ♀, wie aus folgendem mit mehrerem [34] erhellen wird. Als die Pflanze anfing einen Stengel zu treiben, bemerkte man, dass derselbe, wenn man ihn gegen einen Stengel des Bastarts ♀ von gleichem Alter und Höhe hielt, von unten gegen oben zu weit merklicher, und gleichsam auf einmal, in der Dicke abnahm, und sich, wie eine gerade und steife Ruthe, zuspitzte: welches unter andern ein Merkmal ist, wodurch sich die peren. von der rust. und panic. und dem aus ihnen erzeugten Bastarte leicht unterscheidet. Die Blätter waren nun auch nach Proportion ihrer Breite um ein merkliches länger und spitziger, und ihre Hauptnerven liefen unter sich mehr parallel und in einer geradern Linie, als bey dem Bastarte ♀, aus der Hauptrippe über die Substanz derselben hin. Der Stengel nebst den Blättern war nun auch wegen der längern, feinern und dichter stehenden Haare bereits viel wollichter und zarter anzufühlen, als bey eben diesem ♀: lauter Kennzeichen, die nur allzuwohl verriethen, dass sich bey diesem Versuche der männliche Saame der peren. ♂ mit dem weiblichen Saamen des Bastarts ♀ vereiniget haben müsste. Man wurde aber davon vollkommen überzeugt, als diese Pflanze gegen die Mitte des Julius zu blühen anfing: denn da sah man Blumen, die nicht nur allein überhaupt viel grösser waren, als die Blumen des Bastarts ♀, sondern auch insbesondere in Ansehung der Gestalt ihrer Theile gegeneinander eine ganz andere Proportion, und überdem noch eine aus der gelblichtgrünen der ♀ [35] und der röthlichen der ♂ gleichsam gemischte Farbe zeigten.

Was die Grösse anbetrifft, so waren nicht nur allein die Blumen überhaupt betrachtet, wie zum Theil bereits gemeldet worden, grösser, länger, breiter und weiter, als die Blumen des Bastarts ♀, sondern auch alle Theile derselben insbesondere, wie aus dem Vergleichungsmaasse, das ich so wohl von dieser und der folgenden aus gegenwärtigem Versuche erhaltenen Pflanze, als auch von ihren ursprünglichen natürlichen Gattungen und dem einerseits aus ihnen entstandenen Bastarte unten beyfügen will, klar und deutlich zu ersehen seyn wird.

In Ansehung ihrer Gestalt verhielten sie sich gegen ihre künstliche Mutterpflanze, den einfachen Bastart ♀, und gegen ihre natürliche Vaterpflanze, die peren. ♂ folgendermassen: Die Blumenstielchen waren dicker und länger, als bey der ♀, aber nicht so dick und lang, als bey der ♂. Der Bauch des Blumenkelchs war weiter, als bey der ♀, aber nicht so weit, als bey der ♂; seine Einschnitte waren spitziger und länger, als bey der ♀, endigten sich aber doch nicht in so gar lange und schmale Spitzen, als bey der ♂; überdem lagen sie auch nicht so sehr an der Blumenröhre an, als bey der ♀, sondern stunden etwas davon ab, aber doch nicht so merklich, als bey der ♂. Der von dem Grunde des Kelchs nach der Länge hin und durch die Mitte eines jeden Einschnitts bis an die äusserste Spitze desselben [36] laufende Nerve ragte nicht so sehr hervor, und war auch nicht so glänzend, als bey der ♀, da er hingegen bey der ♂ gar nicht hervorragt, und ohne allen Glanz ist. Der unterste engere Theil der Blumenröhre oder der oben durch kleine Knötchen und Grübchen begrenzte blassere Absatz derselben war nicht so kurz, als bey der ♀, hingegen auch nicht so lang, als bey der ♂. Von einer Krümmung der Blumenröhre, wovon an der ♀ nur sehr wenig zu sehen ist, die aber an der ♂ schon sehr merklich in die Augen fällt, bemerkte man, vermuthlich wegen der Kürze der Röhre zwar nicht viel, doch schon ein wenig mehr, als bey der ♀; daher stund auch der Bauch der Blume schon ein wenig schiefer auf der Röhre, als bey der ♀, aber doch noch lange nicht so schief, als bey der ♂. Die Einschnitte des Blumenrandes waren nicht mehr so stumpf als bey der ♀, sondern schon mehr zugespitzt, doch bey weitem noch nicht so stark, als bey der ♂. Die Staubfäden stunden nicht in so gleichen Entfernungen untereinander um das Pistill herum, als bey der ♀, sondern zogen sich unter einer ziemlich starken Krümmung schon um ein merkliches gegen den obern Theil der

Blume hin, und legten sich an ihn an, doch nicht so stark, als sie es bey der ♂ zu thun pflegen. So war auch unter einem gleichen Verhältnisse das Pistill besonders gegen das Stigma hin schon ein wenig niedergebogen.

Die Farbe der Blumenröhre war weit blasser, als bey der ♀, fiel aber doch noch ein wenig [37] mehr ins Grünlichte, als bey der ♂. Der Blumenrand fiel sehr ins Blassgelblichtgrüne, und hatte eine geringe Tinctur von röthlicher Farbe, die sich kurz nach dem Oeffnen der Blume am merklichsten zeigte, endlich aber, und zwar noch ehe die Blumen zu verwelken begonnten, sich nach und nach verlohr, und nebst der Grundfarbe, die zugleich mit jener immer blasser wurde, fast ganz ausbleichte. So war die Farbe der Blumen in der erstern Blütezeit beschaffen; in der mittlern aber und besonders in der letztern verhielt es sich damit ganz anders, wie ich weiter unten zeigen werde.

Als diese Pflanze zu blühen anfing, so hatte sie schon eine grössere Höhe erreicht, als die ♀ unter gleichen Umständen sonst zu zeigen pflegt. Ihre grösste Höhe aber, die sie gegen den Herbst hin erreicht hatte, um welche Zeit es schien, als ob sie zu blühen gänzlich aufhören würde, belief sich auf 3′, 3″, 6‴. Vielleicht würde sie noch höher geworden seyn, wenn sie in einem grössern Scherben aufgewachsen wäre: denn der Scherben, in den ich sie versetzt hatte, war etwas klein. Ihr Hauptstengel hat sich den ganzen Sommer über in nicht mehr als acht andere getheilt, wovon drey noch einen kleinen Seitenstengel trieben: welches unter andern ihre nahe Verwandtschaft mit der ♂ deutlich genug zu erkennen gab. Jene acht Stengel haben sich nach und nach ziemlich flach und weit von einander ausgebreitet, und niederwärts gebogen, und sind um vieles [38] länger geworden, als die Stengel der in Scherben versetzten ♂. Die Blumen, die zu gleicher Zeit blühten, waren meistentheils immer nach einer Seite, fast wie bei der ♂, und etwas niederwärts gerichtet. Der Saamenstaub war ganz weiss und trocken, und unter dem Vergrösserungsglase sah man wohl, dass er nur aus lauter kleinen ungestalteten und leeren Bälgen bestund. Er hatte auch, wenn ich das Stigma damit bestäubte, nicht die geringste fruchtbare Wirkung auf den Eyerstock, und daher kam es eben, dass die Blumen dieser Pflanze, wie bey allen an sich im höchsten Grade unfruchtbaren Bastarten, oder auch bey unbestäubten natürlichen Blumen zu geschehen pflegt, viele Tage lang frisch und unverwelkt blieben. Hingegen zeigten sie sich gegen den Saamenstaub der rust. panic. peren. und glut. nicht ganz gleichgültig: der Eyerstock nahm bey dergleichen Versuchen in der Grösse merklich zu, und es schien, als wenn etwas von einer Befruchtung darauf erfolgt wäre; sie fielen aber dessen ungeachtet, ehe noch die Kapseln ihre gehörige Grösse und Reife erreichen konnten. wie die übrigen, alle nach und nach ab. Diess gab den Blumenstengeln zuletzt ein sehr kahles Ansehen, weil sie immer nur an ihren äussersten Enden blühten, und doch ausserdem nach ihrer ganzen Länge hin weder Saamenkapseln noch Blumen zu sehen waren. Daher kam es auch vermuthlich, dass die Stengel zuletzt eine so horizontale Lage annahmen, und sich so sehr abwärts [39] beugten, weil nichts vorhanden war, das denen immer an ihren äussersten Enden sitzenden Blumen, die sie durch ihre Schwere niederwärts zogen, das Gegengewicht hätte halten können. Ob es gleich gegen den Anfang des Herbsts das Ansehen hatte, als wenn diese Pflanze zu blühen gänzlich aufhören würde, so trieb sie doch wieder einen starken mit Blättern versehenen Stengel aus dem Stamme hervor, der sich oben auf eben die Art, wie dieser, in Aeste theilte, den ganzen September und October hindurch blühte, und indessen noch einen kleinen Ast zur Seiten austrieb. Dieser grosse starke Stengel stund den 1 Nov. 1' von der Wurzel ab, und war 2', 5" lang. Im October kamen noch vier andere aus dem Stamme zum Vorschein, davon zwey über dem grossen, zwey aber unter demselben entsprossen sind. Da ich diesen fortdaurenden Trieb an den natürlichen Pflanzen niemals in einer solchen Stärke wahrgenommen, und ihn hingegen noch bey allen, und zwar bey denen im höchsten Grade unfruchtbaren Bastarten in einem vorzüglich hohen Grade gefunden habe: so vermuthe ich sehr, man werde ihm inskünftige unter den allgemeinen Eigenschaften der Bastarte einen Platz einräumen müssen.

Ehe jener neue starke Stengel zu blühen anfing, so kamen aus den Spitzen der alten aufs neue wieder Blumen hervor. Die erstern so wohl von diesen als von jenen, die sich unter dieser zweyten Blütezeit zeigten, waren schon um ein [40] merkliches röther, als die obbeschriebenen, und die nachfolgenden bekamen, so wie sie auf einander folgten, und der Herbst immer rauher und kälter wurde, eine noch höhere Farbe; endlich wurden sie in der letzten Blütezeit ganz roth.

Es war aber diese Farbe nicht rein kermesinroth, sondern
mit etwas bräunlichtem gleichsam vermischt, und kam mit
der Farbe eines schönen armenianischen Bolus am meisten
überein. Die obere Fläche des Blumenrandes war gewöhnlicher maassen am stärksten in der Farbe, die untere aber
etwas schwächer. Dass die allmälige Erhöhung und Ent-
wickiung dieser Farbe der zu dieser Jahreszeit immer zunehmenden Kälte allein zuzuschreiben sey, beweisen die Blumen
der maj. und aller ihrer Varietäten, nebst den Blumen der
gint. und der aus ihnen erzeugten Bastarte, die ebenfalls alle
gegen den Herbst hin eine immer höhere Farbe, und zwar
in einem angemessenen Verhältnisse mit dem Grade der Kälte,
bekommen haben. Die Anzahl der Blumen, die an der gegenwärtigen Pflanze, von dem Anfange ihrer Blütezeit an bis an
das Ende derselben, zum Vorschein gekommen sind, belief
sich lange nicht so hoch, als bey der $\female$, aber doch um ein
merkliches höher, als bey der $\male$.

Die zweyte aus diesem Versuche erhaltene Pflanze fing
gegen das Ende des Sommers an zu blühen. Sie hatte in
allen Stücken von der $\male$ ungleich mehr, als die erste, angenommen, und war daher auch von ihr merklich unterschieden.

[41] Ihre Blätter waren länger und spitziger, an Farbe heller
und gelblichter, und von einer noch zartern und dünnern Substanz. Der Rand war wellenförmig gebogen, die Blättersubstanz lief, ohne vorher einen sonderlichen Absatz zu bilden,
unter einer viel breitern Einfassung längst dem Stiele hinunter,
und machte in dieser Gegend, besonders bey den grössern
Blättern, wie bey der $\male$, wechselsweise Vertiefungen und
Erhöhungen. Die Blumenstengel waren kürzer, die Blumen
selbst länger und geschlanker, weit mehr gekrümmt, und mit
viel spitzigern so wohl Kelch- als Blumeneinschnitten versehen. Die erstern Blumen waren schon bereits rosenfarb,
die folgenden wurden nach und nach noch röther, und nahmen
gegen den Herbst hin eine so hohe und reine Farbe an, dass
sie darinn den Sommerblumen der $\male$ wenig oder nichts nachzugeben schienen. Mit einem Worte: es hatte diese Pflanze
schon eine so grosse Aehnlichkeit mit der $\male$, dass sie ein
jeder Kräuterverständiger, der sie ganz von ungefähr zu Gesicht bekommen hätte, gewiss für nichts anders, als für eine
blosse Varietät von der $\male$, oder von der $\female$ des XVI Vers.
würde gehalten haben. In Ansehung ihrer Unfruchtbarkeit
kam sie mit der erstern Pflanze vollkommen überein. Nun

folgt das oben versprochene und in eine Tabelle gebrachte Vergleichungsmaass.

Vergleichungsmaass.

	Nicot. rust.	rust. ♀ X panic. ♂	panic.	rust. ♀ X a. panic., peren. ♂	rust. ♀ X a. panic. peren. ♂	peren.
Länge der ganzen Blume von dem Grunde der Blumenröhre an bis zu dem flach ausgebreiteten und in fünf Einschnitte abgetheilten Blumenrande.	7‴	9 2/3‴	1″, 11 1/2‴	1″, 3‴	1″, 8‴	2″
Länge des Blumenkelchs; von seinem Grunde an bis an die Spitze des längsten Einschnitts.	5 1/2‴	5 1/4‴	3 2/3‴	7 1/2‴	7 1/2‴	10‴
Die Blume ragt über die Spitze des längsten Kelcheinschnitts heraus.	1 1/2‴	4‴	9 1/2‴	6 1/2‴	1″, 1/2‴	1″, 2 1/2‴
Grösste Breite von einem Ende des ganzen Blumenrandes bis zum andern, quer über die Blume gemessen.	7 1/3‴	3 2/3‴	4 1/3‴	9‴	10 1/3‴	1″, 2 1/2‴
Breite (oder vielmehr Länge) des abstehenden Blumenrandes selbst.	2 1/3‴	2‴	1 1/4‴	3 1/3‴	5‴	6‴
Durchmesser der Blumenröhrenöffnung zwischen dem Rande.	2 3/4‴	2 1/4‴	1 2/3‴	3‴	3 2/3‴	3 2/3‴
Durchmesser des Blumenröhren-bauche unter dem Rande.	3 1/2‴	3‴	2 1/4‴	4‴	3 1/4‴	4‴
Ganze Länge der Blumenröhre.	6 1/3‴	4‴	1″, 2 2/3‴	1″, 1 1/4‴	1″, 7‴	1″, 10‴
Länge des engen tirundes der Blumenröhre.	1 1/2‴	2 1/4‴	3‴	4 1/4‴	6‴	6 1/2‴
Länge der Staubfäden.	4‴	5 1/2‴	8 1/3‴	9 1/2‴	11‴	1″, 3 2/3‴
Länge des Stils.	4 1/2‴	7‴	11 1/4‴	11 1/2‴	1″, 4 1/2‴	1″, 6 1/3‴
Länge des Eyerstocks, die gelblichte Substanz mit eingeschlossen.	1 1/3‴	1 1/2‴	1 1/2‴	2‴	3‴	3 1/3‴
Durchmesser des Eyerstocks über der gelblichten Substanz.	1 1/3‴	1‴	3/4‴	1 1/2‴	1 1/3‴	1 2/3‴

[42] Wenn man erwägt, was für ein grosser Unterschied zwischen der rust. als der ersten ursprünglichen Mutter dieser Pflanzen, und zwischen der peren. ist, und wie sehr sich jene von ihrer natürlichen Gestalt entfernet, und sich dieser genähert hat: so weiss ich nicht, ob es einen viel mehr befremden würde, wenn er eine Katze unter der Gestalt eines Löwen auftreten sähe. Ich hoffe, man werde sich indessen an der blossen Beschreibung dieser höchst sonderbaren und bewundernswürdigen Pflanzen so lange begnügen, bis ich mit der Zeit die von mir verfertigte Abbildung derselben der gelehrten Welt vorzulegen die Ehre haben werde.

Zum Beschlusse dieses § will ich noch einige Anmerkungen über diesen zusammengesetzten Bastart machen. Ich nenne diese Pflanzen zusammengesetzte Bastarte, weil sie aus dreyerley Saamenstoffen von so viel verschiedenen Pflanzengattungen, nämlich aus dem weiblichen Saamen der rust. und den beyden männlichen der panic. und peren. erzeugt worden sind. Ohne Zweifel wird eben das (und vielleicht noch mehr), was zum Theil schon bey dem IV. Vers. § 5. (wiewohl in einem viel geringern Grade) in einer, und hier in zwey Zeugungen unter verschiedenen Gattungen in dem Pflanzenreiche vorgegangen ist, in dem Reiche der lebendigen Geschöpfe bey verschiedenen aus der Art geschlagenen Thieren, und vielleicht bey dem Menschen selbst, in einer Zeugung unter Varietäten schon [43] öfters geschehen seyn, und noch täglich geschehen: die vorgefasste Meynung von der Richtigkeit dieser oder jener Lehre von der Erzeugung aber macht, dass die wenigsten nicht einmal auf den Gedanken kommen, dass dergleichen etwas vorgegangen seyn möchte. Es ist inzwischen merkwürdig, dass die wechselsweise Vermischung der peren. mit der rust. oder panic. wie mir aus vielen misslungenen Versuchen bekannt ist, fruchtlos abläuft, und hingegen in gegenwärtigem Falle nach vorhergegangener Verwandlung Pflanzen erzeugt werden konnten. Nicht weniger merkwürdig ist es, dass man von diesem XVIII. Vers. eine viel geringere Anzahl Saamen, als von dem II. und III. Vers. bekömmt, und dass die Fruchtbarkeit, die sich bey dem einfachen Bastarte von der weiblichen Seite noch in einem geringen Grade erhält, bey dem zusammengesetzten vollends erstickt und gänzlich unterdrückt wird.

§ 20.

XIX. Vers.

Dianth. chin. ♀.

Dianth. carthus. ♂.

Die ♀ war eine Pflanze mit einfachen hellkermesinrothen Blumen. Der schwarzrothe ausgezackte Kreis, der sich sonst in der Mitten derselben zeigt, mangelte ihnen gänzlich. Die ♂ war eine gemeine Cartheusernelke mit einfachen [44] Blumen, von einer kermesinrothen, etwas ins Violette spielenden Farbe, auf welcher sich allenthalben kleine weisse Punkte zeigten. Der Versuch wurde den 23 Aug. 1760 gemacht. Die davon erhaltene Saamen waren um ein merkliches grösser und von einer viel dunklern Farbe, als die Saamen der ♀. Aus diesen erzog ich den letztverwichenen Sommer zehen Pflanzen, die in allen Stücken mit einander übereinkamen. An Grösse und Stärke ihrer Stengel übertrafen sie die ♀ weit. und hatten überhaupt, dem äusserlichen Ansehen nach zu urtheilen, eine grössere Aehnlichkeit mit den Cartheuser- als mit den Chinesernelken. Ihre Blätter waren viel breiter und steifer, als die von der ♀, aber doch nicht so breit und steif. als die Blätter der ♂. Die Gelenke an den Stengeln zeigten etwas von einer dunkel purpurrothen Farbe. Die Blumen waren viel zahlreicher als bey der ♀, und stunden in lockern Büscheln beysammen, doch noch nicht so dicht, als bey der ♂. Ihre Farbe war kermesinroth, und fiel etwas ins Violette, allenthalben mit kleinen weissen Punkten durchsetzt. An Grösse gaben sie denen von der ♀ wenig nach. Der Saamen-staub war grünlichtblau, und bestund zum Theil noch aus vollkommenen guten Stäubchen: die Blumen gaben daher auch, wenn sie damit bestaubt wurden, noch eine kleine Anzahl vollkommene Saamen, manchmal aber auch gar keinen. Diese Saamen waren viel grösser und schwärzer, als die von dem Bastartversuche [45] gewesen sind, und sahen den Samen der ♂ sehr ähnlich.

§ 21.

XX. Vers.

Ketm. ves. α. ♀ und Ketm. ves. β. ♀

Ketm. ves. β. ♂   Ketm. ves. α. ♂.

Da es einige noch in Zweifel ziehen, dass die beyden

5*

66

gegenwärtigen Pflanzen, α und β, die in Linn. Sp. Pl. p. 697.
unter dem Namen Hibiscus, no. 20. vorkommen, blosse Varietäten seyn sollen: so bewerkstelligte ich, um ihre Natur und
Eigenschaft auszuforschen, im Jahr 1760 eine wechselsweise
Vermischung zwischen ihnen. Die Befruchtung gieng von
beyden Seiten glücklich von statten. Ich erhielt die besten
vollkommensten Saamen, und erzog von ihnen den letzt verwichenen Sommer von der einen Vermischung vier, und von
der andern fünf Pflanzen. Sie waren alle einander ganz ähnlich, und zeigten unter allen Verschiedenheiten, wodurch sich
eine von der andern unterscheidet, die mittlere Proportion.
Uebrigens gieng ihnen an der Vollkommenheit ihres Saamenstaubs und ihrer Fruchtbarkeit nichts ab.

§ 22.

XXI. Vers.

Levcoj. alb. ♀
Levcoj. rubr. ♂.

Nach sehr vielen vergebens angestellten Versuchen, Levcojen und gelben Lack mit einander [46] zu befruchten,
machte ich endlich im Jahr 1760 eine wechselsweise Vermischung zwischen einfachen, weissen und kermesinrothen
Levcojen, und erhielt davon jedesmal vollkommene Saamen.
Von beederley Versuchen erzog ich den letztverwichenen
Sommer einige Pflanzen. Die eine Art hat sich bisher noch
nicht in der Blüte gezeigt, die andere aber hat bereits angefangen zu blühen. Die Blumen waren weisslichtviolet, einfach und vollkommen fruchtbar. Diejenige Pflanzen hingegen,
die ich aus denen mit ihrem eigenen Saamenstaube befruchteten, so wohl weissen, als kermesinrothen Levcojen erhalten,
brachten, wie zuvor, Blumen von gleicher Farbe hervor; mit
dem einigen Unterschiede, dass jene wieder einfach, diese
aber gefüllt waren.

§ 23.

XXII. Vers.

Hyosc. albo simil. fund. fl. atropurp. ♀
Hyosc. albus. fund. fl. viridi. ♂.

Es ist bekannt, dass einige Kräuterkenner diese beyde
Pflanzen für blosse Varietäten, andere hingegen für ganz

verschiedene Gattungen halten.   Ich belegte daher in eben
der Absicht, in der ich den XX. Vers. angestellet hatte, den
8 Sept. 1761. drey Blumen ♀ mit dem Saamenstaube ♂.
Die von diesem Versuche erhaltene Saamen schienen dem
äusserlichen Ansehen nach befruchtet zu seyn, und hatten
bey nahe einerley Grösse mit den natürlichen, dabey aber
[47] keine graue, sondern eine gelblichte Farbe.   Ich schnitt
ihrer viele entzwey, und fand sie insgesammt leer und ohne
Mark.   Indessen säete ich doch den 9 May dieses zu Ende
laufenden Jahres 60 dergleichen Saamen; es gieng aber kein
einiger auf.   Von denen aus dem umgekehrten Versuche erhaltenen Saamen, und von noch vielen andern Vermischungen,
die ich letztern Sommer unter verschiedenen Gattungen dieses
Geschlechts vorgenommen habe, verspreche ich mir keinen
glücklichern Ausgang.

§ 24.

Nachdem nun alle die Bastarte, die ich hervorzubringen
und zu erziehen das Glück gehabt habe, angezeigt worden,
so will ich sie nach ihrer verschiedenen Natur in folgende
Klassen, Ordnungen, Geschlechter und Gattungen abtheilen.
Erstlich theile ich sie in drey Klassen: unter die I Kl.
gehören die vollkommenen Bastarte, die aus zwo oder
drey verschiedenen natürlichen Gattungen eines Geschlechts
entstanden sind, und bey deren Erzeugung der eigene männliche Saame gänzlich ausgeschlossen worden.   Unter der II Kl.
hingegen stehen die unvollkommenen, die zwar auch aus
zwo verschiedenen natürlichen Gattungen eines Geschlechts
entstanden sind, bey deren Erzeugung sich aber ausser dem
fremden auch noch etwas weniges von ihrem eigenen männlichen Saamen zugleich mit eingeschlichen hat.   Die III Kl.
begreift die Bastartvarietäten [48] unter sich, die aus
zwo Varietäten einer natürlichen Gattung entstanden sind,
und bey deren Erzeugung der eigene männliche Saame gänzlich ausgeschlossen worden ist.   Die I Ordn. der I. Kl. begreift die einfachen unter sich, die nur von zwo verschiedenen natürlichen Gattungen eines Geschlechts entstanden sind.
Unter die II Ordn. der I Kl. hingegen rechne ich die zusammengesetzten Bastarte, die von drey verschiedenen
natürlichen Gattungen eines Geschlechts erzeugt worden sind.
Die I Ordn. der II und III Kl. enthält einfache Bastarte.
(Siehe I Ordn. I Kl.)   Unter der I Kl. I Ordn. stehen

III Geschl. Das I Geschl. machen diejenigen Bastarte aus, die so wohl von ihrer männlichen als weiblichen Seite unfruchtbar waren, und sich also weder von ihrem eigenen, noch von dem Saamenstaube ihres Vaters oder einer andern Gattung aus eben dem Geschlechte befruchten liessen. Das II Geschl. enthält solche, die von der männlichen Seite zwar unfruchtbar, von der weiblichen aber noch in einem geringen Grade fruchtbar waren, und daher von dem Saamenstaube ihrer Vater- oder Mutterpflanze befruchtet werden konnten. Unter dem III Geschl. kömmt eine Pflanze vor. die von beyden Seiten noch in einem geringen Grade fruchtbar war. Unter der I Kl. II Ordn. steht I Geschl. das von beyden Seiten oder im höchsten Grade unfruchtbar war, und sich folglich [49] weder von seinem eigenen, noch von dem Saamenstaube seiner Väter oder einer andern Gattung aus eben dem Geschlechte befruchten liess. Unter der II Kl. I Ordn. steht ebenfalls I Geschlecht, das von beyden Seiten noch in einem geringen Grade fruchtbar war, weil sich bey der Erzeugung der darunter stehenden Gattung Bastarte ausser dem fremden auch noch etwas weniges von dem eigenen männlichen Saamen zugleich mit eingemischt, und den Grund zu der beyderseitigen Fruchtbarkeit gelegt hat. Unter der III Kl. I Ordn. kommen II Geschl. vor, die vollkommen fruchtbar waren, weil die Vermischung zwoer Varietäten von einer natürlichen Gattung die Fruchtbarkeit der daraus entstehenden Pflanzen nicht aufzuheben pflegt.

Alle diese Klassen, Ordnungen und Geschlechter lassen sich nebst denen dahin gehörigen Gattungen füglich unter folgende Haupttafel bringen, und ins Kurze zusammenfassen.

Systematisches Verzeichniss
aller bisher durch die Kunst hervorgebrachten Bastarte.

I Kl. Vollkommene Bastarte.
    I Ordn. Einfache.
        I Geschl. Von beyden Seiten
                oder
            im höchsten Grade
            unfruchtbare.

[50   I Gatt. Nicot. maj. ♀
                Nicot. glut. ♂.

II Geschl. Von der männlichen
Seite unfruchtbare.

I Gatt. Nicot. rust. ♀
Nicot. panic. ♂.   NB. plures.

II Gatt. Nicot. panic. ♀
Nicot. rust. ♂.

III Geschl. Von beyden Seiten
in einem geringen
Grade fruchtbare.

I Gatt. Dianth. chin. ♀
Dianth. carth. ♂.

II Ordn. Zusammengesetzte.

I Geschl. Von beyden Seiten
oder
im höchsten Grade
unfruchtbare.

I Gatt. Nicot. rust. ♀ ⎫ ♀
panic. ♂ ⎭
Nicot. peren.   ♂.

II Kl. Unvollkommene Bastarte.

I Ordn. Einfache.

I Geschl. Von beyden Seiten
noch in einem geringen
Grade fruchtbare.

I Gatt. Nicot. rust. ♀
Nicot. panic. ♂.   NB. nonnullae.

III Kl. Bastartvarietäten.   [51]

I Ordn. Einfache.
Vollkommen fruchtbare.

I Geschl. Hibisc. Linn. Sp. Pl. no. 20.

I Gatt. Ketm. ves. α. ♀
Ketm. ves. β. ♂.

II Gatt. Ketm. ves. β. ♀
Ketm. ves. α. ♂.

II Geschl. Cheiranth. Linn. Sp. Pl. no. 4.

I Gatt. Levcoj. alb. ♀
Levcoj. rubr. ♂.

Dieser Haupttafel will ich noch eine Nebentafel von
Bastarten beyfügen, die von einem, entweder mit dem Saamenstaube seiner Vaterpflanze, oder mit dem Saamenstaube seiner
Mutterpflanze befruchteten einfachen Bastarte entstanden sind,
und sich daher in Ansehung der Aehnlichkeit in dem einen
Falle jener, und in dem andern dieser genähert haben. Jene
nenne ich Bastarte im absteigenden Grade, weil sie einen
Theil ihrer fremden Gestalt abgelegt, statt dessen aber von
ihrer eigenen wieder etwas angenommen haben, so, dass nun
ihre eigenthümliche Natur die Oberherrschaft über die fremde
bekommen hat: diese hingegen nenne ich Bastarte im aufsteigenden Grade, weil bey ihnen gerade das Gegentheil
von dem, was bey jenen vorgegangen, geschehen ist.

[52]   Systematisches Verzeichniss
       der Bastarte im ab- und aufsteigenden Grade.

I Abth. Absteigende, im ersten Grade.

I Geschl. Von beyden Seiten oder im höchsten Grade unfruchtbare.	Nicot. rust. ♀ / panic. ♂ } ♀	
II Geschl. Von der männlichen Seite unfruchtbare.	Nicot. rust. ♂.	
III Geschl. Von beyden Seiten fruchtbare.	Siehe § 3. II. § 5. IV. u. § 8. VII Vers.	

II Abth. Aufsteigende, im ersten Grade.

I Geschl. Von beyden Seiten oder im höchsten Grade unfruchtbare.	Nicot. rust. ♀ / panic. ♂ } ♀
	Nicot. panic. ♂.
II Geschl. Von der männlichen Seite unfruchtbare.	Siehe § 4. III. § 6. V. u. § 7. VI Vers.

Es freut mich, dass ich hier der gelehrten Welt kein
unnützes, voreiliges und abgeschmacktes Verzeichniss chimä-
rischer Bastarte geliefert, sondern ihr lauter solche Pflanzen
vorgetragen habe, die den letztverwichenen Sommer alle in
Sulz am Neckar in der Blüte gewesen, und zum Theil noch
jetzt vorhanden sind. Uebrigens wird man leicht einsehen,
dass dieses Verzeichniss mit der Zeit, wenn man mehrere

und in Ansehung ihrer Natur und Eigenschaften von den
gegenwärtigen [53] unterschiedene Bastarte bekommen sollte,
nach Beschaffenheit der Sachen hie und da wird geändert
und erweitert werden müssen. Fürs gegenwärtige aber wäre
eine weitläuftigere Eintheilung gewiss höchst überflüssig. Was
hilft es, ein grosses systematisches Verzeichniss von Bastarten
nach der Theorie zu machen, ehe man von ihrer Existenz
durch die Erfahrung versichert ist?

§ 25.

Nun wollen wir die Anwendung obgedachter Erfahrung,
die ich am Ende des § 1. zum Grunde gelegt habe, auf die
meisten dieser Pflanzen machen, und sehen, ob sich ihre
Eigenschaften von Seiten ihrer Fruchtbarkeit oder Unfruchtbarkeit daraus erklären lassen.

Die Nicot. maj. ♀ (§ 17) war eine Pflanze, die sich als
    Nicot. glut. ♂
ein von beyden Seiten oder im höchsten Grade unfruchtbarer
Bastart weder den männlichen noch den weiblichen Saamenstoff zuzubereiten im Stande gewesen ist. Jenes erhellet aus
der schlechten Beschaffenheit ihres Saamenstaubs, und der
gänzlichen Unwirksamkeit desselben; und dieses aus den
fruchtlos abgelauffenen Versuchen, sie wieder mit dem Saamenstaube der natürlichen zu befruchten.

Die Nicot. rust. ♀. (§ 10) und Nicot. panic. ♀ (§ 2.)
    Nicot. panic. ♂.   Nicot. rust. ♂,
waren, als Bastarte von einem [54] noch geringern Grade
der Unfruchtbarkeit, als der vorhergehende gewesen, von der
einen, nämlich der männlichen Seite unfruchtbar, von der
weiblichen aber fruchtbar, weil sie keinen männlichen, hingegen aber noch eine geringe Quantität weiblichen Saamen
gegeben haben. Die Unfruchtbarkeit der männlichen Seite
beweiset ihr verdorbener Saamenstaub, und die gänzliche Unwirksamkeit desselben: die Fruchtbarkeit der weiblichen aber
die vielen Versuche, wodurch ich von ihnen nicht nur von
dem Saamenstaube der rust. und panic. sondern auch so gar
von dem Saamenstaube der peren. Saamen und Pflanzen erhalten hatte.

Der Dianth. chin. ♀ (§ 20) war von beyden Seiten in
    Dianth. carth. ♂
einem geringen Grade fruchtbar. Ich würde vielleicht die
Fruchtbarkeit dieser Pflanze von einer kleinen Quantität eigenen

Saamenstaubs, der sich, wie es vielleicht wohl hätte geschehen
können, während der Operation oder auch nachher unter den
fremden mit eingemischt haben möchte, herzuleiten geneigt
seyn, wenn nur die davon erhaltene Saamen sich in ihrer
Grösse und Farbe den natürlichen wieder genähert hätten.
Nun sind sie aber vielmehr darinn den Saamen der Cartheusernelken sehr ähnlich geworden. Ich sehe daher bemeldte
Fruchtbarkeit als eine besondere und wesentliche Eigenschaft
von dem gegenwärtigen Bastarte an: um so mehr, da wir
schon Beyspiele vor uns [55] haben, die uns zeigen, dass
nicht alle Bastarte auf eine gleiche Weise unfruchtbar sind.

Die   Nicot. rust. ♀ ⎱ ♀   (§ 19) verhielt sich in Ansehung
      panic. ♂ ⎰
      Nicot. peren. ♂

ihrer Unfruchtbarkeit auf eben die Art wie die   Nicot. maj. ♀
                                           Nicot. glut. ♂,
und der Beweis davon ist eben derselbe. Der Grund dieser
gänzlichen Unfruchtbarkeit mag wohl in dem allzugrossen
Unterschiede liegen, der sich zwischen der Natur der ♀ und
der Natur der ♂ augenscheinlich zeigt: eben so, wie im
Gegentheil bey einem Bastarte, bey dessen Erzeugung man
auch die allergeringste Einmischung seines eigenen Saamenstaubs gänzlich verhütet zu haben versichert ist, der ihm
noch übrig gebliebene geringe Grad der Fruchtbarkeit eine
nicht geringe Aehnlichkeit zwischen seinen Eltern und eine
ziemliche Uebereinstimmung ihrer Naturen vorauszusetzen
scheint. So giebt auch schon die höchst geringe Anzahl
Saamen, die ich von dem XVIII Vers. erhalten, in Verhältniss
gegen die ungleich grössere, die man von dem II und III Vers.
(§ 3 und 4) zu bekommen pflegt, die bey der fruchtbaren
Vereinigung dieser Pflanzen obwaltende Schwierigkeit genug
zu erkennen.

Die   Nicot. rust. ♀   der II Kl. (§ 8) sind von beyden
     Nicot. panic. ♂
Seiten, aber in einem sehr geringen [56] Grade fruchtbar
gewesen: denn ich erhielt von ihnen, wenn sie mit einer
ziemlichen Quantität ihres eigenen Saamenstaubs bestäubt
worden, zuweilen einen oder etliche wenige Saamen. Es mag
sich daher ohne allen Zweifel bey ihrer Erzeugung etwas
weniges von ihrem eigenen Saamenstaube zugleich mit dem
fremden eingemischt haben, das, ob es gleich nicht hinreichend
war, das äusserliche Ansehen dieser Pflanzen in Betrachtung

gegen die andern, die sich von der männlichen Seite ganz
unfruchtbar bewiesen haben, merklich zu verändern, doch
wenigstens vermöge seiner Gegenwart so viel Wirkung gehabt
haben muss, dass sie sich etwas mütterlichen Saamenstaub
haben zubereiten, und von dieser Seite einen Grad der Fruchtbarkeit behalten können, der dem Grade der Wirksamkeit
jener geringen Quantität eigenen Saamenstaubs, die sich bey
ihrer Erzeugung eingeschlichen, proportionirt war. Dass aber
diese Fruchtbarkeit von dem eigenen oder mütterlichen und
keineswegs von dem väterlichen Saamenstaube hergekommen.
hat sich an etlichen Pflanzen (§ 8), die ich aus ihrem Saamen
erzogen, dadurch genugsam offenbart, dass sie nicht nur mit
ihrer Mutter, der rust. schon wieder eine grosse Aehnlichkeit
gehabt, sondern auch eine weit grössere Quantität guten
Saamenstaub und Saamen, als zuvor, gegeben haben. Wie
kömmt es aber, möchte man wohl fragen, dass diese Bastarte.
wenn sie mit dem Saamenstaube der rust. oder panic. [57]
befruchtet worden sind, ungleich mehrere Saamen, als von
ihrem eigenen, gegeben haben? Ich glaube, es ist nichts
leichter zu begreifen, als eben dieses. Der Saamenstaub jener
beyden natürlichen Pflanzen besteht aus lauter guten und
fruchtbaren Stäubchen: dieser hingegen enthielt unter unzählichen schlechten nur hie und da einige wenige gute. Nun
lassen sich aber diese von jenen nicht absondern. Wenn also
gleich ein Stigma mit einer sehr grossen Quantität von diesem
Saamenstaube über und über belegt worden ist, so sind doch
immer nur so wenige gute darunter gewesen, dass sie nur
auf einen kleinen Theil des weiblichen Saamens haben wirken,
und daher also nur einen oder etliche wenige Saamen, oder
auch nicht selten gar blosse leere Kapseln entstehen können.
Ist aber dieser schlechte Saamenstaub nur in einer etwas
geringen Quantität auf ein Stigma gekommen, (und dieses
pflegt sich, wenn man die Bestäubung solcher Bastartblumen
der Natur überlässt, nicht selten zuzutragen) oder sind etwa
von ungefähr die guten Saamenstäubchen von den schlechten
grösstentheils verdrungen und in ihrer Wirkung gehindert
worden, so hat nothwendiger weise ein gänzlich Absterben
der Blumen darauf erfolgen müssen, welches auch in der That
bey vielen unter ihnen geschehen ist. Von jenen hingegen,
nämlich den natürlichen, war eine dem Raume nach geringe
Quantität schon hinreichend, auf den ganzen Vorrath von
weiblichem Saamen zu [58] wirken, woraus denn die grösste

mögliche Anzahl Saamen, nämlich insgemein 40—50. **erzeugt**
worden ist.

$$\text{Die}\quad \begin{matrix}\text{Ketm. ves. } \alpha.\ \female \\ \text{Ketm. ves. } \beta.\ \male\end{matrix}\quad\text{und}\quad \begin{matrix}\text{Ketm. ves. } \beta.\ \female \\ \text{Ketm. ves. } \alpha.\ \male\end{matrix}\quad (\S\ 21.) : \text{des-}$$

gleichen das $\begin{matrix}\text{Levcoj. alb. } \female \\ \text{Levcoj. rubr. } \male\end{matrix}$ (§ 22.) beweisen durch ihre un-
unterbrochene und unverrückte Fruchtbarkeit zur Genüge
dass man sie in ihrem abgesonderten Zustande nicht als verschiedene Gattungen, sondern nur als Varietäten, und folglich
auch unter dieser vereinigten Gestalt für keine Bastarte im
eigentlichen Verstande, sondern für blosse Bastartvarietäten
anzusehen hat. Wenn ich nun mit der grössten Wahrscheinlichkeit voraussetze, dass ein jeglicher Bastart im eigentlichen
Verstande entweder ganz und gar unfruchtbar, oder doch
wenigstens nur in einem sehr eingeschränkten und ungleich
geringern Grade, als die natürlichen, woraus er erzeugt worden,
fruchtbar ist, und hingegen eine blosse Bastartvarietät den
Grad der Fruchtbarkeit, den ihre Eltern haben, behält, oder
doch wenigstens nichts beträchtliches davon verliert: so werde
ich den Verbindungsversuch mit allem Grunde für den einigen
wahren, sichern und untrüglichen Probierstein aller besondern
Gattungen und Varietäten halten können.[2]) Ich bin vollkommen
überzeugt, dass die Kräuterverständige, wenn sie sich anders
dessen bedienen wollen, [59] eine Menge Pflanzen, die in der
Kräuterwissenschaft auf eine gewisse Art eben das sind, was
die Cometen vor Zeiten in der Sternkunde waren, ihre gehörige Stellen werden anweisen, und in wenigen Jahren dasjenige leisten können, was man schon so viele Jahre her vergeblich gewünscht hat. Es wäre um so mehr anzurathen,
dass man sich künftighin dieses Mittels bedienen möchte, weil
man alle Hoffnung vor sich hat, dass beyde, so wohl die
Kräuterwissenschaft als die Naturlehre, gleich viel dabey gewinnen würden.

Da zwischen den beyden Hyosc. (§ 23) keine fruchtbare
Vermischung, sondern nur eine halbe Befruchtung vorgegangen
ist: so erhellet daraus offenbar, dass der $\male$ keineswegs eine
blosse Varietät von $\female$, sondern eine ganz verschiedene Gattung
seyn muss.

$$\text{Die}\quad \begin{matrix}\text{Nicot. rust. } \female \\ \text{panic. } \male\end{matrix}\Big\}\ \female\quad (\S\ 3)\ \text{der I Abth. sind zum Theil}$$
$$\text{Nicot. rust. } \male$$

von beyden Seiten und in einem nicht geringen Grade fruchtbar,

die Nicot. rust. $\stackrel{\displaystyle \varphi}{\sigma}\Big\}$ $\stackrel{\displaystyle \varphi}{}$ (§ 4) der II Abth. hingegen meisten-
Nicot. panic. σ
theils von beyden Seiten oder im höchsten Grade unfruchtbar
gewesen. Jenes lässt sich aus der geschwächten, und dieses
aus der verstärkten wirkenden Ursache der Unfruchtbarkeit
ganz wohl erklären. [60] So begreiflich inzwischen dieses ist,
so unbegreiflich kömmt es mir noch gegenwärtig vor, dass
etliche andere Pflanzen von der I Abth. ungeachtet ihrer dadurch erworbenen grossen Aehnlichkeit mit der Mutterpflanze,
doch nicht fruchtbarer geworden sind, als sie zuvor unter
ihrer ersten Bastartgestalt gewesen, und noch einige andere
sich gar von beyden Seiten unfruchtbar gezeigt, folglich auch
den geringen Grad der Fruchtbarkeit, den sie noch als Bastarte
hatten, vollends verlohren haben: nicht weniger, dass eine
von den Pflanzen der II Abth. zwar wie zuvor von der
männlichen Seite unfruchtbar gewesen, von der weiblichen
aber fruchtbar geblieben ist.

§ 20.

Da wir die Bastarte von Seiten ihrer Fruchtbarkeit und
Unfruchtbarkeit etwas näher betrachtet haben: so ist nun
noch übrig, dass wir sie aus eben dem Grunde auch noch
mit wenigem von Seiten ihrer Aehnlichkeit beurtheilen.
Wenn man annimmt, dass bey der Erzeugung einer
Pflanze beederley Saamen, es sey nun entweder dem Maasse
oder der Wirksamkeit nach, ordentlicher weise in einem solchen
Verhältnisse zusammenkommen, dass daraus immer eine mittlere
Proportion entsteht: so sieht man ein, warum z. b. die unter
dem I und II Geschl. der I Ordn. I Kl. begriffene Bastarte und
die unter [61] dem I und II Geschl. der I Ordn. III Kl. enthaltene Bastartvarietäten eine ebene so grosse Aehnlichkeit
mit ihrem Vater als mit ihrer Mutter, oder, welches eben das
sagen will, die mittlere Aehnlichkeit zwischen beyden gehabt
haben. Dass sich aber dieses in der That so verhalten habe,
bekräftigte nicht nur der Augenschein, sondern auch der Maass-
stab selbst. So allgemein indessen diese Wahrheit bey den
natürlichen Pflanzen seyn mag, so will ich doch nicht gut
dafür seyn, dass es bey den künstlichen, oder auch unter
jenen, wenn sie auf irgend eine zufällige Weise nach und
nach aus ihrem natürlichen Zustande in einen widernatürlichen
versetzt worden sind, nicht hie und da einige Ausnahme von

dieser Regel geben möchte: wie denn die Bastartnelken (§ 20)
bereits eine solche Ausnahme zu machen scheinen. Ich glaube
so gar, dass sie nicht selten, und zwar vorzüglich bey zusammengesetzten und bey ab- und aufsteigenden Bastarten
vorkommen werden. So habe ich, um ein Beyspiel von jenen
anzuführen, zwischen den beyden Pflanzen, die ich aus dem
XVIII Vers. (§ 19) erhalten, schon einen sehr merklichen
Unterschied gefunden, indem die eine offenbar mehr, als die
andere, von der peren. angenommen hatte. Beyspiele von
der letztern Art geben die so wohl aus dem II als III Vers.
erhaltene Pflanzen, die zum Theil in nicht wenigen Stücken
von einander unterschieden waren. Man sieht also wohl, dass
die Mischung und [62] Vereinigung der Saamenstoffe bey dergleichen Versuchen bey weitem nicht mit der Regelmässigkeit
und Gleichförmigkeit geschieht, als bey den natürlichen Pflanzen,
und denen davon erzeugten einfachen Bastarten, wo sie sich
durch die grosse Aehnlichkeit, die sie alle untereinander haben,
genugsam offenbart. Bey allem dem scheint es, wenn ich
anders aus so wenigen Pflanzen etwas schliessen darf, bey
der Erzeugung der Bastarte im absteigenden Grade noch regel-
mässiger und gleichförmiger herzugehen, als bey den Bastarten
im aufsteigenden Grade. Wenn sich diese Beobachtung mit
der Zeit an mehrern Pflanzen bestättigen sollte: so liess sich
die Sache meines Erachtens auf eine ganz ungezwungene Weise
daraus erklären, dass die Natur auf dem einen Wege, wo
sie die Gesetze der nähern Verwandtschaft zum Leitfaden hat,
sich der ihr angewiesenen Strasse in einer ungleich geradern
Linie wieder nähert, als sie sich hingegen auf dem andern
aus Mangel dieses Leitfadens, durch allerley Irrwege hindurch, von ihr noch weiter entfernt. So viel ist indessen
höchst wahrscheinlich, dass sich auf diese beeden Versuche
(§ 3. II und § 4. III) mit der Zeit zwey der stärksten Varie-
tätenwerkstätte werden gründen lassen.

Die Nicot. rust. ♀⎱ ♀ haben sich überhaupt [63] ihrer
panic. ♂⎰
Nicot. rust. ♂

Mutter, und die Nicot. rust. ♀⎱ ♀ ihrem Vater in der Aehn-
panic. ♂⎰
Nicot. panic. ♂

lichkeit genähert. Der Grund davon ist der: weil bey jenem
Versuche der mütterliche Theil des weiblichen Saamens durch
den Saamenstaub der rust. über den männlichen das Ueber-

gewicht oder die Oberherrschaft bekommen hat, und bey
diesem hingegen gerade das Gegentheil geschehen ist. Wenn
man sich unter einem ähnlichen Bilde die Erzeugung einer
Nicot. rust. $♀$
Nicot. panic. $♂$ unter dem getroffenen Sättigungspunkte bey
der Verfertigung eines Mittelsalzes vorstellt, so ist z. b.
der eine Fall, wenn das laugenhafte die Oberhand hat, die
Nicot. rust. $♀$ |
panic. $♂$ } $♀$ und der andere, wenn die Säure regiert,
Nicot. rust. $♂$,

die Nicot. rust. $♀$ |
panic. $♂$ } $♀$ Dass aber dem weiblichen Saamen
Nicot. panic. $♂$.

der Bastarte (§ 10. IX Vers.) etwas von der Natur der panic.
anhängen muss, ist daraus klar und deutlich zu erweisen,
weil die Pflanzen des einen Versuchs (§ 3) keine völlige rust.
geworden, und die Pflanzen des andern (§ 4) keine blosse
Bastarte von der vorigen Art geblieben sind.

[64]   § 27.

Von halben oder Afterbefruchtungen, die sich mir
bey meinen im Jahr 1760 in St. Petersburg, 1761 in Berlin
und Leipzig, und 1762 in Sulz am Neckar angestellten Versuchen gezeigt haben, will ich in der Kürze folgende vorläufige
Anzeige machen.

a) Nicot. rust. $♀$ 1760.   10 Blumen.   1761.
Nicot. peren. $♂$.
11 Bl.

Die Kapseln blieben bis zur völligen Reife alle sitzen;
sie waren aber gegen die natürlichen sehr klein, runzlicht
und eingefallen, und enthielten zum Theil ganz kleine unbefruchtete, zum Theil halb befruchtete grössere, aber eingefallene leere Saamenbläschen. Nur etliche wenige aus verschiedenen Kapseln erhaltene Saamen schienen befruchtet zu
seyn. Ich säete sie zugleich mit jenen. Es gieng aber nichts
auf. Beym umgekehrten Versuche fielen 10 Blumen unbefruchtet ab.

b) Nicot. rust. $♀$ 1761.   4 Bl.
Nicot. maj. $♂$.

Die Kapseln und Saamenbläschen verhielten sich, wie
bey a). Beym umgekehrten Versuche fielen 7 Blumen unbefruchtet ab; desgleichen 4 andere von einer Varietät der maj.

c) Nicot. rust. ♀ 1651. 6 Bl. 1762. 11 Bl.
Nicot. glut. ♂.

[65] Die Blumen fielen theils ganz unbefruchtet ab, theils gaben sie kleine eingefallene Kapseln, die aber noch vor ihrer völligen Reife abfielen. Eine Partie der darinn enthaltenen Saamenbläschen hatten an Grösse zwar merklich zugenommen, waren aber platt und taub. Beym umgekehrten Versuche fielen 7 Blumen unbefruchtet ab.

d) Nicot. panic. ♀ 1760. 2 Bl. 1761. 8 Bl.
Nicot. peren. ♂.

Bey diesem Versuche schien eine fruchtbare Vermischung vorgegangen zu seyn. Die Kapseln erreichten bey nahe die Grösse der natürlichen, und sprangen gleich diesen nach erfolgter Reife auf. Ihre dem Ansehen nach vollkommene Saamen waren ziemlich zahlreich und mit Marke versehen. Es gieng mir aber von 3 Kapseln kein einiger auf.

e) Nicot. peren. ♀ 1760. 3 Bl. 1761. 4 Bl.
Nicot. panic. ♂.

Die Kapseln erreichten zwar nur ungefähr die halbe Grösse der natürlichen, enthielten aber doch alle eine ziemliche Anzahl dem ersten Ansehen nach vollkommener Saamen. Untersuchte man sie aber genauer, so fand man sie, ob sie gleich nirgends eingefallen oder runzlicht, sondern ganz eyförmig waren, und voll zu seyn [66] schienen, insgesammt ganz hohl und leer; und von einer grossen Anzahl gieng nicht einer auf.

f) Nicot. panic. ♀ 1762. 11 Bl.
Nicot. maj. ♂.

Die Kapseln erreichten bey nahe die Grösse der natürlichen, und waren nebst ihren Saamen vollkommen wie die e beschaffen. Von allen in einer Kapsel enthalten gewesenen Saamen, die ich zur Probe gesäet hatte, gieng kein einiger auf. Indessen habe ich doch noch immer einige Hoffnung, aus diesem Versuche etwas zu erhalten. Beym umgekehrten Versuche fielen 4 Blumen unbefruchtet ab.

g) Nicot. panic. ♀ 1762. 9 Bl.
Nicot. glut. ♂.

Die Kapseln erreichten bey nahe die Grösse der natürlichen, und kamen nebst ihren Saamen in Ansehung der scheinbaren Vollkommenheit ungefähr mit f) überein. Ich säete eine Kapsel voll zur Probe; es gieng aber nichts auf. Auch hier gebe ich noch nicht alle Hoffnung auf, etwas zu erhalten.

h) Nicot. glut. ♀
   Nicot. panic. ♂. 1761. 8 Bl. 1762. 4 Bl.

Die Kapseln fielen allezeit, wenn sie bereits mehr, oder wenigstens die halbe Grösse der natürlichen [67] erreicht hatten, und von befruchteten Saamen ganz voll zu seyn schienen, unreif ab.

i) Nicot. glut. ♀
   Nicot. maj. ♂. 1762. 4 Bl.

Einige dieser Kapseln fielen, wenn sie schon die halbe Grösse der natürlichen erreicht hatten, unreif ab, einige aber blieben bis zur völligen Reife sitzen. Sie waren alsdenn noch um ein merkliches kleiner, als die natürlichen, und enthielten auch dem äusserlichen Ansehen nach schlechtere und leichtere Saamen. Es scheint hier der fruchtbaren Vermischung eine, wo nicht grössere, doch gewiss keine geringere Schwierigkeit im Wege zu liegen. als sich bey dem I Vers. (§ 2.) zu äussern pflegt. Von allen in einer Kapsel enthalten gewesenen Saamen gieng nicht einer auf. Indessen habe ich doch noch einige Hoffnung, von diesem oder dem folgenden Versuche Pflanzen zu erhalten.

k) Nicot. glut. ♀
   Nicot. peren. ♂. 1762. 10 Bl.

Die Kapseln blieben alle, zwey einige ausgenommen, bis zur völligen Reife sitzen, und erreichten fast die Grösse der natürlichen. Die Saamen scheinen zwar befruchtet zu seyn, kommen aber den natürlichen an Vollkommenheit doch nicht bey: hingegen sind die vom umgekehrten Versuche desto besser, und ohne allen Zweifel eben so fruchtbar, als die von dem XVI [68] Vers. (§ 17) gewesen sind. Eben so grosse Wahrscheinlichkeit habe ich auch vor mir, aus dem Saamen. den ich von einer Nicot. maj. fl. alb. ♀, welche man, und vielleicht mit Recht. für eine Varietät von der rothen hält, und von der Nicot. glut. ♂ künftigen Sommer Bastarte zu erziehen.

Wenn man die Wirkungen und die verschiedenen Grade derselben, die erstangezeigte Pflanzen auf einander geäussert haben, so wohl in Absicht auf die Verschiedenheit der gepaarten Pflanzen unter einander überhaupt, als auch in Absicht auf die gar nicht gleichgültige wechselsweise Vermischung zwischen einem jeden Paare insbesondere in sattsame Ueberlegung zieht: so wird man bald einsehen, dass sich auch aus diesen Versuchen, ob sie gleich auf eine gewisse Art frucht-

los ablaufen, nützliche physikalische Folgerungen herleiten,
und vielleicht verschiedene in der Natur vorkommende dunkle
Begebenheiten mit der Zeit erläutern lassen werden. Die
Anzeige mehrerer, so wohl einfacher als zusammengesetzter
Afterbefruchtungen soll bis auf eine andere Gelegenheit aus-
gesetzt bleiben.

§ 28.

Ich habe den letztverwichenen Sommer an der venetianischen Ketmia einen Versuch wiederholt, den ich schon im
Jahre 1760 angestellt hatte. Er besteht darinn: die beyderseitige Anzahl Saamen zu bestimmen, die man von einer gewissen [69] Anzahl Blumen, wovon man unter gleichen Umständen die eine Hälfte den Insekten zur Bestäubung überliesse,
und die andere Hälfte vermittelst eines Pinsels selbst bestäubte,
erhalten würde. Ich will für diessmal den Versuch von 1760
übergehen, und nur kürzlich anzeigen, wie er den letztern
Sommer ausgefallen ist. Der Anfang von diesem sehr müh-
samen Versuche wurde den 23 Jun. gemacht, und alle Tage
bis auf den 31 Jul. fortgesetzt. Es waren von beyden Seiten
310 Blumen. Die Anzahl der durch den natürlichen Weg
erhaltenen Saamen belief sich auf 10 886, und durch den
künstlichen auf 11 237: folglich betrug der ganze Ueberschuss
von dieser Seite nicht mehr als 351. Dieser kleine Rest,
den die Insekten gesetzt haben, rührt von etlichen kalten
Tagen her, an welchen diese Thierchen durch den häufigen
und anhaltenden Regen von ihrer Beschäftigung abgehalten
wurden. Sie würden aber, aus gleichem Grunde, wenn ich
den Versuch, wie im Jahr 1760 geschehen ist, noch länger
fortgesetzt hätte, noch einen grössern Rest gemacht haben:
es hielten mich aber andere Versuche, die ich nicht gern
aufschieben wollte, davon ab. Man sieht indessen doch wohl,
dass dieses Amt, das hier die Natur den Insekten aufgetragen
hat, für ihre Absichten gut genug verwaltet wird.

Dass bey eben dieser Pflanze die zu einer vollkommenen
Befruchtung erforderliche Quantität [70] Saamenstoff in der
besten Jahreszeit in $2^3/_4$ bis 3 Stunden in den Eyerstock,
als den Ort seiner Bestimmung kömmt; dass auch in einem
ganz dunklen Zimmer die Befruchtung von statten geht, und
dass eben diese auch bey Blumen, die ihrer Staubkölbchen
beraubt, und in die Nachbarschaft anderer Pflanzen von dieser
Gattung gesetzt werden, durch Hülfe der Insekten sicher

erfolgt; dass der mit verschiedenen so wohl natürlichen als
künstlichen Oelen vermischte Saamenstoff, ob er gleich nebst
jenen bis in den Eyerstock und in die Saamenbläschen selbst
ungehindert eindringt, seine befruchtende Kraft gänzlich verliert; dass der Ketmien Saamenstaub eben diese Kraft nicht
bis auf drey, der von gelbem Lack hingegen sie bis anf vierzehen Tage behält: sind Versuche, die ich noch von 1760
nachzuholen und anzuzeigen für gut befinde.

§ 29.

Zum Beschlusse will ich noch mit wenigen Worten einer
Beobachtung gedenken, die ich letztverwichenen Frühling an
den Misteln gemacht habe. Sie betrifft den ganz besonderen
Bau derjenigen Werkzeuge, die den Saamenstaub enthalten,
und ihn nach erfolgter Reife von sich geben, und das einige
Mittel, dessen sich hier die Natur zur Bestäubung der weiblichen Pflanzen bedient. Man würde einen sehr uneigentlichen
Ausdruck wählen, wenn man jene Werkzeuge, wie bey den
meisten andern Pflanzen. Staubkölbchen [71] nennen wollte.
Sie sind nichts anders, als ein erhabener schwammichter Theil
von weisslichter Farbe, der bey dem Männchen die innere
Fläche der Blumeneinschnitte grösstentheils einnimmt und fest
daran angewachsen ist. Er besteht aus einem zellichten Gewebe, das von innen mit vielen hohlen Gängen von unter-
schiedlicher Wendung versehen ist, die unter einander Gemeinschaft haben, und den Saamenstaub, wenn er nach und
nach aus der zellichten Substanz hervorkömmt, aufzunehmen
und ihn endlich durch gewisse rundlichte Oeffnungen, die sich
allenthalben auf der Oberfläche dieses Werkzeuges zeigen, in
die Höhle der noch geschlossenen Blumen auszusondern bestimmt sind. Die männlichen Blumen öffnen sich nicht auf
einmal, und gleichsam mit Gewalt, wie ein gewisser englischer
Schriftsteller vorgiebt, sondern allmälig, und setzen den in
ihnen ruhig liegenden Saamenstaub der freyen Luft aus.
Der schwefelgelbe Saamenstaub ist oval und auf seiner Oberfläche mit sehr feinen und kurzen Stacheln besetzt, die das
meiste dazu beytragen, dass er so stark unter sich zusammen-
hängt. Das Bestäuben der weiblichen Pflanzen, sie mögen
nun mit den männlichen zugleich auf einem Baume stehen.
oder auch in einer grossen Entfernung von einander auf verschiedenen Bäumen wachsen, geschieht allein durch Insekten.
und zwar vornehmlich durch mancherley Gattungen Fliegen.

6*

die den männlichen Saamen und die in beyderley Blüten befindliche süsse Feuchtigkeit als [72] eine ihnen von der Natur
bestimmte Nahrung begierig aufsuchen, und bey dieser Gelegenheit den an ihrem haarichten Leibe hängen bleibenden
Saamenstaub von den männlichen Pflanzen in die Blumen der
weiblichen übertragen. Wer die Beschaffenheit und Quantität
des Saamenstaubs in Betrachtung zieht, und auf das, was
sich während der Blütezeit bey diesen Pflanzen zuträgt, Achtung
giebt, der wird leicht einsehen, dass man hier das Bestäuben
von dem Winde vergebens erwarten würde. Ich zähle daher
den Mistel ohne Bedenken unter diejenigen Pflanzen, deren
Bestäubung allein durch Insekten geschieht: und so viel ich
weiss, ist derselbe auch in dem ganzen Pflanzenreiche die
erste Pflanze, von der man sagen kann, dass ihre Befruchtung
von Insekten und ihre Fortpflanzung von Vögeln abhängt, und
folglich ihre Erhaltung auf das Daseyn von zweyerley Thieren
aus ganz verschiedenen Klassen, und ohne Zweifel auch hin-
wieder die Erhaltung von diesen in Anschung ihres noth-
dürftigen Unterhalts auf das Daseyn von jener gegründet ist:
ein neues Beyspiel, woraus die genaue und nothwendige Verbindung aller Dinge unter einander sattsam erhellet.

Zweyte Fortsetzung

der

Vorläufigen Nachricht

von einigen

das Geschlecht der Pflanzen

betreffenden

Versuchen und Beobachtungen.

Von

Joseph Gottlieb Kölreuter,

der Arzneywissenschaft Doctor, Hochfürstl. Baden-Durlachischen Rath
und Professor der Naturhistorie.

Leipzig,

in der Gleditschischen Handlung, 1764.

Vorrede.

Der geneigte Leser wird in dieser zweyten Fortsetzung meiner vorläufigen Nachricht nicht weniger neues und merkwürdiges finden, als in den beyden erstern Schriften vorgekommen ist. Die bereits grösstentheils vollbrachte Verwandlung einer Pflanze in die andere, z. B. der Nicot. rust. in eine Nicot. panic. und der Nicot. panic. in eine Nicot. rust. ist vielleicht schon allein hinreichend, die Aufmerksamkeit der Naturforscher rege zu machen. Ich glaube durch diese Entdeckung in den Augen derjenigen, die eine Sache nach ihrem innern Werthe zu schätzen [4] wissen, wo nicht mehr, doch zum wenigsten eben so viel geleistet zu haben, als wenn ich Bley in Gold, oder Gold in Bley verwandelt hätte. Man hat die Verwandlung der Metalle schon von uralten Zeiten her für möglich gehalten; es ist aber, meines Wissens, noch niemand eingefallen, dass es möglich wäre, eine Pflanze in die andere, oder ein Thier in das andere zu verwandeln; vermuthlich, weil man sich die Schwierigkeiten, die der Verwandlung organischer Wesen im Wege stehen möchten, unendlich grösser, als bey den unorganischen, metallischen Körpern vorgestellt hat. Und doch ist dieses durch so viele Jahrhunderte hindurch von so vielen vergeblich unternommen, jenes hingegen in wenigen Jahren und zwar von dem ersten, der es gesucht, grösstentheils glücklich zu Stande gebracht worden.

Vielleicht erweckt es bey einigen meiner Leser ein Vergnügen, wenn ich ihnen zeige, dass die Theorie der Alchymisten von dem Wachsthum und der Veredlung der Metalle
mit derjenigen, die ich von der Erzeugung der Pflanzen und
von der [5] Verwandlung einer Pflanze in die andere gegeben,
sehr viel übereinkömmt. Die Alchymisten nehmen zweyerley
Saamen an, vermittelst deren die Vermehrung und Verwandlung der Metalle geschehen soll. Der männliche ist, wie sie
behaupten, schwefelichter Natur, und besitzt die Kraft, den
flüssigen, merkurialischen, weiblichen Saamen feuerbeständig
zu machen, und mit ihme einen festen Körper zu bilden. Er
hat die Eigenschaft, dass er den ganzen reinen merkurialischen
Theil eines im Flusse begriffenen Metalls in seine Natur verwandelt, alle andere Theile aber, die nicht merkurialisch sind,
verzehrt. Die Erzeugung und Verwandlung der Pflanzen geschieht ebenfalls durch einen männlichen und weiblichen Saamen.
Der erstere ist öhlichter oder schwefelichter Natur; welches
unter andern auch daraus offenbar erhellet, dass man sich dessen
bey der Reduction der metallischen Kalke, statt eines mine-
ralischen Schwefels, bedienen kann. Durch die Vereinigung
dieser beeden Saamen entsteht ein fester, organischer Körper,
die erste Grundlage der künftigen Pflanze. Bey [6] der Verwandlung einer Pflanze in die andere geschieht nach und
nach eben das, was nach der Theorie der Alchymisten bey
der Verwandlung eines Metalls in das andere auf einmal geschehen soll; es wird nämlich bey einem Bastarte im aufsteigenden Grade die eigenthümliche Natur von der fremden
nach eben dem Maasse verdrungen, nach welchem die letztere
von einer Zeugung zur andern über die erstere das Uebergewicht bekömmt. Wer weiss, wenn anders die Theorie von
dem metallischen Saamen und von der natürlichen oder künstlichen Verwandlung der Metalle keine blosse Chimäre ist, ob

die Alchymisten ihren Endzweck nicht eher erreicht haben
würden, wenn sie bey ihrer wichtigen Unternehmung eben
diejenigen Regeln beobachtet hätten, nach denen man sich
bey der Verwandlung der Pflanzen nothwendigerweise richten
muss? Vielleicht ist die augenblickliche Verwandlung der
Metalle eben so unmöglich, als die Verwandlung der Pflanzen
durch eine einige Zeugung. Es ist aber auch diese nur
unter gewissen Bedingungen möglich. Die Pflanzen, zwischen
denen eine Verwandlung [7] vorgehen soll, müssen 1) so
nahe mit einander verwandt seyn, dass eine fruchtbare
Vermischung zwischen ihnen statt haben, und durch die aus
derselben zu erziehenden Bastarte der Grund zu der künftigen
Verwandlung gelegt werden kann; 2) müssen diese durch eine
wechselsweise Vermischung erzeugte ursprüngliche Bastarte
noch einen gewissen Grad der Fruchtbarkeit von der weiblichen Seite nothwendigerweise besitzen, um ihnen durch eine
nochmalige Befruchtung das Uebergewicht geben zu können;
und, da öfters unter den Bastarten im ersten aufsteigenden
Grade einige ganz unfruchtbare vorkommen; so müssen 3) zur
Fortsetzung des Verwandlungsversuchs solche genommen werden,
die von der weiblichen Seite noch fruchtbar geblieben sind.
Man sieht also wohl, dass die nahe Verwandtschaft, die durch
die Bastartzeugung nicht gänzlich unterdrückte Fruchtbarkeit
und das auf einen gewissen Grad getriebene Uebergewicht
diejenigen Grundlagen sind, auf denen die Verwandlung einer
Pflanze in die andere beruht.

[8] Die Verwandlung der Thiere wird sich aller Wahrscheinlichkeit nach auf eben diese Gesetze gründen, und sich eben
so gewiss, als bey den Pflanzen, bewerkstelligen lassen.
Warum sollte man z. B. einen Canarienvogel nicht in einen
Hänfling verwandeln können? Denn, da man doch schon
aus der Erfahrung weiss, dass die Fruchtbarkeit der von

jenem, als ♀, und von diesen, als ♂, erzeugten Bastarte
sich bis auf den zweyten absteigenden Grad erstreckt: so ist
es sehr wahrscheinlich, dass die Versuche im aufsteigenden
Grade einen eben so glücklichen Erfolg haben werden. Wie
weit man es aber hierinn in der Alchymie bringen könnte,
will ich denjenigen zur Beurtheilung überlassen, die eine
gründlichere Einsicht in dieser wichtigen Wissenschaft besitzen. als ich.

Calw, den 20. Dec. 1763.

§ 1.

[9] Ich erhielt im Jahr 1762 aus dem Saamen des perennirenden Schaben- oder Mottenkrauts mit violetten Blumen (Verbascum *phoeniceum* Linn. Sp. Pl. edit. 2d. p. 254. u. 5.) drey Pflanzen, wovon ich eine in einen Scherben und die andern beyden ins Land versetzte. Sie fingen gegen das Ende des Julius alle drey an zu blühen. Ich nahm mir so gleich vor, es bey dieser Pflanze zu versuchen, ob sie sich mit dem Saamenstaube von vier andern in der Gegend von Sulz am Neckar wild wachsenden Gattungen eben dieses Geschlechts befruchten lassen würde, oder nicht. Der erste Versuch wurde mit dem Wollkraut mit kleinen weissen Blumen (Verbascum *Lichnitis*. Linn. Sp. Pl. edit. 2d. p. 253. n. 2. β.) an achtzehen, der zweyte mit dem Wollkraut mit grossen gelben Blumen (Verbascum *phlomoides*. Linn. Sp. Pl. edit. 2d. p. 253. n. 3.) an vier und dreyssig, der dritte mit dem schwarzen Wollkraut mit Salbeyblättern [10] und kleinen gelben Blumen (Verbascum *nigrum*. Linn. Sp. Pl. edit. 2d. p. 253. n. 4.) an acht und zwanzig, und der vierte mit dem gemeinen Schaben- oder Mottenkraut mit grossen gelben Blumen (Verbascum *Blattaria*. Linn. Sp. Pl. edit. 2d. p. 254. n. 6.) an zwölf Blumen ersterwähnten perennirenden Schabenkrauts zu verschiedenen Zeiten, und zwar jedesmal mit dem glücklichsten Erfolge, gemacht. Die Kapseln erreichten ihre völlige Grösse, und die in ihnen enthaltene Saamen hatten ebenfalls alle Kennzeichen der Vollkommenheit an sich. So wenig mich der glückliche Erfolg bey dem vierten Versuche, in Betrachtung der zwischen ♀ und ♂ obwaltenden nicht geringen Aehnlichkeit befremdete: so sehr setzte mich derselbe bey den andern, und vorzüglich bey dem zweyten, wegen des sehr grossen Unterschieds, der zwischen der ♀ und ♂ statt hat, in Verwunderung. Das seltsamste aber bey allem dem war, dass sich die ♀ durch ihren eigenen Saamenstaub nicht

befruchten liess; es war unter einer grossen Menge Blumen.
die von Zeit zu Zeit damit bestäubt worden. nicht eine einige.
die nur die allergeringste Spuhr einer darauf erfolgten Befruchtung gezeigt hätte. Ich glaubte anfänglich den wahren
Grund dieses sonderbaren Umstandes darinn gefunden zu haben.
dass diese Pflanzen etwa in dem ersten Jahre ihrer Blüte nicht
zu ihrer gänzlichen Vollkommenheit gelangt seyn möchten.
und bildete mir ein. dass sie vielleicht 11 in dem zweyten
bey mehrern Kräften und einem stärkern Wachsthum diesen
Mangel gänzlich ablegen würden. Die Erfahrung widerlegte
aber meine Vermuthung gänzlich: denn es blieben alle drey
von ihrer männlichen Seite, in Absicht auf sich selbst, dieses
Jahr so unfruchtbar, als im vergangenen. Eben diese besondere Eigenschaft bemerkte ich auch den letztern Sommer
neuerdings wieder an einer andern. die ich erst im verwichenen Frühling in Calw. allwo ich für dieses Jahr die
Anlage zur Fortsetzung meiner Versuche und Beobachtungen
gemacht hatte. aus dem Saamen erzogen. Ich halte mich
aber, da ich doch gegenwärtig keinen sichern Grund davon
zu geben weiss. nicht länger dabey auf. sondern komme vielmehr wieder auf die aus erstangezeigter vierfachen Verbindung
erhaltene Saamen. Sie waren kaum reif, als sich schon die
Einbildungskraft, die bey dergleichen Fällen gemeiniglich rege
wird, mit Hülfe der Theorie in die Bestimmung der Gestalt
und Farbe der künftig daraus zu erwartenden Pflanzen mischte,
ehe es noch einmal ausgemacht war. ob auch eben diese
Saamen aufgehen würden. Die von dem ersten Versuche
sollten weisslicht-violette, und die von den übrigen grüne
Blumen hervorbringen. Doch ich besinne mich. dass meine
Leser keine Beschreibungen eingebildeter, sondern wirklicher
Pflanzen von mir erwarten. Hier sind sie.

12   § 2.

I. Vers.

Verbasc. phoeniceum. ♀
Verbasc. Lichnitis fl. alb. ♂

Es giengen von den Saamen, die aus vier von diesem
Versuche erhaltenen Kapseln genommen und den 7 April 1763
in ein Mistbeet gesäet worden, den 21 dieses Monats, und
also in einer Zeit von vierzehen Tagen. viele auf. Ich

versetzte von 20—28 May eilf junge Pflanzen ins Land, und
sechs in Scherben. Die letztern kamen dieses Jahr nicht zur
Blüte, jene hingegen fingen vom 17 Jul. bis zum 10 Aug.
an zu blühen. Die grösste Höhe einiger dieser Pflanzen betrug nach erreichtem völligen Wachsthum 5', 10"; die kürzesten
oder schwächsten unter ihnen waren 4', die von mittlerer
Grösse aber 4', 5—10" hoch. Die grössten Blätter, nächst
über der Wurzel, waren nicht viel über 1' lang, und 5" breit,
länglicht, an der Unterfläche mit einer sehr feinen Wolle besetzt, sattgrün, und hie und da mit einer Purpurfarbe unterlaufen. Eben diese röthlichte Farbe zeigte sich auch, wiewohl nur in einem sehr geringen Grade, an den Hauptnerven
derselben. Die untern an dem Hauptstengel befindlichen
Blätter waren gegen den Grund hin nach Proportion schon
etwas breiter, als jene, und vornen mehr zugespitzt; daher
sich auch ihre Gestalt mehr einer eyförmigen als länglichten
näherte. Diejenigen, aus [13] deren Winkel Blumen hervorkamen, waren an dem Grunde beynahe herzförmig ausgeschnitten, mehr rundlicht, als eyförmig, und liefen gegen ihr
äusseres Ende hin gleichsam auf einmal in eine ziemlich scharfe
und lange Spitze aus. Die Kerben, waren an den untersten
Blättern etwas irregulär und ziemlich stumpf, an den obern
hingegen, und besonders an denen, aus deren Winkeln Blumen
hervorkamen, fast dreyeckicht und spitzig zugeschnitten. Alle
aber kamen darinn mit einander überein, dass sie ohne Stiel
unmittelbar an den Stengeln und Aesten sassen, und einen
nach verschiedenen Richtungen eingebogenen Rand hatten.
Aus dem sehr langen und geschlanken Hauptstengel, dessen
grösster Durchmesser ungefähr einen halben Zoll betrug, kamen
nicht weit über der Wurzel, in kleinen Entfernungen von
einander, einige ebenfalls lange und geschlanke Seitenstengel
unter einem ziemlich spitzigen Winkel hervor, theilten sich
nicht weit von ihrem Ursprunge auf eine gleiche Weise wieder
in einen oder etliche Aeste, und stunden wegen des ziemlich
spitzigen Winkels, unter welchem sie ihren Ursprung zu
nehmen pflegen, fast ganz parallel, und mithin auch sehr
nahe aneinander. Die Anzahl der Seitenstengel mit ihren
vornehmsten Aesten, den Hauptstengel mit eingerechnet, belief sich bey den magersten Pflanzen auf fünf bis sechs, und
bey den fettesten auf zehen bis zwölf. Die meisten der vornehmsten Blätter stunden in einiger Entfernung von der [14]
Erden, nämlich da, wo sich der Hauptstengel in Seitenstengel,

und diese sich in Aeste theilten, nahe bey einander. Auf
diese folgten so gleich, nicht weit von dem Ursprunge erstgedachter Stengel und Aeste, diejenigen, deren Winkel mit
Blumen besetzt waren. Da die Blumen schon so tief unten
ihren Anfang nahmen, die auf sie passenden Blätter aber von
dem untersten Theil der Stengel an bis gegen ihr äusserstes
Ende an Grösse immer abnahmen, und sich noch weit unter
diesem schon in sehr kleine, schmale und spitzige Schuppen
verwandelten, und überdem ihre mittlere Entfernung von einander doch ungefähr einen halben Zoll ausmachte: so hatten
die Stengel, die ohnedem sehr lang und geschlank waren,
ein ziemlich nackendes und blätterloses Ansehen. Der grösste
Abstand zwischen zweyen Blättern, aus deren Winkel Blumen
hervorkommen, betrug gemeiniglich etwas über einen Zoll.
und der kleinste an den äussersten Enden der Stengel etliche
Linien. Eben diese Blätter fingen schon weit unter dem
äussern Ende der Stengel und Aeste an, ihre Kerben nach
und nach abzulegen, und wurden endlich so klein und un-
scheinbar, dass sie eher eine Art von Blumenschuppen, als
Blätter vorstellten. Gemeiniglich kamen aus dem Winkel
einiger der untersten Blätter nur zwo Blumen hervor, ihre
Anzahl vermehrte sich aber bald bey den nächst darauf folgenden auf drey bis vier, und noch weiter hinauf wohl auf
fünf bis sechs, stieg aber auch [15] nach und nach gegen
das äusserste Ende der Stengel und Aeste wieder bis auf
zwo, selten bis auf eine herunter. Die untersten Blumen
waren, wie bey allen Gattungen dieses Geschlechts die ersten,
die zu blühen anfingen; es blühten aber, wie bey eben diesen,
nicht alle zu einem Blatte gehörige auf einmal, sondern zu
verschiedenen Zeiten, und also immer einige später, als die
andern. Die Stengel waren mit einer zarten und dünnen
Wolle bedeckt, und der Länge nach eckicht gestreift. Die
Blumen sassen alle auf Stielchen, die aus dem Grunde oder
vielmehr aus dem Winkel entspringen, den diese mit dem
Stengel machen. Die längsten dieser Stielchen waren 8''',
und die kürzesten 3''' lang, und mit einer zarten und dünnen
Wolle bedeckt. Mit eben dergleichen war auch die äussere
Fläche des Blumenkelchs und der Eyerstock versehen. Die
Einschnitte des Blumenkelchs waren ziemlich schmal, und
spitzten sich von ihrem Grunde an bis an ihr äusserstes Ende
nach und nach zu. Das Blumenblatt war weisslich-violet,
einen Zoll breit, und in fünf ungleiche, fast ovale oder viel-

nehr umgekehrt eyförmige Lappen abgetheilt, deren unterster
ler grösste, die beeden mittlern etwas kleiner, und die zween
obersten die kleinsten waren. Der mittlere Theil desselben
war zunächst an der kurzen Blumenröhre hie und da etwas
gelblicht, und mit einigen dunkelpurpurrothen Streifen von
ungleicher Länge, die sich gegen die Blumenlappen hinzogen,
[16] durchschnitten. Die Staubfäden waren hochgelb und die
Haare, womit sie besetzt sind, violet oder purpurroth, diejenige ausgenommen, die zunächst unter den Kölbchen der
drey obersten kürzern Staubfäden stunden, und eine weisslichte Farbe hatten. Die Kölbchen waren schwärzlicht, und
der Saamenstaub pomeranzengelb. Der Eyerstock war oval.
der Stiel violet und das Stigma grünlicht. Die ganze Anzahl
Blumen, die sich von dem Anfange der Blütezeit an bis an
das Ende derselben gezeigt hatten, belief sich an einer der
vollkommensten und grössten Pflanze auf 3154, ohne diejenigen, die noch an den äussersten Enden der Stengel sassen,
und wegen eindringender Kälte nimmer zur Vollkommenheit
kamen.

Eben derselben Vergleichung mit ihrer Mutter- und Vaterpflanze.

Stengel: mehrere, dickere, stärker gestreifte, als bey $♀$:
aber wenigere, dünnere, und nicht so tief gestreifte,
als bey $♂$. Der Winkel, den die Seitenstengel bey
ihrem Ursprunge mit dem Hauptstengel machen,
stumpfer, als bey $♀$; aber spitziger, als bey $♂$.
Desgleichen kürzere Seitenstengel und Aeste, als bey
$♀$, aber längere, als bey $♂$, und der Ursprung
derselben in einer grössern Entfernung von der
Wurzel, als bey $♀$, aber in einer kleinern, als bey $♂$.

[17] Blumenstielchen: kürzere und wollichtere, als bey
$♀$; aber längere und mit einer nicht so dichten
Wolle versehene, als bey $♂$.

Blumen: mehrere, so wohl überhaupt, als aus einem Punkte
ausgehende und näher an einander stehende, als bey
$♀$, hingegen weniger, so wohl überhaupt, als aus
einem Punkte ausgehende, und weiter von einander
entfernte, als bey $♂$.

Blumenkelch: mit schmalern und spitzigern Einschnitten, als
bey $♀$; aber mit breitern und stumpfern, als bey $♂$.

Blumenblatt: schwerer abzulösendes und kleineres, mit
länglichtern Lappen, als bey ♀; hingegen leichter
abzulösendes und grösseres mit rundlichtern Lappen,
als bey ♂; an Farbe weisslicht-violet, bey der ♀
hingegen dunkel-violet, und bey ♂ weiss.

Staubfäden; kürzere, mit einer nicht so langen und dunkelpurpurfarbichten Wolle, als bey ♀, aber längere,
als bey ♂, und mit einer längern und purpurfarbichten Wolle, die hingegen bey eben dieser ins
weissgelblichte fällt und kürzer ist; desgleichen kleinere
Staubkölbchen, als bey ♀, aber grössere, als bey ♂.

[18] Pistill: länglichterer und mit weissern, dichtern und
feinern Wollenhärchen besetzter Eyerstock, als bey
♀; hingegen nicht so länglicht-walzenförmig und
wollicht, als bey ♂. Der Stiel nicht so dunkel
purpurfarbicht, kürzer und dünner, als bey ♀, aber
auch nicht so blassgrünlicht, und so kurz und dünn,
wie bey ♂. Das Stigma kleiner, als bey ♀, hingegen grösser, als bey ♂.

§ 3.

II. Vers.

Verbasc. phoeniceum. ♀.
Verbasc. phlomoides. *) ♂.

Es giengen von den Saamen, die aus drey von diesem
Versuche erhaltenen Kapseln genommen, und unter eben so
viel verschiedenen Nummern theils den 24 März in ein mit
blosser Erde angefülltes und der freyen Luft ausgesetztes
hölzernes Kästchen, theils den 7 April ins Mistbeet gesäet
worden, vom 14—18 May sehr viele auf. Ich versetzte vom
18 May bis zum 20 Jun. sechs junge Pflanzen ins Land,
und fünf in Scherben. Die letztern kamen dieses Jahr nicht
zur Blüte, jene hingegen fingen vom 9—31 Aug. alle an zu
blühen. Die grösste Höhe [19] einiger dieser letztern betrug
nach erreichtem völligen Wachsthum 6′, 4″. die mittlere 5′,
6″. und die kleinste bey einigen andern (die aber, weil sie
erst spät zu blühen anfingen, ihre gänzliche Vollkommenheit

---

*) Hall. Enum. Pl. Horti et Agri Goett. MDCCLIII. p. 216. —
β. Flore maiori, stigmate bicolli Willich.

nicht erreicht haben) 4', 3". Die grössten Blätter nächst über
der Wurzel waren 2' lang, 1' breit und von einer eyförmig-
lanzenähnlichen (ovato-lanceolata) Gestalt. Ihr eyförmiger
Grund war an den obern Blättern nach Proportion um ein merkliches breiter, und das äussere Ende viel spitziger, als an den
untern. Sie sassen alle ohne Stiel an den Stengeln, und umfassten dieselben ziemlich stark, und zwar immer stärker, je
höher sie zu stehen kamen. Ihr Rand war etwas wellenförmig gebogen, und in rundlichte und eben nicht sonderlich
tiefe Kerben eingeschnitten. Sie waren auf beyden Seiten
mit einer dünnen, doch schon sehr merklichen Wolle bedeckt,
und zeigten auf ihrer Oberfläche eine sattgrüne, glänzende
Farbe. Der Hauptnerve der meisten untersten Blätter war
purpurfarbicht. Der sehr lange, aber etwas dicke und steife
Hauptstengel, dessen grösster Durchmesser 8''' betrug, theilte
sich nicht weit über der Wurzel in ebenfalls sehr lange,
ziemlich dicke und steife Seitenstengel, und diese sich wieder
in Aeste, die alle in kleinen Entfernungen von einander, und
wegen des merklich spitzigen Winkels, unter dem sie entspringen, ziemlich parallel beysammen stunden. Die Seitenstengel waren zum Theil so lang, dass sie dem [20] Hauptstengel in der Länge wenig nachgaben, und eben dieses
Verhältniss zeigte sich auch zwischen den Seitenstengeln und
ihren Aesten. Die Anzahl der Seitenstengel mit ihren vornehmsten Aesten, den Hauptstengel mit eingerechnet, belief
sich bey den magersten Pflanzen auf acht bis zehen, und bey
den fettesten auf dreyzehen bis siebenzehen. Auf die vornehmsten Blätter folgten so gleich nicht weit über dem Ursprunge der Seitenstengel diejenigen, aus deren Winkeln
Blumen hervorkamen. Es wurden aber diese von unten nach
oben zu allmählig immer kleiner und spitziger, und verwandelten sich endlich in blosse Schuppen, wie bey der vorhergehenden Gattung. Ihre grösste Entfernung von einander
betrug (an den untersten) höchstens 1". 9''', die mittlere (ohngefähr in der Mitte der Stengel) $\frac{1}{2}$", und die kleinste (gegen
die äussersten Enden derselben) etliche Linien. Aus dem
Winkel dieser Blätter kamen fast durchgegends ordentlicherweise nur zwo Blumen; doch traf man sie, wiewohl nicht oft,
an den äussersten Enden der Stengel auch einzeln an. Im
Aufblühen richteten sie sich nach eben der Ordnung, wie bey
der vorhergehenden. Die Stengel waren ziemlich haaricht und
fast allenthalben achteckicht; doch stunden diese Ecken eben

nicht sehr hervor. Die längsten Blumenstielchen waren 6'''
und die kürzesten 2''' lang, auch, wie der Stengel, stark mit
Haaren besetzt. Der obenfalls sehr haarichte Blumenkelch
hatte fünf fast gleich grosse eyförmig-lanzenähnliche [21] Einschnitte. Das Blumenblatt war gemeiniglich $1^1/_2''$ breit, in
fünf ungleiche, fast ganz rundlichte Lappen getheilt, an Farbe
gelblichtbraun, mit etwas wenigem röthlichen vermischt, und
gab, besonders, wenn die Sonne darauf schien, einen starken
Goldglanz von sich. Diese Farbe war bey einigen Pflanzen
höher, bey einigen hingegen blasser, je nachdem nämlich das
röthliche aus dem gelblichtbraunen mehr oder weniger hervor
stach. Sie war auch nicht bey allen über das ganze Blumenblatt hin von einerley Mischung, sondern an den beyden obern
kleinern Lappen gemeiniglich dunkler, als an den andern.
Der innerste Theil der Blume war, so weit als sich die kurze
Röhre derselben erstreckte, blassgelblicht grün; auf diese Farbe
folgte ein purpurröthlicher halb unterbrochner gestreifter Kreiss,
aus welchem sich verschiedene in einander fliessende Adern
von gleicher Farbe über einen sich nicht weit erstreckenden
gelblichten Grund hinzogen, und sich nach und nach in der
Hauptfarbe der Blumen verlohren. Die untere Fläche der
Blumen war, so weit als die Einschnitte des Blumenkelchs
reichten, oder bis dahin, wo sich das Blumenblatt in Lappen
zu theilen anfing, blassgelblicht grün, unter der Gestalt eines
stumpfen Fünfecks; der äussere grössere Theil derselben aber
war von gleicher Farbe mit der Oberfläche, jedoch um ein
merkliches blasser. Die obere Seite der drey obern kürzern
Staubfäden war hochgelb, und die untere [22] purpurfarbicht:
an den beyden untern längern Staubfäden aber spielte die
obere Seite ins purpurfarbichte, und die untere ins blassgelblichtgrüne. Die an den Staubfäden befindliche Wolle war an
dem obersten grösstentheils weissgelblicht, an den beyden
mittlern fast zur Hälfte von eben dieser Farbe, und der übrige
Theil derselben violetpurpurfarbicht, an den beyden untersten
hingegen, an welchen sie am sparsamsten, und zwar nur an
der obern Seite vorkam, durchaus von letzterer Art. Die
Staubkölbchen waren unten blassgelblichtgrün, in der Mitten
hoch- oder pomeranzengelb und oben schwärzlicht. Der
Eyerstock war mit ziemlich langen und dicht an einander
stehenden weisslichten Haaren ganz besetzt. Der Stiel hatte
eine blassgrüne Farbe. Das Stigma war grün, und zog sich
mit seiner Substanz auf beyden Seiten ein wenig an dem Stiel

herunter. Die ganze Anzahl Blumen, die sich von dem Anfange der Blütezeit an bis an das Ende derselben gezeigt
hatten, belief sich bey einer Pflanze von mittlerer Grösse und
Vollkommenheit auf 1924, ohne diejenigen, die noch an den
äussersten Enden der Stengel sassen, und sich wegen eindringender rauhen Herbstwitterung nimmer zu öffnen ver-
mochten.

Eben derselben Vergleichung mit ihrer Mutter- und Vaterpflanze.

Stengel: stärkere, steifere, eckichtere, haarichtere und
   längere Hauptstengel, als [23] bey ♀; hingegen
   dünnere, biegsamere, weniger eckichte, nicht so
   wollichte und längere Seitenstengel, als bey ♂. Der
   Winkel, unter welchem die Seitenstengel aus dem
   Hauptstengel ausgehen, nicht so spitzig, als bey ♀;
   aber doch spitziger, als bey ♂. Der Ursprung der
   Seitenstengel und Aeste in einer grössern Entfernung
   von der Wurzel, als bey ♀; aber in einer kleinern;
   als bey ♂.
Blätter: längere, in Verhältniss gegen ihre Länge schmalere,
   spitzigere, haarichtere, von einer mattern und weniger
   glänzenden Farbe, als bey ♀; hingegen kürzere,
   breitere, stumpfere, nicht so wollichte, von einer
   sattern, frischern und glänzendern Farbe, als bey ♂.
   Spitzigere Kerben, als bey ♀, aber stumpfere, als
   bey ♂.
Blumenstielchen: kürzere, dickere und haarichtere, als ♀;
   aber längere, dünnere, und nicht so wollichte, als bey ♂.
Blumen: mehrere, so wohl überhaupt, als aus einem Punkte
   ausgehende, näher bey einander stehende und grössere,
   als bey ♀; hingegen weniger aus einem Punkte ausgehende, weiter von einander entfernte und kleinere,
   als bey ♂.
[24] Blumenkelch: grösserer und haarichterer, mit breitern,
   längern und spitzigern Einschnitten, als bey ♀;
   hingegen kleinerer, mit einer nicht so dichten Wolle
   besetzter und mit schmalern, kürzern und stumpfern
   Einschnitten versehener, als bey ♂.
Blumenblatt: schwerer abzulösendes und grösseres, als bey ♀;
   aber leichter abzulösendes und kleineres, als bey ♂.

7*

Staubfäden: längere und dickere, mit grössern Kölbchen.
als bey ♀; aber kürzere und dünnere, mit kleinern
Kölbchen, als bey ♂.

Pistill: grösserer, stumpferer, und mit weissern, dichtern
und feinern Wollenhärchen besetzter Eyerstock, als
bey ♀ ; hingegen kleinerer, spitzigerer und weniger
wollichter, als bey ♂. Der Stiel länger und dicker.
mit einem grössern und auf beyden Seiten mehr abwärts laufenden Stigma, als bey ♀ ; hingegen kürzer
und dünner, mit einem kleinern und an den Seiten
nicht so weit abwärts laufenden Stigma, als bey ♂.

[25]   § 4.

III. Vers.

Verbasc. phoeniceum. ♀

Verbasc. nigrum. ♂.

Von den aus diesem Versuche erhaltenen Saamen, die
aus drey Kapseln genommen, und unter eben so viel verschiedenen Nummern theils den 24 März in ein mit blosser
Erde angefülltes und der freyen Luft ausgesetztes hölzernes
Kästchen, theils den 7 April ins Mistbeet gesäet worden.
gingen vom 14 May bis zum 20 Jun. viele auf. Die Keim-
blätter dieser jungen Pflanzen waren ungleich spitziger, als
die von den übrigen drey Gattungen. Es wurden vom 11 Jun.
bis zum 1 Jul. sieben derselben ins Land, und sieben in
Scherben versetzt. Jene kamen vom 28 Jul. bis zum 14 Aug.
alle zur Blüte, von diesen aber blühten nur drey, und zwar
vom 15—18 Aug. Die grösste Höhe, die jene ins Land
versetzte nach erreichter Vollkommenheit zeigten, betrug 4'.
die kleinste 3', 2", und die mittlere 7', 7". Die grössten
Blätter nächst über der Wurzel waren 1', 5$\frac{1}{2}$" lang, und
ihre grösste Breite 9$\frac{1}{2}$". Ihre Gestalt kam der eyförmigen
ziemlich nahe; die auf sie folgenden hingegen waren schon
länglichter und spitziger. Jene hatten kürzere, diese aber
längere Stiele. Die Farbe dieser Stiele fiel ins purpurrothe,
und verlohr sich nach und nach in den Hauptnerven der
Blätter. Eben diese Farbe zeigte sich auch [26] an den
Haupt- und Seitenstengeln. Die meisten der untersten und
mittlern Blätter waren an ihrem Grunde ein wenig herzförmig
ausgeschnitten, am Rande etwas wellenförmig gebogen, und

mit ziemlich stumpfen, breiten und nicht sonderlich tiefen Kerben versehen. Die obern Blätter, die in derjenigen Gegend stunden, wo sich der Hauptstengel in Seitenstengel theilte, wurden nach und nach immer kürzer, breiter und herzförmiger, je höher sie zu stehen kamen. und verlohren nach eben der Ordnung ihre Stiele endlich völlig. Die allerlängsten Stiele, die ich an den untern Blättern finden konnte, waren 5″ lang. Der Hauptstengel, dessen grösster Durchmesser ungefähr 5‴ betrug, theilte sich nicht weit über der Wurzel in ziemlich lange, dünne und schlanke Seitenstengel, und diese sich wieder in Aeste, die alle in kleinen Entfernungen von einander, und wegen des merklich spitzigen Winkels, unter dem sie entspringen, ziemlich parallel beysammen stunden. Die Seitenstengel waren zum Theil so lang, dass sie dem Hauptstengel in der Länge fast nichts nachgaben; und eben dieses Verhältniss zeigte sich auch zwischen den Seitenstengeln und ihren Aesten. Die Anzahl der Seitenstengel mit ihren vornehmsten Aesten, den Hauptstengel mit eingerechnet, belief sich bey den magersten Pflanzen auf vier und zwanzig bis dreyssig, und bey den fettesten auf vierzig bis fünf und vierzig. Auf die vornehmsten Blätter folgten so gleich, nicht weit über dem [27] Ursprunge der Seitenstengel, diejenigen, aus deren Winkeln Blumen hervorkamen. Es wurden aber diese von unten nach oben zu allmälig immer kleiner, und verwandelten sich endlich in blosse Schuppen, wie bey den vorhergehenden Gattungen, beobachteten auch mit eben diesen eine fast gleichgrosse Entfernung von einander. Gemeiniglich kamen aus dem Winkel eines jeden solchen Blatts zwey, auch sehr oft nur eine, sehr selten aber drey oder vier Blumen hervor. Uebrigens aber richteten sie sich im Aufblühen und in der Zu- und Abnahme ihrer Anzahl nach eben der Ordnung, wie bey den vorhergehenden. Die Blätter und Stengel waren fast ganz glatt, und die letztern mit ziemlich tiefen Furchen und Streifen versehen. Die längsten Blumenstielchen waren 4‴ und die kürzesten 2‴ lang. Der Blumenkelch hatte fünf lanzenförmige, aber etwas stumpfe Einschnitte. Das Blumenblatt war ohngefähr einen Zoll breit, und in fünf ungleiche, mehr rundlichte als ovale, und auf beyden Seiten rückwärts gebogene Lappen abgetheilt. Es hatte eine rothgelblichtbraune Farbe, die, besonders wenn die Sonne darauf schien, einen Goldglanz von sich gab. Diese Farbe war bey einigen Pflanzen höher, bey andern hingegen blasser, je

nachdem entweder das röthlichte oder das gelblichte die Oberhand gewonnen hatte. Sie war auch nicht bey allen über
das ganze Blumenblatt gleich ausgetheilt: denn das gelblichte
oder röthlichte stach an einigen [28] Stellen merklich vor,
und zwar jenes in der Mitten, und dieses gegen den Rand
der Lappen. Der mittlere Theil des Blumenblatts war in
der Nähe von dem Ursprunge der Staubfäden nicht selten mit
einem doppelten purpurfarbichten Kranze geziert, zwischen
welchem die gelblichte Farbe fast ganz rein hervorspielte.
Der äussere Kranz gab hie und da Adern und Streifen von
gleicher Farbe von sich. Die Staubfäden waren grösstentheils
purpurfarbicht, nämlich so weit, als sie ihre Wolle, die eine
gleiche Farbe hatte, bedeckte, unten und oben aber hochgelb.
Die obersten Härchen an den drey obern Staubfäden waren
weisslicht. Die Kölbchen gelblicht, gegen den Rand hin aber
schwärzlicht. Der Stiel spielte ins purpurfarbichte, das Stigma
aber war grünlicht. Die ganze Anzahl Blumen, die sich von
dem Anfange der Blütezeit an bis an das Ende derselben
gezeigt hatten, belief sich bey einer Pflanze von mittlerer
Grösse und Vollkommenheit auf 2566, ohne diejenigen, die
noch an den äussersten Enden der Stengel sassen, und sich
wegen eindringender Kälte nimmer öffnen wollten.

Eben derselben Vergleichung mit ihrer Mutter-
und Vaterpflanze.

Stengel: kürzere, tiefer gestreifte und stärkere, als bey ♀:
hingegen längere (besonders die Seitenstengel), nicht
so tief gestreifte und dünnere, als bey ♂. [29] Der
Winkel, unter welchem die Seitenstengel aus dem
Hauptstengel ausgehen, nicht völlig so spitzig, als bey
♀, aber doch spitziger, als bey ♂. Der Ursprung
der Seitenstengel und Aeste in einer grössern Entfernung von der Wurzel, als bey ♀, aber in einer
kleinern, als bey ♂.
Blätter: längere, schmalere, spitzigere, mattgrünere und mit
nicht so erhabenen Blasen und tiefen Runzeln begabte,
als bey ♀; hingegen kürzere, breitere, stumpfere,
glattere oder glänzendere und runzlichtere, als bey
♂. Spitzigere, schmalere und tiefere Kerben, als
bey ♀, aber stumpfere, breitere und nicht so tiefe.
als bey ♂. Der Ausschnitt an dem Grunde der

Blätter herzförmiger, als bey ♀, aber nicht so sehr, als bey ♂. Kürzere, breitere und flachere Stiele, als bey ♂, bey ♀ hingegen gar keine. Die Blätter der ☿ verlieren in einer gleichen Höhe mit der ♂ ihre Stiele eher, als bey eben dieser. Mehr purpurfarbichtes an den Blättern und Stengeln, als bey ♀, hingegen weniger, als bey ♂.

Blumenstielchen: kürzere, als bey ♀, aber längere, als bey ♂.

Blumen: mehrere, so wohl überhaupt, als aus einem Punkte ausgehende, und [30] näher bey bey einander stehende, als bey ♀; hingegen weniger, sowohl überhaupt, als aus einem Punkte ausgehende und weiter von einander entfernte, als bey ♂.

Blumenkelch: mit schmalern und spitzigern Einschnitten, als bey ♀, aber mit breitern und stumpfern, als bey ♂.

Blumenblatt: schwerer abzulösendes und kleineres, mit nicht völlig so rundlichten Lappen, als bey ♀; aber leichter abzulösendes und grösseres, mit rundlichtern Lappen, als bey ♂.

Staubfäden: kürzere, von einer blassern Purpurfarbe, mit einer nicht so dichten und langen Wolle besetzte, als bey ♀; hingegen längere, dunkler purpurfarbichte und mit einer dichtern und längern Wolle versehene, als bey ♂. Kleinere Staubkölbchen, als bey ♀, aber grössere, als bey ♂.

Pistill: länglichterer und mit weissern, dichtern und feinern Wollenhärchen besetzter Eyerstock, als bey ♀; hingegen nicht so länglicht-walzenförmig und wollicht, als bey ♂. Der Stiel weniger purpurfarbicht, kürzer und dünner, als bey ♀, aber purpurfarbichter, länger und dünner, als bey ♂. Das Stigma kleiner, als bey ♀, aber grösser, als bey ♂.

[31] Anm. Die Blattaria flore ferrugineo, die der berühmte Herr *Ehret* in seinen Pl. Select. Dec. II. Tab. XVI. in Kupfer vorgestellt hat, kömmt mit der gegenwärtigen Bastartpflanze so sehr überein, dass ich fast geneigt wäre, sie eher für eine durch irgend einen Zufall aus gleichem Ursprunge entstandene ☿, als für eine natürliche Pflanze zu halten. Es würde meiner Vermuthung kein geringes Gewicht geben, wenn sie diejenigen Kräuterverständige, denen sie zu Gesicht gekommen ist, von beyden Seiten unfruchtbar sollten befunden haben.

§ 5.

IV. Vers.

Verbasc. phoeniceum. ♀.

Verbasc. Blattaria. ♂.

Es gingen von den Saamen, die aus etlichen von diesem Versuche erhaltenen Kapseln genommen, und theils den 24 März in ein mit blosser Erde angefülltes und der freyen Luft ausgesetztes hölzernes Kästchen, theils den 7 April ins Mistbeet gesäet worden, vom 18 April bis zum 18 Jun. viele auf. Ich versetzte vom 19 May bis zum 21 Jul. acht junge Pflanzen ins Land, und acht in Scherben. Die letztern kamen dieses Jahr nicht zur Blüte, von jenen hingegen [32] fingen vom 29 Jul. bis zum 28 Sept. sechs an zu blühen. Die grösste Höhe von einer dieser Pflanzen, die den 29 Jul. zu blühen angefangen hatte, betrug nach erreichtem völligen Wachsthum 6′, 2″; eine andere hingegen, die mit dieser fast zu gleicher Zeit zur Blüte kam, wurde nur 5′ hoch. Die übrigen blieben alle ziemlich klein, weil sie allzuspät zu blühen angefangen hatten. Die grössten Blätter nächst über der Wurzel waren fast 2′ lang, 7″ breit und ziemlich länglichter Gestalt. Ihr Rand war in tiefe und erhabene Kerben eingeschnitten, unter welchen die grössten wieder in kleinere abgetheilt waren. Der Hauptnerve derselben hatte bey vielen eine Purpurfarbe angenommen. Die mittlern Blätter waren in Verhältniss gegen die untersten und obersten sehr schmal und gleichsam zungenförmig. Alle aber kamen darinn mit einander überein, dass sie glatt waren, eine frische und glänzende Farbe hatten, und ohne Stiel an den Stengeln sassen. Die obern Blätter, die in derjenigen Gegend stunden, wo sich der Hauptstengel in Seitenstengel theilte, wurden, je höher sie zu stehen kamen, nach Proportion ihrer Länge immer breiter und spitziger, und umfassten mit ihrem breiten und ganz tief herzförmig ausgeschnittenen Grunde die Stengel sehr stark. Nach eben dem Maasse und in eben der Ordnung wurden auch ihre Kerben immer erhabener und spitziger, und endlich ganz dreyeckicht. Der sehr lange, dabey aber ziemlich [33] dünne und geschlanke Hauptstengel, dessen grösster Durchmesser 5‴ betrug, theilte sich nächst an der Wurzel in ebenfalls lange, dünne und geschlanke Seitenstengel, und diese sich wieder in Aeste, die

alle in kleinen Entfernungen von einander, und wegen des
sehr spitzigen Winkels, unter dem sie entspringen, fast ganz
parallel beysammen stunden. Die Seitenstengel waren zum
Theil so lang, dass sie dem Hauptstengel in der Länge wenig
nachgaben; und oben dieses Verhältniss zeigte sich auch
zwischen den Seitenstengeln und ihren Aesten. Die Anzahl
der Seitenstengel und ihrer vornehmsten Aeste, den Hauptstengel mit eingerechnet, belief sich bey der grössten und
vollkommensten dieser Pflanzen auf fünf und dreyssig, und
bey einer andern etwas kleinern auf acht und zwanzig. Auf
die vornehmsten Blätter folgten so gleich nicht weit über dem
Ursprunge der Seitenstengel diejenigen, aus deren Winkeln
Blumen hervorkamen. Es wurden aber diese von unten nach
oben zu allmälig immer kleiner und spitziger. und verwandelten
sich schon noch sehr weit unter den Enden der Stengel in
sehr kleine, schmale und spitzige Schuppen; daher es denn
kam, dass die Stengel dieser Pflanze, die ohnehin sehr lang
und geschlank waren. ein noch kahleres und nackenderes
Ansehen hatten, als bey allen vorgehenden Gattungen. Ihre
grösste Entfernung von einander betrug 1′, 6″. 9‴, die mittlere
ohngefähr 9‴, und die kleinste 2—3″. Die Blumen stunden,
wie bey der [34] Vater- und Mutterpflanze, durchaus nur
einzeln auf langen Stielchen, die fast einen rechten Winkel
mit dem Stengel machten. Die längsten dieser Stielchen waren
7 — 8‴ lang. Die Stengel und Blumenstielchen, desgleichen
der Blumenkelch und Eyerstock waren mit sehr zarten und
ganz dünne und horizontal stehenden kolbichten Härchen besetzt. wie bey der ♀ und ♂. Der Blumenkelch war in fast
gleich grosse lanzenförmige Einschnitte, und das Blumenblatt,
das gemeiniglich einen Zoll und drey Linien breit war, und
sich. wie bey der Mutter- und Vaterpflanze sehr leicht von
jenem ablösen liess, in fünf rundlichte Lappen von ungleicher
Grösse abgetheilt. Dieses letztere war von einer blassen purpurröthlichen Farbe, die ziemlich stark ins russichte oder
schwärzliche spielte, und eben nicht sonderlich angenehm in
die Augen fiel. An einigen Stellen, und besonders in der
Mitte, nächst bey dem Ursprunge der Staubfäden, stach das
gelblichte merklich vor, und innerhalb diesem zeigte sich ein
etwas dunkler purpurröthlichter Kreiss, der sich mit kurzen
Streifen und Adern über gedachten gelblichten Grund aus-
breitete. Die Staubfäden waren in der Mitte purpurfarbicht,
unten und oben aber hochgelb. Die an ihnen befindliche

Wolle war violettpurpurfarbicht, diejenige ausgenommen, die
den obern Theil der drey kürzern oder obern Staubfäden besetzte, und eine gelblichtweise Farbe hatte. Die Kölbchen
waren unten gelblicht, und gegen [35 den Rand hin schwärzlicht. Der Eyerstock war beynahe kegelförmig; der Stiel
grösstentheils purpurfarbicht, und das Stigma grünlicht. Die
ganze Anzahl Blumen belief sich bey einer von mittlerer
Grösse und Vollkommenheit, die den 28 Jul, zu blühen angefangen hatte, auf 1891; diejenigen nicht mitgerechnet, die
noch an den äussersten Enden der Stengel und Aeste sassen.
und sich bey eindringender Kälte nimmer öffnen wollten.

Eben derselben Vergleichung mit ihrer Mutter- und Vaterpflanze.

Stengel: fast wie bey ♀ und ♂.

Blätter: länglichtere, spitzigere und in Verhältniss gegen
ihre Länge schmalere, als bey ♀; hingegen kürzere,
stumpfere und breitere, als bey ♂. Die Kerben
grösser, tiefer und erhabener, als bey ♀; aber
kleinere, nicht so tiefe und erhabene, als bey ♂.

Blumenstielchen: fast wie bey ♀ und ♂.

Blumen: grössere, als bey ♀, aber kleinere, als bey ♂;
im übrigen wie bey ♀ und ♂.

Blumenkelch: grösserer, mit länglichtern und spitzigern
Einschnitten, als bey ♀; aber kleinerer, mit breitern
und stumpfern Einschnitten, als bey ♂.

Blumenblatt: grösseres, als bey ♀; aber kleineres, als
bey ♂.

[36] Staubfäden: längere, mit nicht so schwarzen Kölbchen,
als bey ♀; aber kürzere, mit schwärzlichtern Kölbchen,
als bey ♂.

Pistill: stumpferer Eyerstock, als bey ♀; aber spitzigerer,
als bey ♂; längerer und weniger gebogener Stiel,
als bey ♀; aber kürzerer und nicht so gerade aus-
gestreckter, als bey ♂. Kleineres Stigma, als bey
♀; aber grösseres, als bey ♂.

§ 6.

Aus den Beschreibungen dieser vier Bastartpflanzen erhellet zur Genüge, dass sie zwischen ihrer gemeinschaftlichen

Mutter und ihren vier verschiedenen Vätern in allen Stücken die mittlere Proportion angenommen haben. Es schien zwar dem ersten Ansehen nach, als wenn besonders die zwote Gattung eine grössere Aehnlichkeit mit ihrer Vaterpflanze, als mit ihrer Mutterpflanze hätte: denn sie hatte in der That von jener so viel angenommen, dass einer, dem ihre Erzeugung unbekannt gewesen wäre, so leicht nicht auf die Vermuthung gekommen seyn würde, dass sie die ♀ zur Mutter gehabt hätte. Allein, zu geschweigen, dass man bey einer nähern Betrachtung von ihrer mittlern Aehnlichkeit so gleich überzeugt wird, so kann man nach einer kleinen Ueberlegung leicht einsehen, dass man sich, bey diesem Bastarte eine grössere Aehnlichkeit zwischen seinem ♂, als zwischen seiner ♀ [37] anzunehmen, durch folgenden Umstand verführen lässt: je grösser der Unterschied zwischen zwey dergleichen Pflanzen ist, desto grösser und merklicher muss auch die Veränderung seyn, die bey einer Bastartzeugung an der ♀ vorgeht; und je grösser und merklicher diese ist, desto mehr Befremdung und Eindruck muss sie auch bey demjenigen erwecken, der sich bey einer anzustellenden Vergleichung den grossen Unterschied zwischen zwo dergleichen Pflanzen lebhaft vorstellt, und noch nebenher immer in Gedanken eine ♀ vor sich zu haben glaubt. Je geringer hingegen der Unterschied zwischen den beyden natürlichen Gattungen ist, desto geringer und unmerklicher muss auch die Veränderung seyn, die bey ihrer Vereinigung an der ♀ geschieht, und desto weniger Aufsehen kann sie machen. Man wird daher gewiss so leicht nicht auf den Gedanken kommen, den Bastarten des IV. Vers. mehr Aehnlichkeit mit ihrem ♂, als mit ihrer ♀ zuzuschreiben; wozu man hingegen durch die vom II. Vers. gar leicht verführt werden kann. Vielleicht bin ich aber auch mit der Zeit im Stande, durch den umgekehrten Versuch von einer jeden dieser vier Verbindungen unumstösslich zu erweisen, dass die beyderley Naturen einander das vollkommenste Gleichgewicht halten: denn, wenn die daraus zu erziehende Pflanzen mit den bereits erzeugten übereinkommen, so ist es offenbar, dass die Natur der einen Gattung bey keinem [38] von diesen Bastarten über die Natur der andern das Uebergewicht haben muss.

Ich habe oben schon (§ 1.) gesagt, dass ich in der Einbildung gestanden sey, die Pflanzen des II, III und IV. Vers. würden grüne Blumen hervorbringen: denn ich glaubte, dass

aus der Vermischung von gelb und blau keine andere, als
diese, entstehen könnte.   Allein ich bedachte damals nicht,
dass die rothe Farbe, welche bey den violetten Blumen der
♀ mit der blauen vereiniget ist, dieser sonst natürlichen
Folge im Wege stehen, und also etwas ganz anders herauskommen könnte.   Ein einiger Umstand benahm mir erst lange
hernach auf einmal alle Hoffnung, grüne Blumen zu erhalten.
Ich legte nämlich im verwichenen Frühjahr, zu einer Zeit,
da die Bastarte noch nicht blühten, eine Blume von dem
Verbasc. phoenic. auf eine Blume von dem Verbasc. Thaps.
und hielt beyde gegen das Licht; es zeigte sich mir aber
keine grüne, sondern ungefähr eine solche Farbe, dergleichen
die Blumen erstgedachter Bastarte nachher wirklich bekommen
haben.   Ungeachtet nun jene höchst seltsam und vielleicht
das einige und erste rechte Beyspiel in dem ganzen Pflanzenreiche gewesen wäre; so ist doch auch diese schon ungewöhnlich genug, und, vornehmlich bey der II und III. Gattung,
von einer so besondern Art, dass man gewiss wenig, und
vielleicht gar keine ihres gleichen unter den natürlichen finden
wird.   Was die Schönheit dieser vier Bastartpflanzen anbetrifft: so [39] glaube ich nicht zu viel zu sagen, wenn ich
behaupte, dass die erste und zweyte darinn die natürlichen
noch übertroffen haben.   Die erste besonders war von einem
so prächtigen und lieblichen Ansehen, dass die Blumenliebhaber keinen Anstand nehmen werden, ihr in ihren Gärten
einen vorzüglichen Platz einzuräumen.   Auch die dritte nahm
sich nicht übel aus; wenigstens war sie viel schöner, als ihr
Vater.   Hingegen hatten die Blumen der vierten eine etwas
traurige und unangenehme Farbe, und kamen denen von der
Mutter- und Vaterpflanze an Schönheit lange nicht bey.   Die
Saamenstäubchen hatten zwar bey einer jeden dieser vier
Bastartpflanzen eine ziemlich regulaire elliptische Gestalt,
waren aber gegen die natürlichen sehr klein, und enthielten
nur eine ganz geringe Quantität gelben Oels.   Die Staubkölbchen öffneten sich theils gar nicht, theils nur ein wenig,
und dis geschah erst alsdenn, wenn die Blumen schon anfingen, welk zu werden.   Gemeiniglich blieben die Blumen
etliche Tage lang frisch; da sie hingegen bey den natürlichen
nur einen Tag dauren.   Der Wachsthumstrieb muss bey jenen,
den Bastarten nämlich, stärker seyn, als bey diesen: denn
sie kamen alle noch in dem ersten Sommer zur Blüte: da
hingegen einige der letztern unter gleichen Umständen mit

ihnen, erst im zweyten Jahre blühen. Uebrigens waren sie insgesammt von beyden Seiten im höchsten Grade unfruchtbar, indem sie sich weder durch ihren eigenen [40] Saamenstaub, noch durch den von den natürlichen befruchten liessen. Es schien zwar bey der vierten Gattung, wenn sie mit der ♂ bestäubt worden, etwas von einer halben Befruchtung vorzugehen; der Eyerstock nahm an Grösse einigermaassen zu, blieb aber dennoch gegen die natürlichen sehr klein, und bis in den späten Herbst hinein immer grün und unreif; enthielt auch keinen einigen befruchteten Saamen. Die Blumen der II, III und IV. Gattung bekamen, aus gleichem Grunde mit dem Taback. (Forts. der vorläuf. Nachr. S. 40.) gegen den Herbst hin eine immer dunklere Farbe, bey welcher das violette der ♀ über das gelbe der ♂ merklich die Oberhand gewann.

Zum Beschlusse dieses § will ich hier noch zwoer Raupen Erwähnung thun, deren eine sich auf dem ersten Bastart und seinem ♂, die andere aber auf dem vierten Bastart in ziemlicher Anzahl eingefunden. Jene kam mit derjenigen fast gänzlich überein. die Frisch in seiner Insectenhistorie VI. Theil S. 22 Tab. IX. beschrieben und abgebildet hat. Sie liess sich die Blätter von beyderley Pflanzen gleichwohl schmecken. Die andere war die Raupe von dem Nachtpapilion mit dem goldenen Buchstaben λ. (Linn. Syst. Nat. edit. dec. p. 513. n. 91). Die übrigen natürlichen Gattungen und Bastarte hingegen müssen nicht nach ihrem Geschmacke gewesen seyn: denn ich erinnere mich nicht, dass ich jemals eine von ihnen darauf angetroffen hätte.

[41]   §. 7.

V. Vers.

Nicot. panic. ♀.

Nicot. glut. ♂.

Ich hatte, wie aus meiner Forts. der vorläuf. Nachr. S. 66. g) erhellet, noch nicht alle Hoffnung aufgegeben, aus diesem Versuche Pflanzen zu erhalten, und ich habe mich auch darinn keineswegs betrogen: denn es gieng mir von einer Kapsel voll Saamen, die ich den 19 April in ein der freyen Luft ausgesetztes Kästchen gesäet hatte, den 30 Jun. endlich eine auf. Sie wurde den 18 Jul. in einen Scherben

versetzt, und den 28 Aug. fing sie an zu blühen, nachdem
sie eine Höhe von 1', 3" erreicht hatte. Ihre untersten Blätter
waren eyförmig und von einer etwas derben Substanz, die
andern aber herzförmig, hie und da etwas wellenförmig eingebogen, und mit einer ziemlich dichten, feinen und klebricht
anzufühlenden Wolle versehen. Der herzförmige Ausschnitt
war jedoch bey den meisten nicht so gar tief, der Rand nicht
so stark eingebogen, und der Saft, den ihre Haare aus-
schwitzten, nicht so klebricht, als bey der ♂, ob sich gleich
eben hierinn zwischen ihnen und denen von der ♀ schon
ein sehr merklicher Unterschied zeigte. Ihre Farbe war um
ein merkliches blasser, als bey der ♀, doch noch nicht so
blassgelblichtgrün, als bey der ♂. Mit dem besonders starken
narcotischen Geruche, wodurch [42] sich die glut. von allen
andern Gattungen dieses Geschlechts, besonders aber von der
rust. und panic. unterscheidet, hatte es eine gleiche Bewandtniss: denn ob er gleich bey diesem Bastarte in einem geringern Grade zu spühren war, als bey jener, so kam er doch
demselben seiner Art nach schon ziemlich bey, und zeigte
nebst den übrigen Merkmalen offenbar an, dass sich die Natur
der ♂ mit der Natur der ♀ aufs genaueste vereiniget haben
musste. Die Stiele der Blätter schienen mir nach Proportion
um ein merkliches länger zu seyn, als bey der ♀. Aus dem
Winkel der obern Blätter kamen gleich bey dem Anfange der
Blütezeit neben dem Hauptstengel drey lange Seitenstengel
hervor. Mit eben dergleichen waren auch damals zwey der
mittlern Blätter versehen; sie kamen aber jenen an Grösse
nicht bey, und an den untersten zeigten sich noch kleinere,
als diese. Die Richtung der Blumen schien zwischen der
unbestimmten der ♀ und der einseitigen der ♂ das Mittel
zu halten. Der Blumenkelch war grösser und mit längern
und mehr rückwärts gebogenen Einschnitten begabt, als bey
der ♀; hingegen kleiner, mit kürzern und nicht so sehr rückwärts gebogenen Einschnitten, als bey der ♂: das Blumenblatt durchaus viel grösser, breiter und weiter, auch an Farbe
viel blasser, als bey der ♀, doch in allem diesem ungleich
weniger, als bey der ♂: der Blumenrand bey den ersten
Blumen ganz hellgrüngelblicht und hie und da mit einer sehr
schwachen [43] Röthe unterlaufen, bey den darauf folgenden
aber von einer ziemlich hohen rothen Farbe, die sich auch,
wiewohl in einem ungleich geringern Grade, bis über den
Bauch der Blumenröhre hin verbreitete. Dieser letztere war

nebst dem Blumenrande viel stärker abwärts gekrümmt, als
bey der ♀, doch noch lange nicht so stark, als bey der ♂.
So stund auch der Rand der Blume nimmer so flach ausein-
ander, und gab derselben keine so freye und runde Oeffnung
mehr, als er bey der ♀ zu thun pflegt. Die Staubkölbchen
waren, ungeachtet sie nur leere und untaugliche Stäubchen
enthielten, doch grösser, als die von der ♀, aber kleiner,
als bey der ♂. Eben dieses Verhältniss zeigte auch der
Eyerstock und das Stigma dieser Blumen. Die Länge des
Blumenkelchs von seinem Grunde an, bis an die Spitze des
längsten und ausgestreckten Einschnitts war 6‴. Die grösste
Breite von einem Ende des ganzen Blumenrandes bis zum
andern, quer über die Blume gemessen 8‴. Die Breite (oder
vielmehr Länge) des abstehenden Blumenrandes selbst $3\frac{1}{3}‴$.
Der Durchmesser der Blumenröhrenöffnung zwischen dem Rande
3‴. Der Durchmesser des Blumenröhrenbauchs unter dem
Rande $3\frac{3}{4}‴$. Die Länge des Eyerstocks, die gelblichte Substanz mit eingeschlossen $1\frac{2}{3}‴$, und der Durchmesser desselben
über der gelblichten Substanz $1\frac{1}{4}‴$. Eine umständlichere
Ausmessung dieser Blumen will ich auf eine andere Gelegenheit verspahren. Gegenwärtig [44] finde ich von dieser Bastartpflanze sonst nichts weiter zu melden für nöthig, als dass ich
sie, wie die aus der mai. vulg. ♀ und glut. ♂ erzeugten
Bastarte, (Forts. der vorl. Nachr. S. 27, §. 17 XVI. Vers.)
so wohl von ihrer männlichen als weiblichen Seite, im höchsten
Grade unfruchtbar befunden habe.

§ 8.

VI. Vers.

rust. ♀
Nicot. panic. ♂ } ♀ } ♀ *)
panic. ♂
Nicot. glut. ♂.

Ven vier Kapseln voll Saamen, die theils den 8 April
in ein Mistbeet, theils den 18 April in ein der freyen Luft
ausgesetztes Kästchen gesäet worden, erhielt ich vom 15 bis

*) Anm. Es war ♀ eben diejenige, von welcher in der Forts.
der vorläuf. Nachr. S. 18 gemeldet worden, dass sie unter allen
die grösste Aehnlichkeit mit der panic. gezeigt hätte.

zum 24 Jun. fünf junge Pflanzen. Eine derselben, **die im** Mistbeete aufgegangen und auch darinn stehen **geblieben** ist. fing den 5 Sept. an zu blühen; drey andere, die **den** 16, 18 und 21 Jul. in Scherben versetzt worden, zeigten vom 17—30 Aug. die ersten Blumen; die fünfte hingegen, **die** ich den 2 Aug. ins Land versetzt hatte, kam [45] **noch** vor der Blüte durch den ersten Frost um. Alle diese **Pflanzen** sind von der vorhergehenden (§ 7. V. Vers.) wenig und **bloss** darinn unterschieden gewesen, dass ihre Blätter etwas **weniger** herzförmig, mit einer nicht so dichten und etwas **gröbern** Wolle besetzt, die Feuchtigkeit derselben nicht völlig so **zähe** und von einem etwas schwächern Geruche, und die **Blumen** um etwas weniges, und zwar verhältnissweise gerade um so viel kleiner waren, als die Blumen der künstlichen ♀ **des** gegenwärtigen Versuchs von den natürlichen ♀ des vorhergehenden an Grösse übertroffen wurden; in Ansehung der Unfruchtbarkeit und übrigen Eigenschaften aber bemerkte ich nicht den geringsten Unterschied zwischen ihnen. Eben so wenig habe ich auch an einer von diesen, bey deren durch den gegenwärtigen Versuch bewerkstelligten Erzeugung die auf dem Stigma der ♀ versammlet gewesene eigene weibliche Feuchtigkeit, vermittelst kleiner Stückchen Fliesspapier hinweggenommen, und statt ihrer die von der so genannten peren. aufgetragen worden, das allergeringste finden können, wodurch sie sich vor den andern vieren, bey welchen keine solche Verwechselung gedachter Feuchtigkeit vorgegangen, besonders ausgezeichnet hätte.

[46]   § 9.

VII. Vers.

Nicot. panic. ♀.

Nicot. transylv. ♂. *)

Aus diesem Versuche erhielt ich von zwey Kapseln voll Saamen, die den 18 und 19 April in ein der freyen Luft ausgesetztes Kästchen gesäet worden, den 19 Jun. eine junge Pflanze, und einen Monat später noch vier andere. Die letztern verdarben noch in ihrer frühen Jugend, jene hingegen wurde

---

*) Siehe meine Forts. der vorläuf. Nachr. S. 31, § 18. XVII. Vers. ♀.

den 18 Jul. in einen Scherben versetzt, in welchem sie den 7 Oct. zu blühen anfieng. Die Blätter waren fast eyförmig, etwas gelblichtgrün, und mit feinen, dichten und ziemlich langen Haaren besetzt. Sie hatten keinen Stiel, sondern ihre Substanz lief in einiger Entfernung von dem Grunde, unter der Gestalt eines etwas breiten und wellenförmig eingebogenen Saums, bis an den Stengel hin, und umfasste denselben einigermassen. Die Blumenstielchen waren ziemlich haaricht, und hatten eine Länge von ungefähr 5'''. Die Blumen hielten in Ansehung ihrer Grösse und Gestalt das Mittel zwischen denen von der ♀ und ♂. Der Blumenkelch war blassgrünlicht, ziemlich haaricht und bauchicht. Die Blumenröhre war noch ungleich blasser, als jener, mit ziemlich [47] dichten und feinen Haaren besetzt, und endigte sich oben mit einem etwas schief stehenden Bauche. Der Blumenrand hatte bey den ersten Blumen eine blasse, leimgelblichte Farbe, zwischen welcher sich hie und da etwas röthlichtes zeigte; bey den darauf folgenden aber stach die röthlichte Tinctur merklich vor. Die Einschnitte desselben waren zwar nicht so spitzig, als bey ♂, aber doch auch nicht so stumpf, als bey ♀; die Staubfäden ein wenig niederwärts gekrümmt, und die Staubkölbchen in Verhältniss gegen die von der ♀ grösser, aber ungleich kleiner, als bey der ♂. Der Saamenstaub bestund aus lauter leeren, kleinen und irregulairen Theilchen. Der Eyerstock hielt in Ansehung seiner Gestalt und Grösse die mittlere Proportion zwischen dem von ihren Eltern. Der obere Theil des Stiels war stark niederwärts gekrümmt, und endigte sich mit einem ziemlich grossen Stigma. Da die allzuspäte Blütezeit dieser Bastartpflanze es nicht mehr verstattete, den Grad ihrer Unfruchtbarkeit durch Versuche zu bestimmen: so schnitt ich sie zum einlegen ab. Es giebt aber die grosse Verschiedenheit zwischen ihren Eltern, und die Schwierigkeit, die sich bey ihrer seltenen Erzeugung äussert, die zuverlässigste Vermuthung ab, dass sie sich bey denselben, wie die vom V. und VI. Vers. (§ 7 und 8) von beyden Seiten oder im höchsten Grade unfruchtbar gezeigt haben würde. Das Maass der ersten Blume ist folgendes: Länge der ganzen Blume, von dem [48] Grunde der Blumenröhre an bis zu der Spitze der mittlern Blumenrandeinschnitte 1'', 5''': Länge des Blumenkelchs, von seinem Grunde an bis an die Spitze des längsten Kelcheinschnitts 7'''; die Blume ragt über die Spitze des längsten Kelcheinschnitts heraus 10½'''. Grösste Breite

von einem Ende des ganzen Blumenrandes bis zum andern.
quer über die Blume gemessen $10^{1}/_{2}'''$. Breite oder vielmehr
Länge) des abstehenden Blumenrandes selbst $4'''$. Durchmesser
der Blumenröhrenöffnung zwischen dem Rande $3^{2}/_{3}'''$. Durchmesser des Blumenröhrenbauchs unter dem Rande $4^{1}/_{3}'''$. Ganze
Länge der Blumenröhre $1''$, $3^{1}/_{4}'''$. Länge des engen Grundes
der Blumenröhre $4^{1}/_{4}'''$. Länge der Staubfäden $11'''$. Länge
des Stiels $1''$, $1^{1}/_{2}'''$. Länge des Eyerstocks, die gelblichte
Substanz mit eingeschlossen $2^{1}/_{4}'''$. Durchmesser des Eyerstocks über der gelblichten Substanz fast $1^{1}/_{2}'''$.

Ausser dieser erhielt ich auch aus der Vereinigung der
unächten panic. ♀ des vorhergehenden VI. Vers. mit der
mai. vulg. ♂ eine junge Pflanze. Sie war die einige, die
von vier Kapseln voll Saamen aufgegangen, verdarb aber noch
in ihrer frühen Jugend. Hingegen gieng mir von sechs Kapseln
voll Saamen, die ich aus der Vereinigung der wahren panic. ♀
mit der so genannten peren. ♂ erhalten, und den 19 April
unter gleichen Umständen mit jener gesäet hatte, kein einiger
auf. Man sieht indessen doch, dass auch hier die Hoffnung,
etwas aus der Vereinigung [49] dieser beyden Gattungen
Taback zu erhalten, nicht vergeblich gewesen. (Siehe meine
Forts. der vorläuf. Nachr. S. 66. f.)

§ 10.

VIII. Vers.

Nicot. rust. ♀ } ♀
Nicot. panic. ♂ }

Nicot. glut.   ♂.

Von sechszehen dem äusserlichen Ansehen nach vollkommenen Saamen, die ich aus sechs Kapseln erhalten, und
den 14 April unter eben so viel verschiedene Nummern in
ein der freyen Luft ausgesetztes Kästchen gesäet hatte, gieng
den 10 Jun. einer auf. Die junge Pflanze wurde den 15 Jul.
in einen Scherben versetzt, und den 1 Sept. fieng sie an zu
blühen, nachdem sie eine Höhe von $1'$ $1''$ erreicht hatte.
Die Blätter waren gestielt, ziemlich schmal, an dem Grunde
herzförmig ausgeschnitten und gegen den vordern Theil hin
lanzenförmig (cordato-lanceolata), von einer etwas derben Substanz, mit wenigen Haaren besetzt, nicht sonderlich klebricht
anzufühlen, und von einer hellgrünen und einigermaassen

glänzenden Farbe. Die Blumen waren überhaupt grösser, als bey der ♀, aber nicht so gross, als bey ♂; der Blumenkelch war weiter und mit längern und mehr gekrümmten Einschnitten versehen, als bey ♀, kam [50] aber doch hierinn dem von ♂ noch lange nicht bey. Eine gleiche Bewandtniss hatte es auch mit der Weite des Blumenröhrenbauchs; was aber seine Richtung anbetrifft, so stund er nebst dem Blumenrande fast noch so gerade auf der Röhre, als bey ♀. Der Blumenrand hielt in Ansehung seiner Grösse und der Gestalt seiner Einschnitte zwischen dem von ♀ und ♂ ohngefähr die mittlere Proportion; die Oeffnung der Blumenröhre aber eben nicht viel weiter, als bey ♀. Die grünlichte Farbe der Blumenröhre war blasser, als bey ♀, aber nicht so blass, als bey ♂. Der Blumenrand war bey den ersten sehr blassgelbröthlicht, und bekam, ohngeachtet er sich bey darauf folgenden noch stärker färbte, doch denjenigen Grad der Röthe nicht, den die von dem V, VI und VII. Vers. (§ 7, 8, 9.) angenommen hatten. Die Staubfäden waren zwar etwas länger, als bey ♀, hielten sich aber in Absicht auf die von ♂ doch noch unter der mittlern Proportion; die Staubkölbchen. ihrer leeren und untauglichen Stäubchen ohngeachtet, etwas grösser, als bey ♀, doch ungleich kleiner, als bey ♂; das Pistill aber war, anstatt an Länge etwas zugenommen zu haben, gar noch kürzer, als bey ♀, und erreichte mit seinem Stigma nicht einmal die Höhe der Staubkölbchen. Ob ich gleich durch genugsame Proben versichert bin, dass sich diese aus dreyen zusammengesetzte Bastartpflanze durch ihren eigenen Saamenstaub nicht hat befruchten lassen: so [51] kann ich doch nicht mit eben der Gewissheit behaupten, dass sie sich, wenn die Probe mit irgend einem natürlichen von eben dem Geschlechte an ihr gemacht worden wäre, eben so gleichgültig angelassen haben würde. Ich vermuthe aber aus eben dem Grunde, den ich schon bey der vorhergehenden Pflanze angegeben, dass ich sie in diesem Falle eben so unwirksam, als die vom V und VI Vers. oder wenigstens nicht wirksamer, als die in der Forts. meiner vorläuf. Nachr. S. 32. § 19. XVIII. Vers.) angeführten Bastarte würde befunden haben. Das Maass, so wie ich es bey der ersten Blume angemerkt, ist folgendes: Länge der ganzen Blume, von dem Grunde der Blumenröhre an bis zu der Spitze mit mittlern Blumenrandeinschnitte 11‴. Länge des Blumenkelchs, von seinem Grunde an bis an die Spitze des längsten Kelcheinschnitts 6¾‴.

8*

Die Blume ragt über die Spitze des längsten Kelcheinschnitts heraus 5'''. Grösste Breite von einem Ende des ganzen Blumenrandes bis zum andern, quer über die Blume gemessen $8\frac{1}{2}$'''. Breite (oder vielmehr Länge) des abstehenden Blumenrandes selbst $3\frac{1}{2}$'''. Durchmesser der Blumenröhrenöffnung zwischen dem Rande $2\frac{1}{2}$'''. Durchmesser des Blumenröhrenbauchs unter dem Rande $3\frac{1}{2}$'''. Ganze Länge der Blumenröhre $8\frac{3}{4}$'''. Länge des engen Grundes der Blumenröhre 2'''. Länge der Staubfäden 7'''. Länge des Stiels $5\frac{1}{3}$'''. Länge des Eyerstocks, die gelblichte Substanz mit eingeschlossen [52] $1\frac{1}{2}$'''. Durchmesser des Eyerstocks über der gelblichen Substanz 1'''.

Es erhellet so wohl aus der Beschreibung dieser Pflanze, als aus dem eben hier angeführten Maasse offenbar, dass es bey der Erzeugung derselben nicht in allen Stücken nach den Regeln der mittlern Aehnlichkeit hergegangen seyn muss; ein Beyspiel, wodurch die in meiner Forts. der vorläuf. Nachr. S. 61 und 62 über die ungleiche Mischung der Saamenstoffe gemachte Anmerkung aufs neue bekräftiget wird.

Die bey der fruchtbaren Erzeugung obwaltende Schwierigkeit und die zum Theil (§ 7 und 8) durch Versuche bestätigte gänzliche Unfruchtbarkeit dieser und der vorhergehenden Pflanzen (§ 7, 8 und 9), rühren allem Vermuthen nach von dem allzugrossen Unterschiede her, der sich zwischen ihren Eltern zeigt. Was soll ich aber von ihrem ungewöhnlich lange verzögerten Aufgehen sagen? Ich weiss in der That nicht, ob ich den Grund davon in ihrer veränderten Natur suchen, oder ob ich die Schuld der Witterung, dem Boden oder irgend einem andern Umstande beymessen soll. Vielleicht wird sich etwan die Sache ins künftige durch mehrere Versuche und Beobachtungen erläutern lassen.

Mit dreyen aus der Vermischung der rust. ♀ ⎱ ♀ panic. ♂ ⎰ erzeugten guten Saamen war ich [53] diessmal nicht so glücklich, als im verwichenen Jahr (Forts. der vorläuf. Nachr. S. 32. § 19). Es gieng kein einiger von ihnen auf. Dagegen haben die alten, die ich den Winter hindurch erhalten, aufs neue Stengel getrieben und recht stark geblühet.

Aus der Vereinigung der panic. ♀ ⎱ ♀ mit der glut. ♂ rust. ♂ ⎰ erhielt ich von vier Kapseln, in welchen etliche wenige dem äusserlichen Ansehen nach vollkommene Saamen enthalten

waren, ebenfalls keine einige Pflanze. Nicht besser gieng es
auch mit zwey dergleichen Saamen von eben dieser ♀ und
der peren. ♂.

§ 11.

IX. Vers.

In der Forts. der vorläuf. Nachr. S. 19 und 31
habe ich bereits angezeigt, worinn vornehmlich der Unterschied zwischen der Nicot. mai. vulg. und zwischen der peren.
und transylv. bestehe, und ich finde weiter nichts mehr dabey
anzumerken für nöthig, als dass die Blumen der peren. die
längsten und schmalsten, und die Einschnitte derselben die
spitzigsten unter allen sind. Ausser diesen sind mir aber
noch zwey andere Sorten vorgekommen. Die eine ist eine
Art von einer transylv. Sie unterscheidet sich von der obgedachten hauptsächlich darinn, dass ihre Aeste unter noch
stumpfern Winkeln ausgehen, [54] und die Kapseln viel spitziger
und länger, und fast eben so, wie bey der mai. vulg. beschaffen sind. Die andere ist die Nicot. fl. alb. deren in obgedachter Schrift S. 68 mit wenigem Erwähnung geschehen.
Es ist ohne allen Zweifel eben diejenige, die Herr *Miller* *)
aus Martin. Cent. Pl. 1. unter dem Titel: Nicot. mai. latif. fl.
alb. vasculo brevi, anführt, und von der er in dem Texte sagt,
dass sie von *Robert Millar*, einem Wundarzte, in der Insel
Tabago wild gefunden worden, und durch ihn nach Europa
gekommen sey. Sie hat breite, mehr aufrecht stehende, und,
wenn sie in Scherben gezogen wird, viel blassere Blätter, als
alle übrigen Sorten, mit geraden und mehr parallel unter
einander auslaufenden Nerven, und mit einem nicht selten
gekräuselten und gegen die obere Seite etwas eingekrümmten
Rande. In der Ausbreitung ihrer Aeste kömmt sie mit den
beyden Sorten transylv. am meisten überein. Sie unterscheidet
sich aber von allen andern hauptsächlich durch ihre ganz
weisse Blumen und sehr kleine Kapseln, welche letztern nach
erlangter Reife kaum über den dürren Blumenkelch hinaus-
ragen. Ausser diesen Unterscheidungszeichen habe ich auch
folgende besondere Eigenschaften schon zwey Jahre nach
einander an ihr bemerkt: ihre jüngern Blätter legen sich
nämlich zur Abendzeit oder [55] bey schlechtem Wetter auch

*) Gärtn. Lex. 2ter Th. S. 77. n. 7. Nürnb. Ausgabe vom
Jahr 1751.

den ganzen Tag über hart und ungleich stärker, als bey allen
andern, an den Stengeln an, um, wie es scheint, die noch
künftigen zarten Aeste und Blumen vor Feuchtigkeit und
Nässe zu beschützen. Ferner geht ihr Wachsthum unter
gleichen Umständen mit andern Sorten ungewöhnlich langsam
von statten; sie blüht daher auch unter allen am spätesten.
und es muss ein guter Herbst darauf folgen, wenn noch viele
ihrer befruchteten Kapseln zur völligen Reife gelangen sollen.
Uebrigens erreicht sie nach der peren. die grösste Höhe; die
mai. vulg. ist etwas kleiner, und die beyden transylv. sind
unter allen die niedrigsten.

Ob ich gleich alle Wahrscheinlichkeit vor mir hatte, dass
diese fünf Tabacksorten nur blosse Varietäten von einer natürlichen Gattung seyn möchten: so erachtete ich es doch für
nöthig, diese noch einigermaassen zweifelhafte Sache durch
folgenden Versuch gänzlich zu entscheiden. Ich bestäubte sie
nämlich verwichenes Jahr alle wechselsweise untereinander,
und erhielt durch diese mannigfaltige Verbindung allemal die
vollkommensten Kapseln und Saamen. Die den letztern Sommer
davon erzogene Pflanzen hielten in allen Stücken das Mittel
zwischen ihren Eltern, und waren eben so fruchtbar, als diese
nur immer seyn können. Der letztere Umstand überzeugte
mich völlig, dass obgedachte fünf Tabacksorten dem wesentlichen ihrer Natur nach nicht von einander unterschieden,
sondern blosse [56] Varietäten von einer natürlichen Gattung
sind. Welche von ihnen ist nun aber wohl die eigentliche
ursprüngliche Gattung? Diess ist eine Frage, die sich besser
in Amerika, als in Europa wird beantworten lassen. Ich bin
indessen bis auf nähere und zuverlässigere Nachrichten nicht
abgeneigt, die mai. vulg. mit andern dafür anzunehmen.

§ 12.

X. Vers.

Nicot. peren. ♀.

Nicot. glut. ♂.

XI. Vers.

Nicot. mai. fl. alb. ♀.

Nicot. glut. ♂.

Die aus dem X. Vers. erhaltene Pflanzen, von welchen
zwey in Scherben und zwey ins Land versetzt worden, kamen

in der Hauptsache mit denen aus der mai. vulg. ♀ und glut. ♂
erzeugten Bastarten ,Forts. der vorläuf. Nachr. S. 27.
§ 17) gänzlich überein, und waren bloss in so fern von ihnen
unterschieden, als sie wegen des zwischen der peren. und
mai. vulg. obwaltenden Unterschiedes nothwendigerweise seyn
mussten. Eine gleiche Bewandtniss hatte es auch mit dreyen
aus dem XI. Vers. erhaltenen Pflanzen, den einigen Umstand
ausgenommen, dass sie noch einen geringen Grad der Fruchtbarkeit [57] zeigten, von welcher doch bey allen andern aus
dieser Verbindung entstandenen Bastartsorten nicht die geringste Spuhr mehr zu finden war: sie setzten nämlich ziemlich viel Kapseln an, die eine Länge von $5^1/_2$ bis 6''' erreichten, und unten, wo sie am dicksten zu seyn pflegen,
$2^1{}_2$ bis 3''' im Durchmesser hatten. Die allermeisten von
ihnen fielen zwar, noch ehe sie recht braun und reif wurden,
ab, und es fanden sich bey einer Menge unbefruchteter Saamenbläschen nur in sehr wenigen einer oder höchstens zwey, doch
allen Kennzeichen nach vollkommene und mit Marke versehene
Saamen. Allein es beweist doch alles dieses offenbar, dass
bey der Erzeugung dieser Bastarte etwas vorgegangen seyn
muss, das bey den andern nicht statt gefunden hat. Was
ist aber nun wohl die wahre Ursache dieser Verschiedenheit?
Soll man sie in einer besondern Uebereinstimmung der Natur
der ♀ mit der Natur der ♂ suchen, oder ist es wahrscheinlicher, dass sich bey dem Verbindungsversuche eine kleine
Quantität eigenen Saamenstaubs unter den fremden unvermerkt
eingeschlichen, und den geringen Grad obgedachter Fruchtbarkeit bewirkt haben mag? Ich bin, aller bey dem Versuche
angewandten Vorsicht ungeachtet, geneigter, das letztere anzunehmen, als das erstere; indessen will ich die nähere Entscheidung dieses zweifelhaften Umstands bis auf mehrere Proben
ausgesetzt seyn lassen. Ich habe übrigens weiter nichts mehr
von diesen aus dem XI. Vers. [58] erzeugten Bastarten zu
sagen, als dass sie unter gleichen Umständen viel früher, als
die natürlichen ♀, zu blühen angefangen, und etwas blassere
Blumen, als alle übrige Bastartsorten ihrer Art, getragen
haben.

Von der transylv. caps. acutior. ♀, deren im vorhergehenden § Meldung geschehen, und der glut. ♂ erzog ich
ebenfalls drey Pflanzen: da sie aber mit denen von der andern
Sorte, die in der Forts. meiner vorläuf. Nachr. S. 31.
§ 18. beschrieben worden, eine grosse Aehnlichkeit hatten:

117

so will ich mich bey ihnen nicht aufhalten, sondern mit der
Beschreibung anderer fortfahren.

§ 13.

XII. Vers.

Nicot. glut. ♀.

Nicot. peren. ♂.

XIII. Vers.

Nicot. glut. ♀.

Nicot. mai. fl. alb. ♂.

Die Hoffnung, die ich in der Forts. meiner vorläuf. Nachr.
(S. 67.) geäussert habe, ist endlich dieses Jahr erfüllt worden:
denn es giengen mir den letztern Sommer von vier Kapseln voll
Saamen, die ich aus dem XII. Vers. erhalten, und den 18 April
in ein der freyen Luft ausgesetztes Kästchen gesäet hatte, vom
8 bis zum 25 Jun. acht und zwanzig auf. Ich versetzte [59]
den 18 Jul. eine dieser jungen Pflanzen in einen Scherben,
und zwey ins Land. Sie kamen zwar nicht zur völligen Blüte.
doch sah man aus ihrer ganzen übrigen Anlage, dass sie denen
von dem umgekehrten Versuche (§ 12. X. Vers.) so ähnlich
waren, als ein Ey dem andern. Von dem XIII. Vers. bekam
ich von einer Kapsel voll Saamen, die unter gleichen Umständen mit denen vom XII. Vers. gesäet worden, den 25 Jun.
eine Pflanze. Sie wurde den 2 Aug. ins Land versetzt, und
wuchs bis in den späten Herbst ganz frisch fort, erreichte
aber die Blütezeit eben so wenig mehr, als die vorhergehenden.
Was ihre Aehnlichkeit anbetrifft: so war nicht der geringste
Unterschied zwischen ihr und denen von dem umgekehrten
Versuche (§ 12. XI. Vers.) zu finden. Hingegen erhielt ich
aus der Verbindung der glut. ♀ mit der mai. vulg. ♂ von
einer ganzen Kapsel voll Saamen, die den 9 April ins Mistbeet gesäet worden, wieder nichts, wie im verwicheuen Jahre.
Eben so wenig gelung es mir auch mit zwey Kapseln der
glut. ♀ und transylv. caps. acutior ♂.

Wenn ich in Erwägung ziehe, dass die mit dem Saamenstaube der peren. ♂ befruchteten Kapseln der glut. ♀ meistens
bis zur völligen Reife sitzen geblieben, fast die Grösse der
natürlichen erreicht (Forts. der vorläuf. Nachr. S. 67. k. .

und von ihren Saamen nach dem XII. Vers. noch so ziemlich
viele aufgegangen; [60] und hingegen, wenn sie mit dem
Saamenstaube der übrigen Varietäten befruchtet worden, noch
um ein merkliches kleiner geblieben, und theils, wenn sie
erst die halbe Grösse erreicht, gar noch unreif abgefallen,
auch von ihren Saamen grösstentheils gar nichts, und von
dem XIII. Vers. nur eine einige Pflanze erhalten worden: so
sollte ich beynahe glauben, dass die peren. zu einer fruchtbaren Vereinigung mit der glut. geschickter sey, als die übrigen
Varietäten. Uebrigens erinnere man sich auch bey den Pflanzen
der gegenwärtigen beeden Versuche dessen, was ich § 10. von
dem sehr späten Aufgehen solcher Saamen geäussert habe.

§ 14.

XIV. Vers.

Ich belegte im verwichenen Jahre eine Blume von der
Nicot. peren. mit einer kleinen Quantität eigenen Saamenstaubs
und zugleich mit einer viel grössern von dem Saamenstaube
der glut. und erzog von diesem Versuche den letztern Sommer
zwo Pflanzen, welche blosse natürliche peren. gewesen, und
von der glut. lediglich nichts angenommen hatten.

XV. Vers.

Die Saamen von einer Nicot. glut. zu deren Erzeugung
eine kleine Quantität eigenen [61] Saamenstaubs und zugleich
eine viel grössere von dem Saamenstaube der panic. genommen
worden, gaben ebenfalls gewöhnliche Mutterpflanzen.

XVI. Vers.

Von einer Nicot. glut. die mit ihrem eigenen Saamenstaube und dem von der mai. vulg. ohngefähr zu gleichen
Theilen belegt worden, erzog ich vier Pflanzen. Sie waren
von ihrer Mutter im geringsten nicht unterschieden, und hatten
so wenig als die vom XIV und XV. Vers. von der fremden
angenommen.

XVII. Vers.

Ich belegte noch im Jahr 1761 eine Blume von der
Nicot. rust. so wohl mit ihrem eigenen Saamenstaube, als

auch mit dem von der panic. und peren. ohngefähr zu gleichen
Theilen, und erzog von diesem Versuche den letztern Sommer
sechs Pflanzen. Sie waren alle gewöhnliche rust. und hatten
von den andern beyden gar nichts angenommen.

XVIII. Vers.

Von einer andern Blume der Nicot. rust. die ich in eben
demselben Jahre mit ihrem eigenen Saamenstaube und dem
von der peren. ohngefähr zu gleichen Theilen bestäubt hatte,
wurden den letztern Sommer vier Pflanzen erzogen. Sie [62]
waren gewöhnliche rust. und hatten von der peren. lediglich
nichts angenommen.

XIX. Vers.

Die Saamen einer Nicot. rust. zu deren Erzeugung ihr
eigener Saamenstaub und der von dem Hyosc. Sibir. ungefähr
zu gleichen Theilen genommen worden, gaben gewöhnliche
Mutterpflanzen.

XX. Vers.

Eben dergleichen erhielt ich auch von einer andern Blume
der Nicot. rust. zu deren Befruchtung ihr eigener Saamenstaub
und der vom Hyosc. aur. cret. mai. ungefähr zu gleichen
Theilen genommen worden.

XXI. Vers.

Von einer andern Blume eben dieser Pflanze, zu deren
Befruchtung eine sehr geringe Quantität ihres eigenen Saamenstaubs, und eine viel grössere von dem Saamenstaube der
panic. genommen worden, bekam ich den letztern Sommer
sechs wahre Bastarte, von eben der Art. wie man aus der
rust. ♀ und panic. ♂ zu erhalten pflegt.

XXII. Vers.

Von einem aus der rust. ♀ und panic. ♂ entstandenen
Bastarte, zu dessen Befruchtung [63] der Saamenstaub der
rust. panic. und peren. ungefähr zu gleichen Theilen genommen
worden, erhielt ich eine Pflanze, die sich ihrer ursprünglichen
Mutter, der rust. in Ansehung der Aehnlichkeit. wieder ziem-

lich genähert hatte. Sie setzte viel grosse, eyförmige Kapseln an, die dem äusserlichen Ansehen nach befruchtet zu seyn schienen, gleichwohl aber keinen einigen guten Saamen enthielten. Uebrigens hatte sie weder von der panic. noch von der peron. etwas angenommen.

Ich beziehe mich in Ansehung der in diesem § vorkommenden Versuche auf diejenige Anmerkung, die ich in der Forts. meiner vorläuf. Nachr. S. 26. bey Gelegenheit ähnlicher und in gleicher Absicht unternommener Versuche, gemacht habe. Man sieht indessen aus dem Erfolge der gegenwärtigen, dass ich meinen Endzweck, halbe Bastarte zu erhalten, weder auf die alte Art und Weise, da von einer jeden Art Saamenstaub, wie z. B. bey dem XVI. XVII, XVIII. XIX, XX und XXII. Vers. geschehen, gleiche Theile im Ueberflusse aufgetragen worden, noch durch den in erstbemeldter Anm. S. 27 angegebenen neuen Kunstgriff, da ich, nach dem XIV, XV und XXI. Vers. von dem eigenen Saamenstaube nur eine sehr geringe Portion, und hingegen von dem fremden eine viel grössere und überflüssige Quantität genommen, abermals nicht erreicht habe. Es muss bey dem XIV. Vers. wie aus dem Erfolge erhellet, die Portion eigenen [64] Saamenstaubs noch zu gross, und bey dem XXI zu klein gewesen seyn: weil in jenem Falle natürliche Mutterpflanzen, und in diesem reine und vollkommene Bastarte herausgekommen. Aus dem XVII und XVIII. Vers. haben bey der grossen Quantität von eigenem Saamenstaube fast nothwendigerweise natürliche Mutterpflanzen entstehen müssen. Und in Ansehung des XXII. Vers. ist zu merken, dass sich bey einem andern von eben der Art (Forts. der vorläuf. Nachr. S. 20. § 7) auch schon ein gegenseitiger Erfolg gezeigt hat. Was den Erfolg der übrigen Versuche anbetrifft: so befremdet er mich eben nicht sehr, weil ich ohnehin aus der Erfahrung weiss, dass bey dem gänzlichen Ausschlusse des eigenen Saamenstaubs die Vereinigung des fremden männlichen Saamenstoffs ♂ mit dem weiblichen der ♀ theils sehr schwer hält, und nur auf eine unvollkommene Weise geschieht, theils gar ohne alle Wirkung ist.

Ob sich gleich die Unmöglichkeit der Sache aus so wenigen und auf ein blosses Gerathewohl angestellten Versuchen noch nicht erweisen lässt, zumal, da ich nicht versichert seyn kann, dass sich unter der Menge Pflanzen eines oder des andern Versuchs, wovon aus Mangel eines grössern Platzes nur einige

wenige haben erzogen werden können, gar keine halbe oder
unächte Bastarte befunden haben: so giebt sich doch die
Schwierigkeit derselben genugsam zu erkennen. Vielleicht
würde ich meinen Endzweck schon lange erreicht haben,
[65] wenn ich so glücklich gewesen wäre, eine Pflanze zu
entdecken, aus welcher sich mit der Kelm. ves. α. Bastarte
erzeugen liessen, und deren Saamenstäubchen eben so gross,
und, in Ansehung ihrer zu einer vollkommenen Befruchtung
erforderlichen Anzahl, eben so leicht, als bey jener, zu bestimmen wären. Allein, so lange einen ihre allzugeringe Grösse
und allzugrosse Menge, wie z. B. bey allen Gattungen Taback,
verhindert, die rechte Proportionen in der Vermischung ihres
Saamenstaubs durch sichere Erfahrungen ausfündig zu machen;
so lange wird man auch dergleichen Versuche auf ein blosses
Gerathewohl machen müssen, und sich vielleicht nur allzuoft
vergebliche Mühe geben.

§ 15.

Man wird sich zu erinnern belieben, dass ich diejenige
ölichte Feuchtigkeit, die sich während der Vollkommenheit der
Blume auf dem Stigma zeigt, niemals einen weiblichen Saamen,
sondern, so oft die Rede davon war, allezeit weibliche Feuchtigkeit genennt habe. Ich hatte auch in der That meine Ursachen dazu, dass ich mich dieses Ausdrucks bediente. Denn,
mit so vieler Wahrscheinlichkeit ich auch nach der Theorie
und nach allen Erscheinungen, die mir besonders bey den
mannigfaltigen Bastartgeburten vorgekommen, überhaupt einen
wahren weiblichen Saamen annehmen konnte; so wenig ge-
traute ich mir aus Mangel hinlänglicher Beweise, gedachte
Feuchtigkeit dafür auszugeben. Ich würde die grosse [66]
Aehnlichkeit und gleiche Beschaffenheit, die sie mit dem wahren
männlichen Saamen hat, ihr beyderseitiges zu einer Befruchtung nothwendiges Daseyn, und ihre so gleich auf die Vermischung erfolgende genaue Vereinigung als einen für diese
Meynung streitenden Beweis ansehen, wenn ich mir nicht selbst
den Einwurf machen müsste, dass sie auch nur ein blosses
Zuführungsmittel seyn könnte, das, wenn es anders geschickt
seyn soll, sich mit dem männlichen Saamen innigst zu vermischen, und ihn unverändert in das Saamenbehältniss zu
führen, nothwendigerweise einerley Natur mit ihm seyn muss;
ohngeachtet ich im übrigen nicht einsehe, warum der männliche Saame nicht auch ohne diese Feuchtigkeit in das Saamen-

behältniss sollte kommen können. Da ich nun sah, dass die
Theorie allein zur Auflösung dieses Zweifels nicht hinreichend
war: so dachte ich auf verschiedene Versuche, wodurch sich
die wahre Natur der weiblichen Feuchtigkeit zu erkennen
geben müsste. Es kam dabey hauptsächlich auf einen gänzlichen Ausschluss der eigenen weiblichen Feuchtigkeit an.
Wenn ich diesen voraussetzte, sie selbst als einen wahren
Saamen annahm, und nach meiner Theorie den weiblichen
Saamen bey der Erzeugung einen gleich grossen Einfluss mit
dem männlichen einräumte: so sollten z. B. in dem a) Falle,
wenn ich das Stigma Nicot. rust. mit ihrem eigenen Saamenstaube und mit der weiblichen Feuchtigkeit der panic. belegte,
Pflanzen herauskommen, die von denen [67] nach der gewöhnlichen Methode aus der rust. ♀, panic. ♂ erzeugten
Bastarten gar nicht unterschieden seyn müssten: indem es in
Absicht auf den Erfolg gleich viel wäre, ob sich in den
Saamenbläschen der rust. der eigene männliche Saamenstoff
mit dem fremden weiblichen der panic. vereiniget, oder ob
sich in eben denselben der fremde männliche Saamenstoff der
panic. mit dem eigenen weiblichen der rust. verbunden hätte.
Eben dergleichen Pflanzen müssten auch durch den umgekehrten Versuch, bey dem man statt der rust. die panic.
nähme, zum Vorschein kommen. In einem andern b) Falle,
da sich z. B. in den Saamenbläschen der rust. der männliche
Saame und die weibliche Feuchtigkeit der panic. mit einander
vereiniget hätten, sollten gewöhnliche panic. oder wenigstens
solche Pflanzen erzeugt werden, die mit ihnen eine sehr grosse
Aehnlichkeit haben müssten: denn es wäre in der Hauptsache
einerley, welche von diesen beyden natürlichen Pflanzen denen
beyderseitigen ursprünglich für einander bestimmten Saamenstoffen zu einem Erzeugsbehältnisse diente: die Verschiedenheit des zum Wachsthum der Saamen erforderlichen Nahrungs-
safts könnte nebst einigen andern kleinen Umständen, wenn
sie ja etwa in das Innere des Zeugungswerks selbst einigen
Einfluss haben sollten, doch hier höchstens nur eine sehr geringe Veränderung machen. Eben dergleichen den panic. wo
nicht ganz, doch sehr ähnliche Pflanzen müssten auch entstehen, wenn c) z. B. [68] das Stigma eines aus der rust. ♀,
panic. ♂ erzeugten Bastarts mit dem Saamenstaube und der
weiblichen Feuchtigkeit der panic. belegt geworden wäre.
Zum wenigsten würden sie mit ihr eine noch ungleich grössere
Aehnlichkeit haben müssen, als die aus dem vermischten

weiblichen Saamenstoffe des erstgedachten Bastarts ♀ und
dem blossen männlichen der panic. ♂ entstehende Pflanzen
(Forts. der vorläuf. Nachr. S. 15. § 4.) anzunehmen
pflegen. Erhielte man hingegen von a) nur natürliche rust.
von b) gewöhnliche einfache Bastarte, und von c) gewöhnliche
Bastarte im ersten aufsteigenden Grade: so hätte man einen
zureichenden Grund vor sich, die weibliche Feuchtigkeit für
keinen wahren Saamen, sondern für ein dem männlichen
Saamen bestimmtes blosses Zuführungsmittel zu halten. Alles
diess kam mir unter oberwähnten Bedingungen höchst wahrscheinlich vor; allein ich sah zugleich den gänzlichen Ausschluss der eigenen weiblichen Feuchtigkeit bey einer Pflanze
als etwas fast unmögliches an: denn, gesetzt auch, man könnte
die Oberfläche eines Stigma gänzlich von derselben reinigen,
so blieb doch noch immer eine Portion davon in den Gefässen
zurück, die den Erfolg der Versuche allezeit verdächtig machen
würde. Indessen entschloss ich mich doch, es auf einige
Versuche ankommen zu lassen. Die Zubereitung dazu, bey
welcher alle mögliche Vorsicht beobachtet wurde, bestund
darinn: ich schnitt nämlich an derjenigen Blume, die ich belegen [69] wollte, den obern Theil des noch ganz geschlossenen
Blumenblatts mit einem scharfen Messer ab, und nahm die
ebenfalls noch geschlossene Staubkölbchen hinweg. In diesem
Zustande liess ich sie so lange, bis sich eine grosse Quantität
weiblicher Feuchtigkeit auf ihrem Stigma versammlet hatte.
Zu gleicher Zeit nahm ich eben diese Operation an etlichen
Blumen von derjenigen Pflanze vor, mit deren weiblichen
Feuchtigkeit ich jene zu belegen willens war, und liess sie
in diesem Zustande ebenfalls so lange, bis sich eine genugsame Quantität davon auf dem Stigma zeigte. Hierauf nahm
ich bey jener die weibliche Feuchtigkeit vermittelst kleiner
Stückchen Fliesspapier, in deren faserichten Rand sie sich
leicht hineinzieht, so rein, als möglich, hinweg, liess auf das
gesäuberte Stigma einen mehr als hinreichenden Vorrath von
dieser ihrer ablaufen, und versenkte alsdenn so viel Saamenstaub darein, als ich zu einer vollkommenen Befruchtung
nöthig hatte. Was dabey herausgekommen, werden folgende
Versuche zeigen.

XXIII. Vers.

Ich belegte eine Blume der Nicot. rust. mit ihrem eigenen
Saamenstaube und mit der weiblichen Feuchtigkeit der panic.

und erhielt aus dieser Vermischung sechs natürliche rust.
Doch schienen die Kelcheinschnitte um etwas sehr weniges
spitziger und die Blumenröhre länger zu seyn als gewöhnlich.

[70' XXIV. Vers.

Von einer andern Blume oben dieser Pflanze, die mit
ihrem eigenen Saamenstaube und mit der weiblichen Feuchtigkeit der Nicot. mai. vulg. belegt worden, erzog ich vier Pflanzen.
Sie waren gewöhnliche rust. und hatten von der mai. vulg.
gar nichts angenommen.

XXV. Vers.

Eine andere Blume der Nicot. rust. die mit dem Saamenstaube und der weiblichen Feuchtigkeit der panic. belegt worden,
gab sechs gewöhnliche Bastarte : doch kamen mir bey einem
von ihnen die Blumen ein wenig länger vor, als sie sonst
insgemein zu seyn pflegen.

XXVI. Vers.

Von einer Blume der Nicot. panic. die mit ihrem eigenen
Saamenstaube und mit der weiblichen Feuchtigkeit der rust.
belegt worden, erzog ich zwo Pflanzen. Sie waren natürliche
panic. Von eben der Art waren auch etliche von einer andern
Kapsel eben dieses Versuchs.

XXVII. Vers.

Von einer Blume der Nicot. glut. die mit ihrem eigenen
Saamenstaube und mit der weiblichen Feuchtigkeit der panic.
belegt worden, erhielt ich zwo gewöhnliche glut. die von der
panic. lediglich nichts angenommen hatten.

[71] XXVIII. Vers.

Ich belegte auch etliche Blumen eines aus der panic. ♀
und rust. ♂ entstandenen Bastarts mit dem Saamenstaube und
der weiblichen Feuchtigkeit der panic. und erhielt aus dieser
Vermischung drey Pflanzen. Sie hatten sich überhaupt alle,
doch eine mehr, als die andere, in Ansehung der Aehnlichkeit ihrer Mutter, der panic. wieder sehr genähert. aber auch

zugleich von beyden Seiten den höchsten Grad der Unfruchtbarkeit angenommen. Eine von ihnen, deren Blumen durchaus sehr schmal, und 11''' lang waren, wurde kaum 1 $1/_3'$
hoch, ohngeachtet sie schon den 13 May ins Land versetzt,
und in ihrem Wachsthum durch nichts gehindert worden.

XXIX. Vers.

Von einem aus der rust. ♀ und panic. ♂ entstandenen
und mit dem Saamenstaube und der weiblichen Feuchtigkeit
der panic. belegten Bastarte erhielt ich ebenfalls etliche, denen
vom vorhergehenden Versuche ganz ähnliche und im höchsten
Grade unfruchtbare Pflanzen.

Der Erfolg dieser Versuche ist, wie mich dünkt, überhaupt von der Art, dass man beynahe eher Ursache hätte,
die weibliche Feuchtigkeit für ein blosses unschuldiges Zuführungsmittel, als für einen wahren Saamen zu halten. Es
lässt sich zwar aus dem XXIV und XXVII. Vers. kein tüchtiger
Beweis weder für die eine [72] noch die andere Meynung herleiten, weil zwischen der rust. und mai. vulg. ohnehin keine
fruchtbare Vermischung statt hat, und auf die Verbindung
der glut. ♀ und panic. ♂ nur eine Afterbefruchtung zu erfolgen pflegt; allein der XXVI, XXVIII und XXIX. Vers. beweisen desto mehr, und scheinen das obgedachte erstere Urtheil zu rechtfertigen; indem dadurch keine andern Pflanzen
erzeugt geworden sind, als auch ohne Verwechslung der weiblichen Feuchtigkeit entstanden seyn würden, oder, wie mir
schon aus der Erfahrung bekannt ist (Forts. der vorläuf.
Nachr. § 4.) hatten erzeugt werden können. Eben diess
geschah auch bey einer andern unter dem § 8. angeführten
und in gleicher Absicht angestellten Versuche. Was soll man
aber von den spitzigern Kelcheinschnitten und den längern
Blumen bey den Pflanzen des XXIII und XXV. Vers. halten?
Ich muss bekennen, dass mir diese Verschiedenheit für eine
blosse zufällige Veränderung fast zu gross, und für eine Wirkung der weiblichen Feuchtigkeit, als eines wahren Saamens,
viel zu geringe schien. Vielleicht können aber einige unter
den Pflanzen dieser Versuche gewesen seyn, die mir eine ungleich grössere und gar nicht zweideutige Abweichung gezeigt
haben würden, wenn ich sie erzogen hätte. Vielleicht würde
ich aber auch nichts besonders an ihnen wahrgenommen haben.
In der That bewiese z. B. vom XXIII. Vers. eine einige Pflanze

mit merklich längern Blumen weit mehr, [73] als aus oban-
geführtem Grunde hundert andere, die, wie gewöhnlich, beschaffen wären. Da mir aber noch kein dergleichen ent-
scheidendes Beyspiel vorgekommen: so glaube ich, kraft des
gegenseitigen Ausschlages meiner Versuche, eher berechtiget
zu seyn, die ofterwähnte ölichte Feuchtigkeit für ein Zuführungsmittel zu halten, als sie für einen wahren Saamen
auszugeben. Ich werde inzwischen nicht unterlassen, diesen
noch immer zweifelhaften Umstand ins künftige einer weitern
Prüfung zu unterwerfen.

§ 16.

XXX. Vers.

rust. ♀.
Nicot. panic. ♂.   ♀   ♀
panic.   ♂

Nicot. panic.   ♂.

Es ist in der Forts. meiner vorläuf. Nachr. 8. 18.
bereits angezeigt worden, dass ich den gegenwärtigen Bastart
♀ im ersten aufsteigenden Grade unter andern mit ihme angestellten Versuchen auch mit dem Saamenstaube der panic.
befruchtet, und mich von der innerlichen Vollkommenheit
seiner Saamen durch eine noch im Herbste damit gemachte
Probe versichert habe. Ich finde vor nöthig, die umständliche Beschreibung desselben vom vorigen Jahre nachzuholen,
damit meine Leser sich einen desto deutlichern Begriff von
den verschiedenen Veränderungen, [74] die mit ihm vorgegangen, machen, und sie desto besser mit einander in Vergleichung setzen können. Diese Pflanze wurde den 24 Jun.
in einen Scherben versetzt. und nach erreichtem gänzlichen
Wachsthum folgendergestalt befunden: es kamen nächst über
der Wurzel viele Hauptstengel hervor, welche sehr nahe und
aufrecht nebeneinander stunden. Sie waren tief unten mit
vielen Blättern besetzt, die wegen ihrer Menge, und weil sie
ebenfalls sehr nahe bey einander stunden, gleichsam einen
Busch vorstellten, aus welchem sich die blätterlose und ziemlich geschlanke Stengel und Aeste erhoben. Die Pflanze kam
hierinn mit der panic. schon sehr überein. Ihre Blätter waren
in Verhältniss gegen die von der rust. panic. oder dem aus

ihnen erzeugten Bastarte sehr klein, und, die grössern besonders, ganz rundlicht und stumpf, von einer derben Substanz, und dabey mit einer feinen und kurzen Wolle überzogen. Die Länge der grössern Blätter belief sich ohne den Stiel, der insgemein 1″ lang war, nur auf 1″, 11‴, und ihre grösste Breite auf 1″, 8‴. Die obersten derselben stunden nicht viel über 5″ von der Wurzel ab, und die ganze Höhe der Pflanze betrug nicht mehr, als 1′ 8″. Da die Stengel sehr nahe beysammen und aufrecht stunden: so trafen auch die Blumen, die gleich über den Blättern und nach der ganzen Länge der Stengel und ihrer Aeste hervorkamen, so nahe zusammen, dass sie sich leicht untereinander verwickelten. [75] Die Blumen waren, wie aus nachfolgendem Maasse erhellen wird, 10¹/₃‴ lang, und in Verhältniss gegen die von der rust. ♀, panic. ♂ ganz schmal, und kamen überhaupt mit den Blumen der panic. schon sehr überein. Der Blumenkelch lag allenthalben hart an dem untern Theil der Blumenröhre an; die Blume hatte in der Gegend des Kelchs nicht mehr, als 1¹/₃‴ im Durchschnitte. Die Kelcheinschnitte waren schon um vieles schmaler, als bey der rust. ♀, panic. ♂, doch noch etwas stumpfer, als bey der panic. Der Bauch der Blumenröhre stund nebst dem Rande schon merklich schief, doch noch nicht so sehr, als bey der panic. Es legte sich auch der Rand, nachdem die Blume eine Zeitlang offen gewesen. schon nach Art der panic. zurück, wiewohl noch nicht so stark, als eben diese sonst zu thun pflegt. Die Staubfäden erreichten mit ihren Kölbchen den Blumenrand nicht, sondern stunden noch um ein merkliches tiefer, als das Pistill; dieses hingegen erreichte denselben, und ragte folglich über die Kölbchen hinaus. Der Saamenstaub bestund aus lauter irregulairen, eingeschrumpften und leeren Bälgen. Die Farbe der Blume fiel schon so sehr ins grüne, dass sie darinn der panic. wenig mehr nachzugeben schien. Die mit dem Saamenstaube der panic. oder rust. befruchtete Kapseln waren gar nicht mehr runzlicht und hie und da eingefallen, wie die von der rust. ♀, panic. ♂ unter gleichen Umständen zu seyn pflegen, sondern ganz glatt, mit den darinn [76] enthaltenen Saamen gleichförmig angefüllt, und, in Ansehung ihrer Gestalt, den Kapseln der panic. fast ganz ähnlich, doch, nach Proportion ihrer Länge, etwas schmaler und nicht grösser. als die mittelmässigen von eben dieser. Die Saamen kamen denen von der panic. schon ziemlich nahe. Das Maass der

Blumen und ihrer Theile ist folgendes: Länge der ganzen Blume, von dem Grunde des Blumenkelchs an bis zu dem flach ausgebreiteten und in fünf Einschnitte abgetheilten Blumenrande $10^1/_3'''$. Länge des Blumenkelchs von seinem Grunde an bis an die Spitze des längsten Einschnitts $3^1/_2'''$. Die Blume ragt über die Spitze des längsten Kelcheinschnitts heraus $7'''$. Grösste Breite von einem Ende des ganzen Blumenrandes bis zum andern, quer über die Blume gemessen $4^1/_2'''$. Breite (oder vielmehr Länge) des abstehenden Blumenrandes selbst $1^1/_4'''$. Durchmesser der Blumenröhrenöffnung zwischen dem Rande $1^2/_3'''$. Durchmesser des Blumenröhrenbauchs unter dem Rande $2^1/_4'''$. Ganze Länge der Blumenröhre $9^3/_4'''$. Länge des engen Grundes der Blumenröhre $2^1/_4'''$. Länge der Staubfäden $6^3/_4'''$. Länge des Stiels $8^1/_2'''$. Länge des Eyerstocks, die gelblichte Substanz mit eingeschlossen $1^1/_3'''$. Durchmesser des Eyerstocks über der gelblichen Substanz $3/_4'''$. Aus der Beschreibung und aus dem Maasse, das ich jener noch beyzufügen vor nöthig erachtet habe, sieht man offenbar, dass sich diese Pflanze ihrem Vater, der panic. schon [77] sehr, und noch mehr, als zuvor unter der Gestalt der rust. ♀, panic. ♂. genähert, und hingegen von ihrer Mutter, der rust. sich noch weiter, als unter eben dieser, entfernt hatte. Es zeigten sich aber auch gewisse Eigenschaften und Merkmale an ihr, wodurch sie sich theils von allen dreyen überhaupt, theils von einer oder der andern ins besondere unterschied: von allen dreyen gieng sie darinn ab, dass sie mit noch mehrern ihres gleichen einen niedrigern und ganz zwergartigen Wuchs, kleinere und rundlichtere Blätter, und ungewöhnlich kurze Staubfäden hatte; desgleichen, dass sie ihre Aeste nicht nur noch näher beysammen hielt, und mehr aufrecht trug, als die rust. ♀, panic. ♂; sondern beynahe darinn auch so gar die rust. übertraf; da man doch vielmehr hätte erwarten sollen, dass sie dieselben, weil sie sich ohnehin in so vielen andern Stücken der panic. genähert, ja so gar in einigen ihr fast ganz ähnlich geworden ist, viel weitschweifiger, als unter ihrer vorigen Bastartgestalt, tragen würde. Von der rust. ♀, panic. ♂ unterschied sie sich darinn, dass alle zur Blume gehörige Theile, auch die Stielchen nicht einmal ausgenommen, vorher ganz dürre wurden und vertrockneten, ehe sie abfielen; da hingegen jene ihre Blumen oft noch frisch, und ehe sie recht welk werden, entweder ganz abfallen lässt, oder den Kelch sammt dem Eyerstocke

9 *

und Stielchen auch nachher, wenn die Röhre schon bereits lange zuvor verwelkt und abgefallen, oder unter diesem Zustande daran sitzen geblieben ist, abzuwerfen [78] pflegt. Ich bemerkte aber auch noch ausserdem diesen wesentlichen Unterschied an ihr, dass sie, ohngeachtet sie von der männlichen Seite gänzlich unfruchtbar war, von der weiblichen einen ungleich grössern Grad der Fruchtbarkeit angenommen hatte, als die aus der rust. ♀ und panic. ♂ erzeugten Bastarte zu haben pflegen: denn, an statt dass man von diesen, wenn sie wieder mit ihrer Mutter oder ihrem Vater befruchtet werden, höchstens zwanzig bis dreyssig gute Saamen bekömmt, so erhielt ich von jener mit eben dieser ihrem Saamenstaube grösstentheils über hundert, dem äusserlichen Ansehen nach, vollkommene Saamen. Die übrigen Unterscheidungsmerkmale geben sich aus der Beschreibung von selbst zu erkennen.

Nun wollen wir sehen, was mit dieser Pflanze durch eine nochmalige Befruchtung mit der panic. vor Veränderungen vorgegangen, und in wie fern die Hoffnung, die ich in der Forts. meiner vorläuf. Nachr. S. 18. bey Gelegenheit des gegenwärtigen Versuchs geäussert, erfüllt worden ist.

Ich säete den 7 April 1763 hundert und acht und zwanzig, dem äusserlichen Ansehen nach, befruchtete und aus einer Kapsel genommene Saamen in ein Mistbeet. Um die Mitte dieses Monats waren schon die allermeisten von ihnen aufgegangen. Ich versetzte vom 13 bis zum 20 May zwo dieser jungen Pflanzen in Scherben, und zehen ins Land. Im darauf folgenden Monate fingen sie insgesammt an zu blühen. Sie [79] kamen alle zu meiner nicht geringen Verwunderung dem äusserlichen Ansehen nach, mit einander, überein, und waren darinn den panic. so ähnlich, dass man sie, wenn sie nicht mit besondern Nummern bezeichnet gewesen wären, schwerlich von einander würde haben unterscheiden können. Ich gerieth vollends in Erstaunen, da ich sah, dass sie grösstentheils neben der äusserlichen Aehnlichkeit auch die Fruchtbarkeit derselben von beyden Seiten angenommen hatten. Es zeigte sich aber diese nicht bey allen in einem gleich hohen Grade; denn eine unter ihnen setzte nur hie und da einige Kapseln an, und auch diese wenige fielen noch vor ihrer völligen Reife wieder ab; an einer andern bemerkte ich eine etwas grössere Anzahl, die alle bis zur völligen Reife sitzen blieben, aber nicht gar viel befruchtete Saamen enthielten; die übrigen hingegen gaben durchgehends

sehr viel reife und mit einer Menge guter Saamen angefüllte
Kapseln, doch einige immer mehr, als die andern, und es
schienen so gar ihrer etliche den panic. darinn fast gleich zu
kommen. Uebrigens war zwischen den Kapseln und Saamen
dieser Pflanzen und zwischen denen von der panic. in Ansehung der Gestalt, Grösse und Farbe kein merklicher Unterschied mehr wahrzunehmen. Diese verschiedenen Grade der
Fruchtbarkeit stunden in einem gewissen Verhältnisse mit der
geringern oder grössern Vollkommenheit des Saamenstaubes,
dessen Theilchen bey den letztern Pflanzen grösstentheils gut
und voll [80] männlichen Saamens, bey den erstern aber ohngefähr zur Hälfte leer und untauglich gewesen. Ich will indessen nicht in Abrede seyn, dass es nicht dabey auch viel
auf die gute oder schlechte Beschaffenheit des weiblichen
Saamens angekommen seyn mag; es wäre sonst nicht zu begreifen, warum z. B. eine dieser Pflanzen, deren Saamenstaub doch schon eine ziemlich grosse Anzahl guter und
vollkommener Stäubchen enthielt, nur so gar wenige Kapseln
angesetzt, und auch diese wenigen wieder abgeworfen haben
sollte. Aller Wahrscheinlichkeit nach wird hier die Schuld
mehr an der weiblichen Seite, als an der männlichen, gelegen haben.

Eine gleiche Bewandtniss hatte es mit zwölf Pflanzen
von einer andern Kapsel, bey deren Befruchtung, nach der
im § 15. angeführten Methode, die eigene weibliche Feuchtigkeit ausgeschlossen, und an ihrer statt die von der panic.
aufgetragen worden. Die allermeisten von ihnen waren eben
so fruchtbar, als die vorerwähnten; nur etliche wenige zeigten
einen gleich geringen Grad der Fruchtbarkeit, als einige der
vorhergehenden. Ich habe, um die Natur und Eigenschaften
dieser Bastarte im zweyten aufsteigenden Grade noch näher
kennen zu lernen, mit einer der fruchtbarsten von der letztern
Kapsel folgende Versuche angestellet.

Ich belegte 1) zwölf ihrer Blumen mit ihrem eigenen
Saamenstaube, und erhielt von ihnen eine Menge guter Saamen,
und zwar wenigstens [81] noch einmal so viel, als sie unter
ihrem vorigen Zustande mit der panic. gegeben haben; doch
kamen sie in der Anzahl denen vom folgenden Versuche oder
den natürlichen panic. noch nicht bey; es waren auch unter
ihnen noch mehr schlechte und eingefallene, als unter diesen
zu seyn pflegen. Ferner belegte ich 2) eilf Blumen mit dem
Saamenstaube der panic. Sie gaben drey- bis vierhundert

gute Saamen, und also bereits fast so viel, als die natürlichen. 3) Belegte ich etliche Blumen mit dem Saamenstaube
der rust. Die schlechte Beschaffenheit der davon erhaltenen
Saamen, unter denen nur einige wenige gute seyn mögen,
gab genugsam zu erkennen, dass hier bey der Befruchtung
eben diejenige Schwierigkeit obgewaltet haben müsse, die sich
bey dem Vers. panic. φ, rust. $\male$ ordentlicherweise zu äussern
pflegt. Es giebt aber auch eben dieser Umstand unter andern
einen sichern Beweiss ab, dass diese unächten panic. ihrer
Natur nach mit den natürlichen schon sehr übereingekommen
sind. Ich belegte 4) eine Blume von der rust. mit dem
Saamenstaube dieser unächten panic. und erhielt von ihr zweyhundert und dreyzehen gute Saamen, und also ohngefähr nur
$1/3$ weniger, als man sonst von dem Vers. rust. φ, panic. $\male$
bekömmt. Endlich befruchtete ich auch 5) acht Blumen eines
aus der rust. φ und panic. $\male$ erzeugten Bastarts mit eben
dieser unächten panic. Die Kapseln gaben gute, vollkommene
Saamen, aber in einer etwas geringern Anzahl, [82] als sie
gegeben haben würden, wenn sie mit der panic. selbst belegt geworden wären. Meine Gedanken über den Erfolg der
letzterwähnten Versuche sind diese: wenn ich in Erwägung
ziehe, dass bey den obbeschriebenen Bastarten im zweyten
aufsteigenden Grade der beederseitige Saamenstoff der panic.
über den beederseitigen Saamenstoff der rust. bereits auf ein-
so ausnehmende Weise die Oberhand gewonnen, dass sie neben
der äusserlichen Aehnlichkeit mit ihrer Vaterpflanze auch schon
einen hohen Grad einer eigenthümlichen Fruchtbarkeit von
beyden Seiten angenommen haben, und nicht ohne Grund als
ein Naturgesetz annehme, dass eine jede Bastartpflanze, bey
welcher entweder der ursprüngliche beederseitige Saamenstoff
über den fremden, oder dieser über jenen bis zur eigenthümlichen Fruchtbarkeit das Uebergewicht bekommen, sich in
dem einen Falle wieder in eine Mutterpflanze und in dem
andern in eine Vaterpflanze aus eigenen Kräften nach und
nach verwandeln müsse: so trage ich kein Bedenken, zu behaupten, es werden sich die aus dem 1) Vers. zu erziehende
Pflanzen künftiges Jahr ihrer ganzen Natur nach der panic.
noch weit mehr nähern, als den letztern Sommer geschehen
ist, und nach einer gewissen, vielleicht sehr kurzen Reihe
von eigenthümlichen Zeugungen endlich in ächte panic. übergehen. Und eben diess behaupte ich auch mit aller Zuversicht von den Pflanzen des 2) Vers. nur mit dem Unterschiede,

dass ich diesen noch ein näheres [83] Ziel zu ihrer gänzlichen Verwandlung einräume, als jenen. Wie bald sie aber dasselbe erreichen möchten, getraue ich mir nicht vorherzusagen. Vielleicht geschieht es bey denen vom 2) Vers. schon im nächstkünftigen Jahr. Wenigstens kann es. wenn die Aehnlichkeit und Fruchtbarkeit in eben der Proportion zunimmt, wie sie bisher zugenommen hat, unmöglich über etliche Jahre mehr anstehen. Mit einem Wort, ich setze in die Möglichkeit, eine natürliche Gattung in die andere zu verwandeln, nicht den geringsten Zweifel mehr.

Giebt es aber auch wohl ausser der Aehnlichkeit und Fruchtbarkeit noch eine sicherere und entscheidendere Probe, daraus sich entweder die verschiedenen Grade einer vor sch gehenden Verwandlung etwas näher und gewisser bestimmen lassen, oder woran man eine wirklich vollbrachte Verwandlung zuverlässig erkennen kann? Ich glaube ja; die drey übrigen, und vornämlich der 3) und 4) Vers. scheinen mir hierzu ganz geschickt zu seyn. Gesetzt, der gegenwärtige Bastart im zweyten aufsteigenden Grade hätte bereits die ganze Natur einer panic. angenommen: so müsste der 3) Vers. gewöhnliche panic. $\female$, rust. $\male$, der 4) rust. $\female$, panic. $\male$

und der 5) panic. rust. $\male$ $\begin{array}{c}\female \\ \male\end{array}$ $\female$ oder Bastarte im ersten aufsteigenden panic. $\male$

den Grade geben. Da nun aber bey ihme noch keine gänzliche Verwandlung vorgegangen ist: so wird es [84] sich künftigen Sommer zeigen, wie viel denen aus diesen dreyen Versuchen zu erziehenden Pflanzen an der Aehnlichkeit und Unfruchtbarkeit mit ihnen noch abgeht.

§ 17.

XXXI. Vers.

rust. $\female$
Nicot. panic. $\male$
panic. $\male$
Nicot. rust. $\male$.

Unter den Versuchen, die ich mit der in der Forts. meiner vorläuf. Nachr. S. 16 angezeigten und im vorhergehenden § beschriebenen Bastartpflanze $\female$ im ersten auf-

133

steigenden Grade, angestellet hatte, war auch dieser, dass ich
sie mit dem Saamenstaube der rust. befruchtete. Die Kapseln
gaben alle gute und vollkommene Saamen, aber um die Hälfte
weniger, als sie mit der panic. gegeben hatten. Ich säete
den 9 April 1763 eine Kapsel voll in ein Mistbeet. Sie
giengen in Zeit von zehen Tagen auf. Ich versetzte den
12 May eine dieser jungen Pflanzen in einen Scherben, und
zwey ins Land. Sie kamen mit den rust. ♀, panic. ♂ überein, ausgenommen, dass alle drey noch etwas längere Blumen
hatten, und zwo derselben von beyden Seiten im höchsten
Grade unfruchtbar waren.

[85] Da bey der ♀ der weibliche Saamenstoff der panic.
das Uebergewicht über den weiblichen Saamenstoff der rust.
bekommen, und die Vereinigung der panic. ♀ mit der rust.
♂ bekanntermassen schwer von statten geht: so lässt sich
nicht nur allein die aus dem gegenwärtigen Versuche erhaltene geringere Anzahl Saamen, die mit dem ersten aufsteigenden Grade der Aehnlichkeit in einem gewissen Verhältnisse steht, ganz wohl erklären, sondern man kann auch
leicht begreifen, warum diese Pflanzen keine völlige rust. ♀,
panic. ♂ haben werden können. Die gänzliche Unfruchtbarkeit jener beyden aber kann man als eine nicht ungewöhn-
liche Folge von dem noch nicht wiederhergestellten Gleichgewichte ansehen.

§ 18.

XXXII. Vers.

Nicot. { panic. ♀ / rust. ♂ } ♀

Nicot. panic.   ♂.

Von diesem Versuche erzog ich nur eine Pflanze. Sie
hatte sich in der Aehnlichkeit ihrer Mutter, der panic. wieder
sehr genähert, aber von beyden Seiten den höchsten Grad
der Unfruchtbarkeit angenommen. Es geschah also hier eben
das, was auch schon ehedem bey einigen Pflanzen vom umgekehrten (Forts. der vorläuf. Nachr. S. 14c) Versuche
geschehen ist.

§ 19.

XXXIII. Vers.

panic. ♀
Nicot.   ♀
rust. ♂

Nicot. rust.   ♂.

Ich säete den 9 April 1763 dreyssig aus einer Kapsel
genommene und dem äusserlichen Ansehen nach befruchtete
Saamen in ein Mistbeet. Sie giengen den 25 dieses Monats
auf. Den 18 May versetzte ich sechs von diesen Pflanzen
ins Land, und eine in Scherben. Sie fiengen vom 20—29 Jun.
alle an zu blühen. Die erste von jenen kam dem äusserlichen Ansehen nach in allen Stücken mit der rust. sehr
überein. Ihre Blumen waren so gar etwas weiter und grösser,
als sie sonst bey der rust. zu seyn pflegen, und ihr Saamenstaub bestund schon aus sehr viel guten regulairen Stäubchen.
Sie setzte sehr viel Kapseln an, in welchen zwar wenige,
aber grosse vollkommene Saamen enthalten waren. Von eben
der Art waren auch drey andere, ausgenommen, dass sie viel
weniger reife Kapseln angesetzt, und keinen einigen befruchteten Saamen gegeben haben. Die fünfte kam der rust. ebenn-
falls ziemlich nahe, gab aber auch nur wenig reife und leere
Kapseln. Die sechste war eine Zwergpflanze, kaum $\frac{1}{2}'$ hoch,
im höchsten Grade unfruchtbar, im übrigen aber der rust.
etwas ähnlich. Die im Scherben hatte viele Aehnlichkeit mit
[87] der rust. Ich belegte einige ihrer Blumen theils mit
ihrem eigenen Saamenstaube, theils mit dem von der rust.
Die darauf erfolgten Kapseln fielen aber, nachdem sie schon
um ein merkliches herangewachsen waren, noch ganz grün
ab. Ich schnitt sie auf, und fand in etlichen einige wenige
dem Anscheinen nach befruchtete Saamen.

Man kann von den Pflanzen des gegenwärtigen Versuchs,
der der umgekehrte von dem in der Forts. meiner vorläuf.
Nachr. S. 15, § 4 vorkommenden III. Vers. ist, eben das
sagen, was von diesem in den Sätzen a) b) c) d) angemerkt
worden. Indessen ist es doch als etwas besonders anzusehen,
dass eine derselben, nämlich die erste, einen nicht geringen
Grad der Fruchtbarkeit von beyden Seiten angenommen;
welches ein Umstand ist, den ich noch bey keiner einigen

Pflanze von dem erstbemeldten Versuche bemerkt habe. Da ich nicht so glücklich gewesen, von der in Scherben gestandenen Pflanze durch den Saamenstaub der rust. reife Kapseln und gute Saamen zu erhalten, und doch die panic. in eine rust. zu verwandeln wünschte: so habe ich von derjenigen, die von beyden Seiten fruchtbar war, Saamen eingesammlet, in der Hoffnung, künftiges Jahr Pflanzen daraus zu bekommen, die der rust. noch ähnlicher, als zuvor seyn, und, wo nicht alle, doch grösstentheils eine eigenthümliche Fruchtbarkeit, und zwar in einem nicht geringen Grade, besitzen müssen.

[88]   § 20.

XXXIV. Vers.

$$
\left.\begin{array}{l} \text{rust.} \quad \Omega \\ \text{Nicot. panic.} \quad \sigma \\ \text{peren.} \quad \sigma \end{array}\right\} \; \Omega
$$

Nicot. rust. σ.

Ich habe zwar in der Forts. meiner vorläuf. Nachr. S. 38 angezeigt, dass unter andern auch die durch den Saamenstaub der rust. dem Anscheinen nach befruchtete Kapseln der ♀ des gegenwärtigen Versuchs alle nach und nach abgefallen wären, ehe sie noch ihre gehörige Grösse und Reife erreicht hätten; allein, es enthielt doch, wie ich erst nachher gefunden, eine unter diesen abgefallenen Kapseln, die schon ziemlich gross und fast ganz braun geworden war, einige wenige dem äusserlichen Ansehen nach befruchtete vollkommene Saamen. Diese wurden den 18 April in ein der freyen Luft ausgesetztes Kästchen gesäet. Es gieng eine geraume Zeit vorbey, ohne dass sich das geringste zeigte; endlich aber bekam ich doch davon eine junge Pflanze, die den 18 Jul. in einen Scherben versetzt worden, und den 31 Aug. zu blühen anfieng. Die Pflanze war kaum 1′ hoch, und durchaus sehr stark mit rauhen Haaren besetzt; die Blätter ungewöhnlich schmal, klein und von lanzenförmiger Gestalt; die Blumen ziemlich weit, ohngefähr 1″ lang, und blassgrün, mit einer kaum [89] merklichen Tinctur von röthlicher Farbe. Etliche der ersten Blumen fielen unbefruchtet ab, eine der darauf folgenden aber liess eine ziemlich grosse eyförmige ..... nach sich, von der ich eigentlich nicht sagen kann, ob sie von ihrem eigenen oder einem fremden Saamenstaube befruchtet worden; sie kam indessen doch nicht zur Vollkommenheit, sondern fiel noch vor erlangter Reife ab. Es ist also diese Pflanze ein aus dreyen zusammengesetzter Bastart im ersten absteigenden Grade gewesen: denn sie hatte sich in Ansehung der Aehnlichkeit der ♀ und ihrer ursprünglichen Mutter, der rust. wieder ein wenig genähert. Die ungewöhnlich dichten, langen und steifen Haare, womit die ganze Pflanze besetzt war, und die ausserordentlich kleine und schmale Blätter sehe ich als einen widernatürlichen Zustand an, deme die Bastarte im ersten ab- oder aufsteigenden Grade nicht selten unterworfen sind. Von der Fruchtbarkeit oder Unfruchtbarkeit dieser Pflanze kann ich nichts zuverlässiges melden. weil mich ihre allzuspäte Blütezeit verhindert hat, Versuche darüber anzustellen.

§ 21.

Ausser den bisher beschriebenen Bastarttabackpflanzen habe ich auch den letztern Sommer wieder solche erzogen, dergleichen in der Forts. meiner vorläuf. Nachr. unter dem I, II, III, IX, XVI, XVII. Vers. schon bereits vorgekommen 90] sind. Die Nicot. panic. ♀ rust. ♂ deren von vier Kapseln diessmal nicht mehr als drey aufgegangen, waren nebst dreyzehen Nicot. rust. ♀ panic. ♂, fünf Nicot. mai. vulg. ♀ glut. ♂ und zwo Nicot. transylv. ♀ glut. ♂ von denen im verwichenen Jahre erzogenen Pflanzen gar nicht unterschieden. Von Nicot. panic. rust. ♀ rust. ♂ ☿ oder Bastarten im ersten absteigenden Grade erzog ich sechs Pflanzen. Zwo derselben, die von beyden Seiten fruchtbar gewesen, setzten sehr viel Kapseln an, welche zwar ziemlich wenige, aber grosse, vollkommene Saamen gaben. Die andern viere hingegen trugen nur wenig reife und ganz leere Kapseln. Etliche der letztern hatten ungewöhnlich grosse Blumen und ausserordentlich schmale, lanzenförmige Blätter. Ueberhaupt bemerkte ich an diesen sechs Pflanzen fast alle diejenigen Eigenschaften aufs neue. die auch schon ehedem in der Forts. der vorläuf. Nachr. S. 13. 14, 15 bemerkt worden. Eine

/

rust. $\subset$ | $\subset$
gleiche Bewandtniss hatte es auch mit sechs Nicot. panic. ⅃ʃ $\subset$
            panic. ⅃

oder Bastarten im ersten aufsteigenden Grade, bey welchen
alle diejenigen Sätze wieder eingetroffen, [91] die ich in erstgedachter Forts. S. 17. 18 bereits angeführt habe. Es war
unter andern auch wieder eine kaum 10" hohe Zwergpflanze
darunter, die ohngeachtet dieses widernatürlichen Zustandes
eine sehr grosse Aehnlichkeit mit ihrem Vater, der panic.
bekommen hatte. Sie setzte Kapseln an, die dem äusserlichen
Ansehen nach zwar vollkommen befruchtet zu seyn scheinen,
gleichwohl aber nichts als lauter unbefruchtete Saamenbläschen
enthielten.

§ 22.

Ehe ich von den aus verschiedenen Gattungen Taback
erzeugten Bastarten zu andern übergehe, will ich noch zuvor
eines gewissen glücklich gelungenen Versuchs gedenken, der,
so seltsam und nichtsbedeutend er auch manchem dem ersten
Ansehen nach scheinen möchte, doch einen neuen und beynahe den allerbündigsten Beweis für meine festgesetzte Lehre
von der Erzeugung der Pflanzen abgiebt. Ob ich gleich so
wohl auf Erfahrung als Theorie gegründete Beweise genug
vor mir hatte, dass das Zerplatzen des Saamenstaubs eine
gewaltsame und widernatürliche Wirkung, und der wahre
männliche Saame jene gleichförmige, flüssige und öhlichte
Materie sey, die durch die auf der äussern Schale der Saamenstäubchen befindliche Aussonderungsgänge nach und nach ihren
langsamen Abfluss nimmt, keineswegs aber in denjenigen Kör-
nern, die nur bey gedachter widernatürlichen Wirkung [92]
zum Vorschein kommen, und einen Theil von dem noch unreifen Saamenstoffe ausmachen, bestehen könne: so suchte ich
doch die Wahrheit dieses Satzes durch einen neuen Versuch
zu bestätigen. Ich trug nämlich schon im Jahre 1760 auf
die noch ganz reinen Stigmata der venetianischen Ketmia
Tropfen von verschiedenen so wohl natürlichen als künstlichen
Oelen (Forts. der vorläuf. Nachr. S. 70) auf, versenkte
alsdenn in dieselben den Saamenstaub, und erwartete, ob eine
Befruchtung darauf erfolgen würde. Die Blumen fielen aber
alle unbefruchtet ab. Im letztverwichenen Frühjahr entschloss
ich mich diesen Versuch auch bey einigen andern Pflanzen
Ich verschnitt zu dem Ende den 4 Jul. drey

noch ganz geschlossene Blumen von den Nicot. rust. auf die
gewöhnliche Art. und liess sie in diesem Zustande so lange,
bis sich die weibliche Feuchtigkeit hie und da auf demselben
in Gestalt kleiner Tropfen zeigte. Alsdenn trug ich einen
Tropfen süss Mandelöhl auf, und breitete denselben vermittelst
eines feinen Pinsels auf der ganzen Oberfläche des Stigma
gleich aus. So unmöglich diess bey einem Tropfen Wasser,
oder bey irgend einer andern wässerichten Feuchtigkeit zu
bewerkstelligen wäre: so leicht geht es bey einer jeden öhlichten Materie von statten; ja es geschieht so gar die Ausbreitung derselben und ihre Vermischung mit der weiblichen
Feuchtigkeit, als einer ebenfalls öhlichten Materie, grösstentheils schon [93] von sich selbst, und fast augenblicklich.
Nach dieser Zubereitung fasste ich mit einem feinen Pinsel
eine zu einer vollkommenen Befruchtung mehr als hinreichende
Quantität Saamenstaub auf, und versenkte ihn in den das
Stigma allenthalben ganz bedeckenden Tropfen Mandelöhl.
Die Befruchtung gieng bey allen dreyen glücklich vor sich.
Ich bediente mich nachher bey vier andern Blumen des Hasel-
nussöhls, bey zwoen des Jasminöhls, und bey vieren des Lein-
öhls mit dem nämlichen Erfolge, ohne dass die Befruchtung
jemals fehl geschlagen hätte. Mit dem weissen Mohnsaamen-
und Baumöhl wollte es bey fünf Blumen nicht gelingen; ohne
Zweifel lag der Fehler bloss darinn, dass beyderley Oehle
nicht frisch und flüssig genug gewesen. Mit destillirten oder
künstlichen Oehle gieng es nicht besser: denn es fielen zehen
Blumen, die ich mit Spick- Wachs- Stein- Anis- und
Dippels thierischen Oehle belegt hatte, unbefruchtet ab: eben
diess geschah auch bey drey andern, zu denen Vipern- und
Aschfett genommen worden. Der Grund davon ist aller Wahrscheinlichkeit nach in der Schärfe der destillirten Oehle und
in der Zähigkeit des thierischen Fetts zu suchen. Durch die
eine muss nothwendigerweise die ganze Natur der Saamenstoffe verändert und verdorben, und durch die andere die zu-
führenden Saamengefässe verstopft, und der männliche Saame
allzusehr verdickt werden. Von acht Blumen der Nicot. mai.
vulg. die in einer kurzen Zeit auf einander [94] mit Jasmin-
Lein- und bitterm Mandelöhl belegt worden, erhielt ich die
vollkommensten Kapseln und Saamen. Desgleichen liess so
wohl das süsse als bittere Mandelöhl bey vier Blumen von
dem Verbasc. (Blattaria) die Befruchtung zu. Hingegen lief
der Versuch bey den Kürbsen allemal fruchtlos ab, ohnge-

achtet das Mandelöhl den Eyerstock oft bis über die Hälfte
durchdrungen hatte. Dass es sich aber wirklich in denselben
hineingezogen, und so weit darinn ausgebreitet habe, konnte
man aus der dunklern Farbe, womit es ihn von aussen bezeichnete, leicht abnehmen.

Nun will ich zeigen, was sich aus den glücklich gelungenen Versuchen dieses § für eine Folgerung ziehen lässt.
Ich muss aber vor allen Dingen als eine ausgemachte Erfahrung voraussetzen, dass 1) so wohl die weibliche Feuchtigkeit,
als auch diejenige Materie, die ein jedes reifes Saamenstäubchen
nach und nach ausgesondert, öhlichter Natur ist, und beide
sich mit einem jeden andern Oehle, es sey auch, was es für
eines wolle, aufs innigste und gleichförmigste vermischen lassen:
2) dass sich kein Saamenstaub weder in der weiblichen Feuchtigkeit, noch in irgend einem Oehle um ein merkliches ausdehnet, und seine natürliche Gestalt so verändert, wie er es
allemal im Wasser zu thun pflegt, und 3) dass noch kein
einiges Saamenstäubchen in diesen öhlichten Feuchtigkeiten
aufgeplatzt ist, und seine körnichte Materie von sich [95] gegeben hat. Nimmt man dieses als richtig an: so wird man
die auf ersterwähnte Versuche erfolgte Befruchtung jener
flüssigen und gleichförmigen öhlichten Materie des Saamenstaubs, die sich mit der weiblichen Feuchtigkeit des Stigma
und mit gedachten natürlichen Oehlen vermischt, und durch
den Stiel in den Eyerstock hineingezogen hat, nothwendigerweise zuschreiben, und sie folglich für den wahren männlichen
Saamen annehmen müssen. Man wird einsehen, dass die natürliche Aussonderung des männlichen Saamens in dem von
allen Seiten des Saamenstaubs erfolgenden langsamen Ausflusse
desselben bestehe, das Zerplatzen hingegen und der Auswurf
seiner körnichten Materie eine gewaltsame und widernatürliche
Wirkung sey, und dass die kleinen Körner, die nur allein
bey dieser zum Vorschein kommen, schlechterdings keine
Keime seyn können. Aus den misslungenen Versuchen lässt
sich wider diese Theorie lediglich nichts schliessen; es folgt
weiter nichts daraus, als dass nicht alle Pflanzen die Beymischung oberwähnter natürlichen Oehle vertragen können.
Eine einige Pflanze, bey welcher der Versuch ohne Ausnahme
immer glücklich abläuft, beweisst für diese Lehre von der
Erzeugung mehr, als tausend andere, die den gegenseitigen
Erfolg zeigten, wieder sie beweisen würden.

§ 23.

XXXV. Vers.

Dianth. chinens. ♀⎫ ♀.
       carthus. ♂⎭ ‡.

Dianth. chinens. ♂.

Ich erhielt durch den gegenwärtigen Versuch von ♀ gemeiniglich sechs bis acht schwarze, vollkommene Saamen, und
erzog aus ihnen lauter Pflanzen, die sich, als Bastarte im
ersten absteigenden Grade, überhaupt ihrer Mutter, der Chinesernelke, wieder genähert haben, einige mehr, andere weniger.
Die Blätter hatten zwar von dem ♀ noch eine ziemliche
Breite und Steifigkeit nebst der den Cartheusernelkenblättern
eigenen hellgrünen und glänzenden Farbe beybehalten, doch
in einem ungleich geringern Grade, als sie zuvor unter ihrer
ersten Bastartgestalt gehabt haben. Die Stengel waren schon
um ein merkliches dünner, und um die Gegend der Gelenke
blasser purpurroth; die Blumenschuppen wieder breiter und
stumpfer, und die Blumen in lockerere Büschel vertheilt, als
bey ♀; doch kamen sie in eben diesen Stücken dem ♂ noch
nicht bey. Von Punkten war bey den meisten fast keine
Spuhr mehr zu sehen; dagegen aber hatte sich der dem ♂
eigene Kreis wieder grösstentheils eingefunden. Der Saamenstaub enthielt wieder eine Menge guter, vollkommener Stäubchen,
die bey nicht wenigen dieser Pflanzen [97] die schlechten und
untauglichen in der Anzahl so gar schon übertrafen. Es
setzten daher auch alle, so wohl von sich selbst, als auch,
wenn sie mit Fleisse mit ihrem eigenen Saamenstaube belegt
geworden, ziemlich viel Kapseln an, in welchen ich in dem
ersten Falle gemeiniglich etlich und zwanzig bis etlich und
dreyssig, und in dem andern fünfzehen bis zwanzig befruchtete
Saamen angetroffen. Diese Saamen waren zwar gegen die
von ♂ noch schwärzlicht und gross genug, aber doch schon
etwas blasser und kleiner, als bey ♀. Unter sich selbst
waren diese Pflanzen zum Theil nicht wenig von einander
unterschieden; insbesondere was die Farbe ihrer Blumen anbetraf. Ich erhielt z. B. von einer Kapsel folgende Varietäten: a' blasskermesinrothe, mit kaum merklichen Adern und

einem sehr schwachen Schatten eines Kreises; b dunkelkermesinrothe, mit einem etwas dunkeln, halbunterbrochenen
Kreise und sehr schwachen Ueberbleibseln von Punkten und
Adern; c) violetkermesinrothe, mit einem weisslichten Rande,
deutlichen, etwas dunkeln Adern und einem schwarzrothen,
sehr breiten und ununterbrochenen Kreise; e) blasskermesinrothe, mit vielen etwas dunkeln Adern, weisslichten Punkten
und einen dunkelrothen schmalen und unterbrochenen Kreise.
Von einer andern Kapsel bekam ich f) ganz hoch scharlachrothe, mit kaum merklichen Punkten und einem schwarzrothen,
breiten und unterbrochenen Kreise; g) fast eben dergleichen;
h) fast eben dergleichen aber mit einem [98] schmalen, unterbrochenen Kreise; i) weisslichte, mit sehr vielen violetkermesinrothen, zusammenfliessenden Adern und einem schwarzrothen,
breiten und ununterbrochenen Kreise; k) blass scharlachrothe,
mit einer schwachen Spuhr von Kreise und Adern; l) dunkel-
violetkermesinrothe, mit einem ganz weissen Rande und gegen
denselben hin mit weisslichten, etwas schwachen Streifen, und
mit einem schwärzlichen, breiten Kreise bezeichnet.   Eine
dritte Kapsel gab m) hoch kermesinrothe, mit wenigen und
kaum merklichen Punkten und einem schwarzen, breiten und
ununterbrochenen Kreise; n' eben dergleichen o) kermesinrothe, mit Adern von gleicher, aber höherer Farbe, und einem
dunkelpurpurrothen, ziemlich breiten und halb unterbrochenen
Kreise; p) eben dergleichen.   Die untere Fläche der Blumen
spielte bey einigen dieser Pflanzen ins kupferfarbichte und
zeigte den Kreis, wenn er sehr dunkel und breit war, gleichsam wie im Schatten.   Die Farbe der Blätter war nicht bey
allen einerley: bey einigen fiel sie ein wenig ins matte und
graulichte, bey andern hingegen spielte sie mehr ins hellgrüne
und glänzende.   Eine gleiche Verschiedenheit zeigte sich in
der Substanz derselben.   Ueberhaupt geben die Pflanzen dieses
und des folgenden Versuchs einen neuen Beweis ab, dass die
Vereinigung der Saamenstoffe bey Erzeugung der Bastarte im
ersten ab- oder aufsteigenden Grade bey weitem nicht mit
der Regelmässigkeit und Gleichförmigkeit [99] geschieht, als
bey den natürlichen Pflanzen und denen davon erzeugten
ersten ursprünglichen Bastarten.

§ 24.

XXXVI. Vers.

Dianth. chinens. $\female$.} $\female$.
carthus. $\male$.}

Dianth. cartbus. ') $\male$.

Die aus diesem Versuche erhaltene Saamen kamen in der
Anzahl und ihrer äusserlichen Beschaffenheit nach mit denen
vom vorhergehenden überein. Ich erzog von ihnen eilf Pflanzen,
die sich, als Bastarte im ersten aufsteigenden Grade, von
ihrer ursprünglichen Mutter, der Chinesernelke, in allen Stücken
noch weiter, als unter ihrem vorigen Zustande, entfernet, dagegen aber sich ihrem Vater, der Cartheusernelke, desto mehr
genähert haben. Ihre Blätter waren viel breiter, hellgrüner,
glänzender und von einer steifern und elastischern Substanz;
die Stengel dicker, mit stärker gefärbten Gelenken; die Blumen
kleiner und in dichtere [100] Büschel geordnet; der Blumenkelch purpurfarbichter und mit schmalern und spitzigern
Schuppen und Einschnitten versehen, als zuvor. Es kamen
nur ihrer fünfe zur Blüte, ohngeachtet sie insgesammt schon
den 18 May versetzt, und unter gleichen Umständen gehalten
worden; die andern sechse sind indessen stark in Stock gewachsen, und werden, wie die $\male$, erst im künftigen Sommer
blühen: ein Umstand, woraus man unter andern offenbar sehen
kann, dass sie von der Natur ihres Vaters schon sehr vieles
angenommen haben müssen. Ueberhaupt waren diejenigen,
die nicht zur Blüte gekommen, den $\male$ von gleichem Alter
bereits so ähnlich, dass man sie leicht für Pflanzen von der
letztern Gattung hätte ansehen können. Die Blumen waren
bey einigen an dem innern und äussern Theil blassröthlich,
in der Mitten aber kermesinroth und mit ganz deutlichen
weissen Punkten eingesprengt; die andern aber hatten theils
hoch- theils blassvioletkermesinrothe und mit undeutlichen
Punkten bezeichnete Blumen. Zwey derselben setzten ziemlich

---

*) Es ist unter dieser Benennung so wohl in der Forts. der
vorläuf. Nachr. S. 43. § 20, als auch in der gegenwärtigen Abhandlung durchgehends der Dianth. *barbatus.* Linn. Sp. Pl. edit. sec.
p. 586. n. 1. keineswegs aber der Dianth. *carthusianorum* Linn. Sp.
Pl. edit. sec. p. 586. n. 2. zu verstehen.

viel Kapseln an, und gaben sieben bis zwölf grosse, schwarze, vollkommene Saamen. Die dritte gab ebenfalls ziemlich viel Kapseln, mit fünfzehen bis dreyssig guten Saamen. Bey der vierten glückte es mir unter sechs Blumen, die ich mit dem Saamenstaube der ♂ belegt hatte, nur bey einer einigen, vier befruchtete Saamen zu erhalten. Die fünfte aber war von beyden Seiten im höchsten [101] Grade unfruchtbar. Uebrigens bemerkte man auch in der Breite der Blätter und Grösse der Blumen einige Verschiedenheit unter ihnen. Aller Wahrscheinlichkeit nach werden sich die Bastarte des vorhergehenden Versuchs wieder zu natürlichen Mutterpflanzen machen. und die von dem gegenwärtigen in wahre Cartheusernelken nach und nach verwandeln lassen.

§ 25.

XXXVII. Vers.

Dianth. chinens. ♀.

Dianth. $\begin{matrix} \text{chinens. ♀.} \\ \text{carthus. ♂.} \end{matrix} \Big\}$ ♂.

Die Anzahl der Saamen, die ich von der durch den Saamenstaub der ♂ befeuchteten ♀ erhalten, belief sich auf etlich und dreyssig bis vierzig, und also ungleich höher, als bey den mit ihrem eigenen oder mit dem Saamenstaube ihrer Eltern belegten Bastartnelken ♂ selbst, aber nicht so hoch, als sie sonst bey den natürlichen ♀ befunden wird. Es erhellet hieraus offenbar, dass die Fruchtbarkeit der gegenwärtigen ♂ von beyden Seiten, und zwar von der weiblichen mehr, als von der männlichen, eingeschränkt seyn muss. Da dieser Versuch der umgekehrte von dem XXXV ist: so kann man sich leicht vorstellen, dass die davon erhaltene Pflanzen in der Hauptsache mit jenen übereingekommen [102] seyn werden. Ich werde mich daher mit der Beschreibung derjenigen Kennzeichen und Eigenschaften, die beyde mit einander gemein hatten, nicht aufhalten, sondern nur kürzlich anzeigen, was den gegenwärtigen eigen war. und was für Varietäten darunter gewesen. Ich erhielt nämlich von einer Kapsel folgende: a) kermesinrothe, mit dunklern Adern von gleicher Farbe, und einem schwarzrothen, sehr schmalen und unterbrochenen Kreise; b) ganz weisse, mit einer Menge violetpurpurrother und unter sich zusammenhängender Adern, und

einem schwarzrothen, schmalen und unterbrochenen Kreise;
c) eben dergl. d) ganz hoch scharlach- oder blutrothe, mit
dunklern Adern von gleicher Farbe, und einem schwarzen,
ziemlich schmalen und unterbrochenen Kreise; e) hoch kermesinrothe, mit dunklern Adern von gleicher Farbe, blassen
undeutlichen Punkten und statt des Kreises auf einem jeden
Blumenblatte mit drey schwarzrothen Strichen bezeichnet. Von
einer andern Kapsel: f) hellkermesinrothe, mit einem unterbrochenen und dunklern Kreise von gleicher Farbe; g) ganz
kermesinrothe, mit sehr vielen weisslichen Punkten und einem
schwarzrothen, breiten und ununterbrochenen Kreise; h) ganz
bluthrothe, mit einem weissen Rande und schwarzrothen, breiten
und ununterbrochenen Kreise. Von der dritten Kapsel: i) satt-
zinnoberrothe und ein wenig in kermesinspielende, mit [103]
einem ziemlich breiten, dunkelrothen und ununterbrochenen
Kreise; k) eben dergleichen nur in allem um ein merkliches
blasser; l) violetkermesinrothe, mit einem schwachen Schatten
eines etwas dunklern, unterbrochenen Kreises; m) fast wie die
von k), aber noch blasser, mit einem kaum merklichen Kreise;
n) fleischfarbichte, mit einem schwachen Schatten eines ins
röthlichviolette spielenden Kreises. Die untere Fläche der
Blumen spielte bey vielen dieser Pflanzen ins kupferfarbichte,
auch bey einigen ins grünlichtweisse. Den Kreis konnte man,
besonders wenn er breit und dunkelroth war, ganz deutlich
an derselben erkennen. In Ansehung der Farbe und Substanz
der Blätter, der Beschaffenheit des Stengels, der Lage der
Blumen und der Fruchtbarkeit bemerkte ich zwischen etlichen
Pflanzen von einer Kapsel einen nicht geringen Unterschied
bey der g) z. B. die überhaupt von der Natur ihres Bastart
vaters σ^{7} sehr vieles angenommen hatte, waren die Blätter
ungleich breiter und steifer, die Stengel dicker, und von
einem geradern Wuchse, die Blumen enger beysammen, und
die Blumenschuppen spitziger. als bey h); so war auch noch
überdem der Blumenkelch nebst den Stengeln hie und da
purpurfarbicht unterlaufen, wovon sich doch bey dieser nicht
die geringste Spuhr zeigte. Beyde setzten nicht wenig Kapseln
an: in denen von g) fand ich nur eine kleine Anzahl, nämlich
sechs bis acht grosse, mattschwarze, vollkommene Saamen;
bey h) [104] hingegen belief sich die mittlere Anzahl auf
etlich und zwanzig bis etlich und dreyssig, die etwas kleiner,
als jene, und von brauner Farbe waren; f) gab ohngefähr
die Hälfte weniger, wenn ich sie mit ihrem eigenen Saamen-

10*

staube belegte. Die a c) und e' von der ersten Kapsel haben ebenfalls alle ziemlich viel Kapseln angesetzt, und eine kleine Anzahl grosser und röthlichbrauner Saamen gegeben : bey d aber sind viele Blumen unbefruchtet geblieben, woraus fast zu vermuthen steht, dass sie von der männlichen Seite entweder ganz unfruchtbar, oder nur in einem sehr geringen Grade fruchtbar gewesen seyn muss. Die kleinste Anzahl guter Saamen, die ihre befruchtete Kapseln gegeben, belief sich auf vier, die mittlere auf zehen bis vierzehen und die höchste auf drey und zwanzig. Sie waren fast ganz schwarz, und also von jener ihren merklich unterschieden : b) muss von beyden Seiten im höchsten Grade unfruchtbar gewesen seyn, denn sie setzte nicht eine einige befruchtete Kapsel an, ohngeachtet sie mitten unter den andern und in der Nachbarschaft vieler fruchtbaren Chineser- und Carthensernelken gestanden, und zu gleicher Zeit mit ihnen geblüht hatte. Von der Fruchtbarkeit der l) m) n kann ich nichts gewisses melden, weil sie gar zu spät zur Blüte gekommen sind; i) und k) aber haben noch ziemlich viel Kapseln und Saamen gegeben. Die Verschiedenheit dieser Pflanzen untereinander zeigt uns deutlich, dass es bey der Erzeugung derselben eben so wenig [105] regelmässig und gleichförmig hergehen muss, als bey den Bastarten im ersten ab- oder aufsteigenden Grade. Und aller Wahrscheinlichkeit nach wird es mit dem umgekehrten Versuche von dem XXXVI. eben die Bewandtniss haben. So begreiflich es ist, dass den meisten aus dem gegenwärtigen und dem XXXV. Versuche erhaltenen Pflanzen ein höherer Grad der beyderseitigen Fruchtbarkeit zu Theil geworden, als dem ersten ursprünglichen Bastarte, den chinens. $\mathcal{Q}$, carthns. $\mathcal{O}^{7}$: so unbegreiflich kommt es mir hingegen vor, dass die a) c und e) nicht fruchtbarer, als eben diese, gewesen sind, und die b) gar von beyden Seiten den höchsten Grad der Unfruchtbarkeit angenommen hat. Dass im übrigen bey dergleichen Verbindungen zuweilen ungemein schöne und prächtigere Blumen herauskommen, als man von dem gewöhnlichen ersten Bastartversuche zu erhalten pflegt, beweisen die Varietäten d) f) i des XXXV und b) d) h) des XXXVII Vers. Es hat ihnen, um bey den Blumenliebhabern einen vollkommenen Beyfall zu finden, nichts gefehlt, als dass sie nicht gefüllt gewesen sind.

§ 26.

XXXVIII. Vers.

chinens. ♀

Dianth. ☿

carthus. ♂

propr. pulv. consp.

Ich erzog von den Saamen dieser Bastartnelke, die mit ihrem eigenen Saamenstaube befruchtet worden, den letztern Sommer zwey Pflanzen. Es war zwischen ihnen und den ersten ursprünglichen Bastarten kein merklicher Unterschied zu finden. Ihre Kapseln waren theils ganz leer, theils mit einem oder etlichen wenigen vollkommenen grossen, schwarzen Saamen versehen.

§ 27.

XXXIX. Vers.

chinens. ♀ ⎫
                 ⎬ ♀

Dianth.

carthus. ♂ ⎭

Dianth. hortens.   ♂

fl. simpl. prof. purp.

Diese aus dreyen zusammengesetzte Bastartnelke war die einige, die mir von zwölf Kapseln den 25 April aufgegangen ist. Sie wurde den 17 May in einen Scherben versetzt, und fieng den 10 Aug. an zu blühen. Ihre Blätter waren dicker, steifer, länger und viel [107] schmaler, als bey der Bastartmutter ♀, doch noch breiter, als sie sonst bey den gemeinen einfachen Gartennelken zu seyn pflegen; übrigens aber der Substanz, Gestalt und Farbe nach den letztern sehr ähnlich. Ehe diese Pflanze in Stengel schoss, so besetzte sie sich zuvor, nach Art der ♂, stark mit Blättern, und trieb endlich einen einigen dicken und ziemlich kurzen Stengel, der mit denen von ♂ in allen Stücken viele Aehnlichkeit hatte. Dieser theilte sich oben in etliche kleine Aeste, auf denen drey bis vier Blumen nahe bey einander sassen. Die an dem Grunde des Blumenkelchs befindliche Schuppen waren zwar noch länger, als bey der ♂, aber doch viel kürzer. als bey der ♀. oder

147

ihren Eltern; die Blumen grösser als bey $\female$, einfach, ganz
und allenthalben gleich stark hochkermesinroth, ohne die geringste Spuhr von Punkten oder Linien. Ueberhaupt kam
dieser zusammengesetzte Bastart mit einer Gartennelke schon
so sehr überein, dass man ihn leicht für eine Varietät von
derselben hätte ansehen können. Die Staubfäden kamen bey
keiner einigen Blume zur Vollkommenheit: ein Umstand, der
sich bey dem Nelkengeschlechte gar oft ereignet, und denjenigen, die Bastartversuche machen wollen, sehr wohl zu
statten kömmt. Es muss diese Pflanze von der weiblichen
Seite nur in einem höchst geringen, und zwar noch geringern
Grade fruchtbar gewesen seyn, als ihre Bastartmutter unter
gleichen Umständen [108] ist: denn es gaben ihre Blumen,
wenn ich sie entweder mit dem Saamenstaube der Gartennelken oder mit dem von den Chinesernelken belegte, nur
bisweilen einen oder zween dem äusserlichen Ansehen nach
befruchtete Saamen. Diese höchst geringe Fruchtbarkeit rühret
wohl ohne allen Zweiffel von dem sehr grossen Unterschiede
her, der sich zwischen der Natur der Bastartmutter $\female$ und
der $\male$ offenbar zeigt. Es giebt auch wirklich die höchst geringe Anzahl Saamen, die ich durch den gegenwärtigen
XXXIX Vers. erhalten, in Verhältniss gegen die merklich
grössere, die man durch den XXXV und XXXVI §23 und
24, zu bekommen pflegt, die einer fruchtbaren Vereinigung
dieser Pflanzen im Wege stehende Schwierigkeit sattsam zu
erkennen.

§ 28.

XL. Vers

Dianth. chinens. $\female$.

Dianth. hortens. $\male$.

So glücklich und sicher die Vereinigung der Chineser-
und Cartheusernelken von statten geht; so schwer hält es.
die Chineser mit den Gartennelken zu befruchten. Man wird
unter hundert Blumen oft kaum zehen finden, die wirklich
befruchtet sind, um einen oder höchstens zween bis drey vollkommene Saamen enthalten. Indessen bekam ich doch den
letztern Sommer von dieser Verbindung vier Pflanzen, und
zwar von [109] eben so viel verschiedenen Kapseln. Die 1
dieser Bastartnelken, die von einer $\female$ mit hoch scharlach-

rothen, und einer ♂ mit dunkelpurpurrothen, einfachen Blumen erzeugt worden, fing den 21 Aug. unter einer Höhe von 1', 9" im Scherben an zu blühen. Sie hatte schmale, spitzige und steife Blätter, und ganz blasspurpurrothe, und allenthalben gleich stark gefärbte Blumen. Von Kreise und Adern war nur ein sehr schwacher und kaum merklicher Schatten zu sehen. Der Saamenstaub fiel ins blaulichtgraue, und enthielt ungleich mehr kleine, schlechte und untaugliche, als grosse vollkommene und mit männlichen Saamen angefüllte Stäubchen. Die Blumen gaben schon einen, obgleich sehr schwachen Geruch von sich. Sie war von beyden Seiten noch in einem geringen Grade fruchtbar: denn ich erhielt von ihr, wenn ich sie entweder mit ihrem eigenen, oder mit dem Saamenstaube ihrer Eltern belegt hatte, allemal einige dem äusserlichen Ansehen nach vollkommene Saamen. Eben diess geschah auch, wenn die Chineser oder die aus ihnen und den Cartheusern entstandene Bastartnelken mit ihrem Saamenstaube belegt worden.

Die 2) fast gleichen Ursprungs mit der 1),· ist die Frucht eines schon im Jahr 1760 in St. Petersburg angestellten Versuchs. Sie wurde den 16 May ins Land versetzt, und kam erst im Sept. zur Blüte. Ihre Blätter waren zwar der Gestalt nach denen von ♀ noch sehr ähnlich, [110] in Ansehung der Farbe und Substanz aber fast wie bey den ♂: die gerade, ziemlich dicke und steife Hauptstengel, deren nicht wenige waren, theilten sich nach Art der ♀ in viele Seitenstengel, und diese sich wieder in viele Aeste. Die Anzahl der Blumen war zwar etwas geringer, als bey ♀, aber in Verhältniss gegen die ♂ noch sehr beträchtlich; die Blumenschuppen noch etwas länger, als bey ♂, aber um vieles kürzer, als bey ♀. Die Gestalt des Blumenkelchs fast gänzlich, wie bey ♂; die Blumen ganz und allenthalben gleich stark zinnoberroth, mit einer schwachen Beymischung von einer Kermesinfarbe, ohne Adern. Von dem Kreise der ♀ war gleichsam nur noch ein schwacher Schatten übrig. Der Saamenstaub spielte ins blaulichte, und enthielt ziemlich viel gute Stäubchen. Die meisten Blumen setzten Kapseln an, die in Ansehung ihrer Gestalt mit denen von ♂ sehr übereinkamen, und eine kleine Anzahl halb befruchteter Saamen enthielten. Da diese Pflanze erst sehr spät zu blühen angefangen, und keine Versuche bey ihr angestellt worden: so kann ich von ihrer Fruchtbarkeit nichts gewisses melden.

Die 3) hat eine in der Mitten hoch kermesinrothe, mit vielen über einen weisslichten Grund und gegen den Rand hinlaufenden Adern von gleicher Farbe, und mit einem schwarzrothen Kreise bezeichnete einfache Chinesernelke zur ♀, und eine stark vervielfältigte, so genannte Kupfernelke mit dunkelrothen Streifen zur ♂. Sie [111] wurde den 7 Jun. in einen Scherben versetzt, und fieng den 1 Sept. an zu blühen. Ihre Blumen waren alle vervielfältiget, und bestunden gemeiniglich aus 15—20 ganz kermesinrothen Blättern: woraus man offenbar sieht, dass der Saamenstaub von vervielfältigten Blumen die Eigenschaft besitzt, einfache, die damit belegt werden, zu vervielfältigen. Von Kreise und Adern zeigte sich nicht die geringste Spuhr an ihnen; dagegen aber hatten sie etwas von dem Kupferglanze der ♂ angenommen. Was die Fruchtbarkeit dieser Pflanze anbetrift: so bin ich um so weniger im Stande, etwas zuverlässiges davon zu sagen, weil ihre Blumen noch überdem, dass sie allzuspät geblühet. keinen Saamenstaub gegeben haben.

Die 4), welche von einer hochscharlachrothen ♀ und einer ganz kermesinrothen einfachen ♂ herstammt, wurde den 6 Jul. in einem Scherben versetzt, und fieng den 15 Aug. an zu blühen, nachdem sie eine Höhe von $1\frac{1}{2}'$ erreicht hatte. Die Blätter waren fast wie bey der 2) beschaffen; die Anzahl der Stengel und Aeste grösser, als bey ♀ und ♂; die Blumen ganz blasskermesinroth, mit kaum merklichen zarten Streifen, ohne die geringste Spuhr eines Kreises: der Saamenstaub ohngefähr wie bey der 1), die beyderseitige Fruchtbarkeit aber noch geringer, als bey eben dieser.

Ueberhaupt hatten diese vier Bastartpflanzen, besonders die 1) und 3), in allen Stücken [112] mit den ♂ eine so grosse Aehnlichkeit, dass man sie allemal eher für Varietäten von Gartennelken als für Abarten von Chinesernelken würde gehalten haben. Die Natur der erstern verrieth sich bey ihnen unter andern auch dadurch, dass sie schon einen völligen Monat später, als die ♀, und zum Theil kaum noch zur Blüthe gekommen sind.

§ 29.

XLI. Vers.

Dianth. chinens. ♀.

Dianth. carthus. sylv. ♂. *)

Die ♂ des gegenwärtigen Versuchs ist eine im Herzogthum Würtemberg gemeiniglich auf unfruchtbaren trockenen Hügeln und felsichten Gründen wild wachsende Nelke. Es hat diese Pflanze grasartige oder borstenähnliche Blätter, und einen einfachen Stengel, auf dessen äusserstem Ende wenigstens zwo und höchstens zehen kermesinrothe Blumen ganz dicht beysammensitzen. Die eyförmigen und auf einmal in eine feine Borste auslaufende Schuppen des Blumenkelchs haben eine bräunlichte Farbe, und scheinen gleichsam welk und abgestorben zu seyn. Der Blumenkelch selbst ist walzenförmig und spielt aus dem bräunlichten stark ins purpurfarbichte. [113] Die Blumenblätter sind länglichter Gestalt, gegen die Mitte der Blume hin mit drey dunkelkermensinrothen Streifen bezeichnet, und am Rande ungleich ausgezackt; übrigens aber weder mit einem so genannten Necktarkranze noch mit einem farbichten Kreise oder Punkten versehen. Mit dem Saamenstanbe dieser Pflanze belegte ich den 15 und 16 Aug. 1762 fünf scharlachrothe und mit einem schwarzrothen Kreise bezeichnete Blumen von der ♀, und erhielt von denselben etliche wenige, dem Ansehen befruchtete hellbraune Saamen. Ich säete sie letztverwichenes Frühjahr alle; es giengen aber nicht mehr. als zween davon auf, die aus verschiedenen Kapseln herstammten. Die eine dieser jungen Pflanzen wurde den 14 May, und die andere, die viel später aufgegangen, erst den 6 Jul. in Scherben versetzt. Diese kam nicht zur Blüte, jene aber fieng den 3 Aug. an zu blühen.

Es trieb diese Bastartnelke, ehe sie in Stengel schoss, gleich über der Wurzel eine Menge schmaler, matt- und dunkelgrüner, langer fast grasartiger Blätter. Die Unterfläche dieser Blätter war in der Mitten nach der ganzen Länge hin mit einem ziemlich stark hervorragenden Nerven, und zu beyden Seiten mit noch einem oder etlichen kleinern begabt. Auf der Oberfläche aber zeigte sich eine dem Hauptnerven

---

*) Linn. Sp. Pl. edit. sec. p. 566. n. 2.

gerade entgegengesetzte Furche oder Rinne, die von der
Spitze eines jeden Blatts bis an den [114] Grund desselben
nach eben dem Verhältnisse merklicher und tiefer wurde, nach
welchem der auf der Unterfläche befindliche Hauptnerve an
Dicke immer zunahm, und da sich eben deswegen die Seiten
des Blatts aufwärts zogen: so gaben sie demselben von oben
das Ansehen einer Rinne, und von unten die Gestalt eines
etwas flachen Dreyecks. Nachdem sich die Pflanze ziemlich
mit Blättern besetzt hatte, so trieb sie bald hernach zween
starke Hauptstengel, aus denen verschiedene Seitenstengel
hervorwuchsen, die wegen ihrer sehr aufrechten Lage einen
ganz spitzigen Winkel mit jenen machten. Die an ihnen befindlichen Blätter krümmten sich stark rückwärts, die längsten
waren etwas über 5″ lang, und die breitesten $3^1/_2$‴ breit.
Die Hauptstengel so wohl, als die Seitenstengel theilten sich
oben unter einem eben so spitzigen Winkel wieder in kleinere,
und zwar gemeiniglich in drey Aeste, auf deren Unterabthei-
lungen die Blumen in kleinen Büscheln und ziemlich nahe
beysammen sassen. Auf eine jede derselben kamen insgemein
ihrer zwo, drey oder viere zu stehen. Es sassen aber diese
Blumen auf ziemlich kurzen Stielen und so nahe bey einander,
dass ich wegen ihrer hart an einanderstossenden langen und
spitzigen Blumenschuppen keine geringe Mühe hatte, die
Nummern geschickt anzubringen, womit ich diejenigen Blumen
zu bezeichnen pflege, an denen ein Versuch gemacht worden
ist. Den untern Theil eines jeden Blumenkelchs umgaben
insgemein sechs [115] solcher Schuppen, die eine ovale Gestalt, und einen etwas breiten, ganz häutichten und durchsichtigen Rand hatten, und oben auf einmal in eine ziemlich
lange Spitze ausliefen. Die äussersten oder untersten von
ihnen waren die grössten, die innern nach der Ordnung
kleiner, und an Farbe blassgrün, die Spitze ausgenommen,
welche ins matt- und dunkelgrüne fiel. Der Blumenkelch
war fast ganz walzenförmig, ziemlich lang und schmal, hellgrün und gegen die Einschnitte hin rothbraun: diese selbst
hingegen sahen hellbraun und gleichsam wie verwelkt aus.
Die Blumen waren ganz kermesinroth, in der Mitten mit einem
etwas breiten aber halb unterbrochenen dunkelrothen Kreise
und in diesem mit drey schwarzrothen Strichen bezeichnet,
die den Kreis nach der Länge der Blumenblätter hin durchschnitten, und gleich oberhalb demselben auf eben so viele
hochkermesinrothe Adern stiessen. Die Staubfäden kamen

bey allen Blumen zur Vollkommenheit. Der Saamenstaub war
blaulicht und bestund aus mehr kleinen und untauglichen, als
grossen und guten Stäubchen. Die Wärzchen der Stigmate
waren blasskermesinroth. Aussen den zween Hauptstengeln
kamen nachher noch drey andere zum Vorschein; sie waren
kleiner und magerer, und trugen auch ungleich weniger
Blumen, als jene. Die ganze Pflanze war, nachdem sie gänzlich verblüht hatte, 1′, 8″, 4‴. Es wird meines Erachtens
[116] zur Deutlichkeit und Vollständigkeit dieser Beschreibung
nicht wenig beytragen, wenn ich zwischen dieser Bastartnelke
und ihren Eltern noch eine kurze Vergleichung anstelle, und
bemerke, in wie fern sie mit einander übereingekommen oder
von einander unterschieden gewesen: Die ☿ setzte gleich
über der Wurzel eine viel grössere Menge Blätter an, als die
♀ ; die Blätter selbst waren schmäler, länger und dunkler
an Farbe, als die Blätter der ♀, aber breiter, als bey ♂;
desgleichen unterschieden sie sich durch ihre rückwärts gerichtete Beugung und rinnenförmige Oberfläche, die sie von
der ♂ angenommen hatten, von eben derselben. Die ästige
Abtheilung behielt die ☿ von der ♀ noch ziemlich bey.
Die Seitenstengel giengen von den Hauptstengeln unter ungleich spitzigern Winkeln aus, als bey der ♀. Die Blumen
stunden in lockern Büscheln, und also viel näher beysammen,
als bey der ♀, hingegen nicht so dicht, als bey der ♂.
Die Blumenstiele waren kürzer, als bey der ♀, aber länger,
als bey der ♂. Die Blumenschuppen hatten mit denen von
der ♂ bereits eine grosse Aehnlichkeit. Der Blumenkelch
näherte sich in Ansehung seiner Gestalt der walzenförmigen
der ♂ schon sehr, und wich hingegen von der länglichten
oder elliptischen der ♀ ab; er übertraf auch an Länge die
♀ merklich, und hatte noch überdem das purpurfarbichte und
bräunlichte und den häutichten Rand der Einschnitte [117]
zum Theil von der ♂ angenommen. Die Blumen, die bey
der ♀ gegen den äussern Theil hin insgemein weisslicht oder
überhaupt viel blasser, als in der Mitten zu seyn pflegen,
waren, wie die von ♂, allenthalben fast gleich stark gefärbt.
aber viel zahlreicher und grösser, als bey eben dieser ♂.
Der Kreis, der bey der ♀ sehr breit und ganz gewesen, bey
der ♂ hingegen gänzlich mangelt, war halb unterbrochen,
und etwas schmal. Die drey schwarzrothen Striche hatten
die Blumen von der ♂ geborgt; dagegen aber die den ♀
gewöhnliche ästige Ausbreitung der Adern fast gänzlich

verlohren. Ihre Blütezeit fiel in den August, und also um einen Monat später hinaus, als bey ♀; die ♂ hingegen kommen, wenn ich nicht irre, gemeiniglich erst im zweyten Sommer zur Blüte. Dass diese Bastartpflanze von der weiblichen Seite noch in einem geringen Grade fruchtbar gewesen seyn muss, kann ich daraus schliessen, weil verschiedene ihrer Blumen, die mit dem Saamenstaube der Chineser- und Cartheusernelken belegt worden, noch eine kleine Anzahl dem äusserlichen Ansehen nach vollkommener Saamen gegeben haben. Hingegen kommt mir die Fruchtbarkeit ihrer männlichen Seite äusserst verdächtig vor, indem von sehr vielen Blumen, die ich mit ihrem eigenen Saamenstaube belegt hatte, nicht eine einige befruchtet worden ist.

[118']   § 30.

Ausser den bisher beschriebenen neuen Bastartnelken erzog ich auch den letztern Sommer aus fünf verschiedenen Kapseln sieben und zwanzig Pflanzen von derjenigen Gattung, deren in der Forts. meiner vorläuf. Nachr. S. 43, § 20. bereits Meldung geschehen ist. Sie kamen in der Hauptsache alle mit einander überein; der ganze Unterschied, der sich zwischen ihnen zeigte, beruhte auf der Verschiedenheit ihrer ♀: sie stammten nämlich zum Theil nur von gemeinen hochkermesinrothen und mit einem fast ganz schwarzen, breiten und ununterbrochenen Kreise bezeichneten Chinesernelken her, zum Theil aber auch von einer gewissen Varietät derselben, von der ich nicht ohne Grund vermuthe, dass eine dunkelrothe Gartennelke zu ihrer Erzeugung etwas weniges beygetragen haben möchte; sie unterscheidet sich von der gemeinen vornämlich durch ihre vorzügliche Grösse, steiffere und derbere Blätter, häuffigere, stärkere und mehr aufrecht wachsende Stengel, kürzere Blumenschuppen und durch die Grösse und Schönheit ihrer Blumen, die grösstentheils hoch scharlachroth, gegen den fleischfarbichten oder weisslichten Rand hin mit vielen blutrothen Adern durchzogen und mit einem bald ganzen, bald unterbrochenen, schwarzrothen Kreise geziert sind. Es hatten daher diejenigen Bastarte, die eine Chinesernelke von der letztern Art zur ♀ bekommen. gemeiniglich etwas stärkere Stengel, und etwas [119] grössere und mit höhern Farben geschmückte Blumen, als die andern. Ich bemerkte unter beyderley Sorten auch einige kleine Verschiedenheiten: bey

einigen waren die Blumen allenthalben roth, bey andern hingegen war nur die innere Hälfte derselben roth und die
äussere weisslicht. Bey jenen zeigte sich so wohl der innerste
als äusserste Theil hellkermesin- oder violetkermesinroth und
der mittlere dunkelkermesin- oder hoch scharlachroth. mit
Adern von gleicher Farbe, die sich gegen den Rand hin ausbreiteten; bey diesen hingegen war der mittlere Theil dunkel-
kermesin- oder hochscharlachroth mit Adern von gleicher
Farbe, und der innerste blasskermesin- oder violetkermesinroth. An allen aber war der mittlere Theil mit weissen
Punkten durchsetzt, und an keinem einigen die geringste
Spuhr eines Kreises mehr zu sehen. Uebrigens kamen sie
durchgehends in Ansehung ihrer beyderseitigen Fruchtbarkeit
und anderer Eigenschaften mehr mit denen vom Jahr 1762
gänzlich überein.

§ 31.

XLII. Vers.

Dianth. chinens. ♀.
fl. simpl.
Dianth. chinens. ♂.
fl. quadrupl.

Ich erzog von einer aus dieser Vermischung erhaltenen
Kapsel neun Pflanzen, unter welchen [120] die meisten vier-
fache oder zwanzigblätterige Blumen getragen haben. Es bestätiget also dieser Versuch dasjenige, was schon oben § 28.
XL Vers. bey Gelegenheit der daselbst beschriebenen 3)
Bastartnelke angemerkt worden. Doch sieht man auch zugleich daraus, dass jene besondere Eigenschaft des Saamenstaubs bey der Befruchtung nicht auf alle Saamenbläschen
denjenigen Einfluss hat, den sich die Blumenliebhaber vielleicht
sehnlichst wünschen möchten.

Es lässt sich aber nicht nur allein die Vervielfältigung,
sondern auch die Pracht der Farben durch den Saamenstaub
von einer Pflanze auf die andere übertragen. Ich erzog z. B.
von einer scharlachrothen, gegen den äussern fleischfarbichten
Theil hin mit vielen blutrothen Adern durchzogenen und mit
einem ziemlich schmalen und unterbrochenen schwarzrothen
Kreise bezeichneten Chinesernelke ♀, die mit dem Saamen-

staube einer andern sehr dunkelrothen mit einem ununterbrochenen schwarzen Kreise, und mit vielen schwärzlichen
Adern durchgezogenen ♂ befruchtet worden, den letztern
Sommer vier Pflanzen, deren Blumen mit ungleich höhern
oder dunklern Farben ausgeschmückt waren, als ich unter
ihrem vorigen Zustande an ihnen wahrgenommen hatte. Gleich-
wie man nun auf diese Art schlechte einfache Blumen veredeln
kann: so werden sich auch ohne allen Zweiffel schöne, gefüllte durch eben dieses Mittel in schlechte, einfache verwandeln lassen. Es werden also die [121] Blumenliebhaber,
wenn sie ihren Blumen ihre vorzüglichen Vollkommenheiten
erhalten wollen, unter andern hauptsächlich darauf zu sehen
haben, dass die Befruchtung nicht durch Saamenstaub von
schlechten Blumen geschehen, und zu dem Ende die in allen
Fällen zur Erfüllung ihres Wunsches erforderlichen Maass-
regeln zu ergreifen wissen.

§ 32.

Es giebt einen gewissen widernatürlichen Zustand der
Blumen, der mit dem Brande im Haber und anderen Getreide
eine sehr grosse Aehnlichkeit hat, und meines Wissens noch
von niemand bemerkt worden ist: ich fand nämlich im verwichenen Sommer unter denen in der Gegend von Calw wild
wachsenden Federnelken (Dianth. plumar. Linn. Sp. Pl. edit.
sec. p. 589. n. 12.) hie und da einige, deren Kölbchen einen
von dem natürlichen ganz und gar unterschiedenen Saamenstaub von sich gaben. Er hatte eine dunkelbraune und ins
purpurrothe spielende Farbe, und bestund aus unzäblichen
Kügelchen, die überaus klein und viel kleiner, als die Theilchen
des natürlichen, waren. Die fruchtbarmachende Eigenschaft
mangelte ihm gänzlich: denn es blieb eine Chinesernelke, die
ich mit demselben bestäubt hatte, nach dem Belegen noch
zehen Tage offen, und es war in Absicht auf den Erfolg
eben so viel, als wenn sie gar nicht belegt worden wäre.
Bestäubte ich hingegen dieselbe mit dem natürlichen weiss-
lichtgrauen [122] Saamenstaube dieser Federnelke; so schlossen
sich die Blumen schon innerhalb vier und zwanzig Stunden,
und gaben eben so vollkommene Kapseln und Saamen, als
wenn ich sie mit ihrem eigenen befruchtet hätte. Ich hatte
eben diesen widernatürlichen Zustand schon im Jahr 1762 an
einer stark vervielfältigten Kupfernelke wahrgenommen, und

mich von der Untauglichkeit ihres bräunlichtvioletten Saamenstaubs durch verschiedene Versuche überzeugt. Unter einer
grossen Menge Seiffenkraut (Saponaria offic. Linn. Sp. Pl. edit.
sec. p. 584. n. 1.) das den letztern Sommer in dem botanischen
Garten meines werthesten Freundes und Gönners, Herrn Doct.
und Med. Pract. *Achatius Gärtners*, worinn ich auf dessen
gütigste Erlaubniss die Anlage zur Fortsetzung meiner Versuche und Beobachtungen gemacht hatte, häuffig geblühet.
war nicht eine einige Pflanze mit einem guten natürlichen
Saamenstaube; er war bey allen von eben der Farbe, Grösse
und Gestalt, wie bey den ersterwähnten Federnelken, und es
erfolgte daher auch bey keiner einigen eine Befruchtung. Zu
gleicher Zeit traf ich bey verschiedenen andern im freyen
Felde wachsenden Pflanzen von eben der Gattung den nem-
lichen Saamenstaub an. Bey einer aus gleichem Grunde unfruchtbaren Gypsophila (fastigiata) Linn. Sp. Pl. edit. sec.
p. 582. n. 4. war er schwärzlicht, übrigens aber von eben
der Gestalt und Grösse, wie bey den andern. Die Ab- und
Aussonderung dieses [123] widernatürlichen Saamenstaubs geschah bey allen diesen Pflanzen zu eben der Zeit und auf
eben die Weise, wie sie sonst bey den fruchtbaren zu geschehen pflegt. und es zeigte sich auch ausser diesem sonst
nichts ungewöhnliches an ihnen. Da dieser widernatürliche
Saamenstaub in Anschung der Farbe, Gestalt und Grösse
seiner Theilchen mit der brandichten Materie des Hafers und
anderer Getreidegattungen völlig übereinkommt, und bey dem
erstern aller Verdacht, den man auf die Insecten oder Honig-
thau werfen möchte, gänzlich hinwegfällt: so kommt es mir
höchst wahrscheinlich vor, dass auch die letztere von einer
ganz andern Ursache herrühren muss. Sollte der Grund davon, wie ich fast glaube, in der Witterung liegen: so würde
man sich vergeblich bemühen, ein Mittel wider diese Krank-
heit ausfindig zu machen. Vielleicht liegt bey der Erzeugung
jener gelben Materie, die an den weissen Rosenstauden in
grosser Menge ausgesondert wird. und, wie mir das Vergrösserungsglas gezeigt hat. aus lauter elliptischen Theilchen
von einerley Grösse besteht, eben diejenige Ursache zum
Grunde, die den Brand im Getreide und den widernatürlichen
Saamenstaub hervorbringt. Ein ähnliches Beyspiel von der
letztern Art erinnere ich mich ehedem an einer in der Gegend
von St. Petersburg wildwachsenden Distelgattung, die, wenn
ich mich nicht irre. der Carduus (serratuloides Linn. Sp. Pl.

ed. sec. p. 1155. n. 22 war, gehabt [124] zu haben. Die
Blätter waren an einer Menge dieser Pflanzen mit einem
braunen Staube, den sie häuffig ausgesondert hatten, fast
allenthalben überzogen. Er bestund aus lauter ungemein
kleinen Kügelchen, die mit denen von dem Brande alle Aehnlichkeit hatten. Dass die Theilchen aller dieser Materien keine
blosse Safttheilchen seyn müssen, kann man daraus schliessen,
weil sie sich weder im Wasser noch im Weingeiste oder in
irgend einem Oehle auflösen lassen, und immer einerley Grösse
und Gestalt zeigen. Wenn man auch gleich zugeben wollte,
dass ein Saft bey irgend einer Pflanze in Gestalt kleiner
Kügelchen ausgesondert werden könnte: so wäre es doch
nicht zu begreifen, wie sie bey einer andern, z. B. bey der
Rosenstaude, unter einer elliptischen Gestalt zum Vorschein
kämen.

§ 33.

XLIII. Vers.	XLIV. Vers.
Hibisc. Manihot. ♀.	Hibisc. vitifol. ♀.
Hibisc. vitifol. ♂.	Hibisc. Manihot. ♂.

Die grosse Aehnlichkeit, die zwischen dem Hibisc. Manihot.
und Hibisc. vitifol. herrscht, veranlasste mich, im Jahr 1762
eine wechselsweise Vermischung unter ihnen zu bewerkstelligen.
Die Befruchtung gieng in beeden Fällen glücklich von statten,
und ich erzog den letzten Sommer von einem jeden Versuche
vier Pflanzen. Sie hielten in Ansehung der Blätter das [125]
Mittel zwischen ihren Eltern, und waren einander ganz ähnlich. Die nasse und kalte Witterung, die fast den ganzen
Sommer hindurch anhielt, verzögerte den Wachsthum dieser
Pflanzen so sehr, dass sie nimmer zur Blüte kamen; ich kann
daher von den wesentlichen Eigenschaften derselben vor diessmal nichts melden; es wird aber, wie ich hoffe, mit der
nächsten Gelegenheit geschehen können.

§ 34.

XLV. Vers.	Datura, Stramonium: fl. alb. ♀. Datura, Tatula; fl. viol. ♂.
XLVI. Vers.	Datura, Tatula; fl. viol. ♀. Datura, Stramonium; fl. alb. ♂.

Ich erzog von dem XLV Vers. fünf, und von dem
XLVI drey Pflanzen, die, als Bastartvarietäten einander völlig

ähnlich und noch eben so fruchtbar*) waren, als zuvor. Ihre Blumen hatten eine weisslichte, und ein wenig ins violette spielende Farbe; die Blumenröhre war mit fünf violetten Strichen bezeichnet, und die Staubkölbchen himmelblau. Das purpurröthliche an den Stengeln, wovon sich an dem [126] Stechapfelkraut mit der ganz weissen Blume nicht die geringste Spuhr zeigt, war bey den jungen Pflanzen von beyderley Art gleich stark.

§ 35.

Mirabilis. Ialapa. Linn. Sp. Pl. edit. sec. p. 252. n. 1.

XLVIII. Vers. fl. rubr. ♀.
fl. flav. ♂.

XLIX. Vers. fl. flav. ♀.
fl. rubr. ♂.

Nachdem ich mich schon seit etlichen Jahren her vergeblich bemühet hatte, eine fruchtbare Vereinigung zwischen der gemeinen und der neuen peruvianischen Jalape mit sehr langer Blumenröhre zuwege zu bringen: so suchte ich endlich die beyden Hauptvarietäten von der gemeinen untereinander wechselsweise zu vermischen. Die Sache hatte nicht die geringste Schwierigkeit; ich erzog von dem XLVII Vers. zwo, und von dem XLVIII drey Pflanzen, die in allen Stücken gänzlich mit einander übereinkamen. Der Unterschied zwischen ihnen und den beyden Varietäten zeigte sich schon an den noch ganz jungen Pflanzen: denn, anstatt dass bey der mit der kermesinrothen Blume der Stengel, die Keimblätterstiele und das erste Paar Blätter ganz röthlicht, und bey der mit der gelben Blume ganz gelblicht sind, so hatten eben [127] diese Theile bey den beyden Bastartvarietäten eine aus roth und gelb vermischte Farbe. Ihre Blumen spielten ins pomeranzengelbe; der in der mitten befindliche Stern aber war noch violetkermesinroth. Uebrigens waren sie alle eben so fruchtbar, als unter ihrem vorigen Zustande.

---

*) Man sieht hieraus offenbar, dass die ♀ und ♂ von beederley Versuchen keine verschiedene Gattungen sind, ob sie gleich von dem weltberühmten Herrn *Linnäus* in der neuen Ausgabe seiner Spec. Pl. p. 255. 256. n. 2, 3. dafür ausgegeben worden.

Bey den Blumen von einer andern Pflanze, deren Mutter
eine mit kermesinrothen Blumen gewesen, und zu deren Erzeugung drey von ihren eigenen Saamenstäubchen und zwey
von einer mit gelben Blumen genommen worden, stach das
kermesinrothe vor dem pomeranzengelben noch sehr stark vor.
Eine dritte Pflanze, die ebenfalls eine mit rothen Blumen
zur ♀ gehabt hatte, und zu deren Erzeugung fünf von ihren
eigenen Saamenstäubchen und eben so viel von der neuen
peruvianischen genommen worden, war wie alle mit ihrem
eigenen Saamenstaube befruchtete rothe Jalapen beschaffen,
und hatte von der andern Gattung gar nichts angenommen.
Ich übergehe einige andere Vermischungen von dieser
Art mit Stillschweigen, weil die aus ihnen entstandene Pflanzen
von den obangeführten wenig oder gar nicht unterschieden
waren, und merke nur dieses an, dass mir noch zwey gemeine rothe Jalapen, zu deren Erzeugung ich bey dem einen
Versuche nicht mehr als zwey und [128] bey dem andern drey
Saamenstäubchen genommen hatte, glücklich aufgegangen, und
keine geringere Vollkommenheiten, als alle andere, gezeigt
haben.

§ 36.

XLIX. Vers.

Levcoj. rubr. ♀.
Levcoj. alb. ♂.

Unter acht aus diesem Versuche erzogenen Pflanzen kamen
sechs zur Blüte. Die Blumen waren weisslichtviolet, einfach
und vollkommen fruchtbar, und folglich von der in der Forts.
meiner vorläuf. Nachr. S. 45. § 22. angezeigten Bastartvarietät lediglich nicht unterschieden.

Dritte Fortsetzung

der

Vorläufigen Nachricht

von einigen

das Geschlecht der Pflanzen

betreffenden

Versuchen und Beobachtungen.

Von

Joseph Gottlieb Kölreuter,

der Arzneywissenschaft Doctor, Hochfürstl. Baden-Durlachischen Rath
und Professor der Naturhistorie.

Leipzig,

in der Gleditschischen Handlung, 1766.

Vorrede.

Es kommen in dieser dritten Fortsetzung nicht nur abermals eine beträchtliche Anzahl sowohl einfacher, als zusammengesetzter Bastartpflanzen vor, sondern es sind auch darinn die Gesetze, nach denen sich dieselben, in Absicht auf die Gattungen, von denen sie herrühren, zu richten pflegen, durchgehends wieder aufs genaueste bestimmt worden. Man findet darinnen theils ganz neue, theils schon ehedem von mir vorgetragene Wahrheiten, die sich auf die zuverlässigsten Versuche und Beobachtungen gründen, und deren Bestätigung ich mir durch öftere Wiederholungen aufs äusserste habe angelegen seyn lassen. Die merkwürdigste unter allen ist die nun gänzlich vollbrachte Verwandlung einer natürlichen Pflanzengattung in die andere: eine Sache, deren Möglichkeit mir selbst noch vor fünf Jahren nicht einmal im Traume eingefallen wäre. Es sind aber auch ausser dieser noch verschiedene andere Wahrheiten darinn anzutreffen, die vielleicht, besonders in Ansehung der Folgerungen, die sich daraus ziehen lassen, keine geringere Aufmerksamkeit verdienen. Ich unterwerfe alles dem unpartheyischen Urtheile der gelehrten Welt, und fahre, in Hoffnung einer günstigen Aufnahme, unermüdet fort, zur Erweiterung dieses Theils der Naturlehre noch ferner das meinige beyzutragen.

Carlsruh, den 26. Dec. 1765.

§ 1.

So glücklich ich im Jahre 1762 mit der Erzeugung verschiedener Bastartpflanzen in Sulz am Neckar gewesen: so
glücklich, und noch weit glücklicher war ich auch in dem
darauf erfolgten Jahr 1763 in Calw. da ich unter andern
wohl gelungenen Versuchen das Vergnügen hatte, ausser den
in der zweyten Fortsetzung beschriebenen vier Gattungen
Bastart-Wollkraut noch viel mehrere andere fruchtbare Verbindungen unter eben diesem Geschlechte zu bewirken. Sie
betrafen grösstentheils die wechselsweise Befruchtung der einheimischen Gattungen mit einander selbst: worüber ich mich
um so mehr verwunderte, als ich immer einigermassen ge-
zweifelt hatte, dass man unter Pflanzen von einer und derselben Gegend eine fruchtbare Vermischung so leicht würde
zu Stande bringen können. Ich will mit der Beschreibung
derjenigen den Anfang machen, die aus den davon erhaltenen
[2] Saamen im Jahr 1764 in Carlsruhe erzogen worden, und
noch in eben demselben zur Blüte gekommen sind.

§ 2.

I. Vers.

Verbasc. phoeniceum. ♀.
Verbasc. Thapsus. *) ♂.

Eine kleine Anzahl Saamen, die ich aus einer von diesem
Versuche erhaltenen Kapsel genommen, und theils den 17ten

---

*) Diese Pflanze ist von der andern ihr am nächsten ver-
wandten Gattung, dem Verbasc. phlom. hauptsächlich darinn unterschieden, dass sie etwas stumpfere, und nicht so stark eingekerbte

März, theils den 5ten April 1764 in ein Mistbeet gesäet hatte, gieng in einer Zeit von zehn bis vierzehn Tagen auf. Ich versetzte vom 21 bis 23 May zwo junge Pflanzen ins Land, und eben so viel in Scherben. Sie kamen vom 3ten Jun. bis zum 16ten Jul. alle zur Blüte. Die grösste Höhe der ins Land versetzten Pflanzen betrug nach erreichtem völligen Wachsthum 4', 6". Die Blätter waren länglichter Gestalt, vornen etwas stumpf, [3] wenigstens nicht so spitzig, und schmaler, als bey dem Verbasc. phoenic. ♀. phlomoid. ♂. ziemlich dick, runzlicht, und in weniger merkliche Kerben eingeschnitten. Die Hauptrippen der untersten Blätter und der untere Theil der Stengel purpurfarbicht. Der grösste Durchmesser des Hauptstengels betrug 10'''. Die Anzahl der Seitenstengel mit ihren vornehmsten Aesten, den Hauptstengel mit eingerechnet, belief sich bey der einen auf 21, und bey der andern auf 25. Die Blumen schienen bey diesen Pflanzen durchgehends in einer etwas geringern Entfernung von einander zu stehen, als bey dem Verbasc. phoenic. ♀, phlomoid. ♂. Die Anzahl der auf einen jeden Winkel der Blätter passenden Blumen war wie bey eben diesen; die Blumenstielchen hingegen waren um ein merkliches kürzer. Die Blumenstielchen 2—3''' lang, und wie die Blätter, Stengel und Blumenkelche mit einer ziemlich dichten weisslichten Wolle bedeckt. Der Blumenkelch war in etwas breite lanzenförmige Einschnitte abgetheilt. Das Blumenblatt war in fünf umgekehrt eyförmige Lappen eingeschnitten, und gab besonders, wenn die Sonne darauf schien, einen schwachen Goldglanz von sich. Die untere Fläche desselben war fast allenthalben, nach Art der ♂, mit einer etwas dünnen weisslichten Wolle besetzt. Der Stiel war an seinem obern Theil purpurfarbicht, unten aber blassgrünlicht und gegen den ziemlich wollichten Eyerstock hin mit einigen kurzen und ganz dünn stehenden Härchen bekleidet. Das [4] Stigma grün und rundlicht. Alles übrige, dessen hier nicht besonders gedacht worden, verhielt sich ungefehr wie bey dem Verbasc. phoenic. ♀, phlomoid. ♂

Blätter, kürzere Aeste und Blumenstielchen, kleinere und etwas dichter beysammenstehende Blumen, mit länglichten Lappen und ein kleineres Pistill mit rundlichtem Stigma trägt. Man trift jene in der Gegend von Sulz am Neckar und Carlsruh, und die gegenwärtige an den steilen kahlen Bergen von Calw sehr häufig an; niemals aber habe ich sie beyde zugleich in einer Gegend beysammen wachsen gesehen.

Eben derselben Vergleichung mit ihrer Mutter-
und Vaterpflanze.

Stengel:	Hievon lässt sich eben das sagen, was
Blätter:	in der zweyt. Forts. S. 22—24 zu
Blumenstielchen:	lesen steht; die Grösse der Blumen
Blumen:	ausgenommen.
Blumenkelch:	

Blumenblatt: schwerer abzulösendes und kleineres, mit länglichtern Lappen, als bey ♀; aber leichter abzulösendes und grösseres, mit rundlichtern Lappen, als
bey ♂. Längere, weitere und steifere Blumenröhre,
als bey ♀: aber kürzere, engere und zartere, als
bey ♂. Die untere Fläche des Blumenblatts mit
einer dünnen Wolle besetzt; bey ♀ hingegen fast
ganz glatt, und bey ♂ sehr wollicht.

Staubfäden: etwas dickere, als bey ♀; aber etwas dünnere,
als bey ♂. Die Farbe ihrer Härchen blasser purpurfarbicht, als bey ♀: bey ♂ hingegen alle weissgelblicht. Kleinere Staubkölbchen, und von einer
nicht so dunkeln Farbe, als bey ♀; aber etwas
grössere, und von einer viel dunklern Farbe, als
bey ♂.

[5] Pistill: grösserer, stumpferer und mit weissern viel dichter
stehenden und feinern Wollenhärchen besetzter Eyerstock, als bey ♀; hingegen kleinerer, spitzigerer und
weniger wollichter, als bey ♂. Der Stiel blasser,
purpurfarbicht und etwas dicker, als bey ♀; hingegen
nicht so blassgrünlicht und etwas dünner, als bey
♂. Das Stigma grösser, als bey ♀; aber kleiner,
als bey ♂.

Man siehet also wohl, dass dieses neue Bastart-Wollkraut
mit dem in der zweyt. Forts. S. 18. § 3. beschriebenen in
vielen Stücken überein kommt, und von demselben blos in so
weit abweicht, als der kleine Unterschied erfordert, der zwischen
dem Verbasc. phlom. und Thaps. Statt findet. Uebrigens war
es auch, wie jenes, im höchsten Grade unfruchtbar.

§ 3.

II. Vers.

Verbasc. Lychnit, fl. alb. ♀.
Verbasc. phoeniceum. ♂.

Die von diesem Versuche erhaltene Saamen, wovon ich
eine kleine Anzahl aus verschiedenen Kapseln genommen, und
den 17ten März 1764 in ein Mistbeet gesäet hatte, giengen
um die gewöhnliche Zeit auf. Ich versetzte den 22sten May
vier junge Pflanzen ins Land, und drey in Scherben. Jene
kamen zu Anfang, diese aber erst um die Mitte des Jul. zur
Blüte. Die vollkommene Aehnlichkeit, die sich zwischen ihnen
und [6] einer andern, bey deren Erzeugung ich mich nach
der in der zweyt. Forts. § 22. angegebenen Methode des
süssen Mandelöls bedient hatte, und zwischen denen vom umgekehrten Versuche (zweyt. Forts. S. 12. § 2.) gezeigt, über-
hebt mich aller weitern Beschreibung. Nur dieses will ich
noch melden, dass sich dieses Jahr an beyden hin und wieder
kleine, aber taube Kapseln angesetzt haben; woraus man
sieht, dass bey ihnen etwas von einer halben Befruchtung
vorgegangen seyn muss.

§ 4.

III. Vers.

Verbasc. nigrum. ♀.
Verbasc. Lychnit. fl. alb. ♂.

Es giengen von den Saamen, die aus verschiedenen von
diesem Versuche erhaltenen Kapseln genommen, und den
17ten März 1764 in ein Mistbeet gesäet worden, bereits innerhalb acht Tagen viele auf. Ich versetzte den 16ten May fünf
junge Pflanzen ins Land, und zwo in Scherben. Sie fiengen
vom 31sten Jul. bis zum 15ten Aug. an zu blühen. Die
grösste Höhe von einer ins Land versetzten Pflanze betrug
5', 8". Die untersten Blätter waren lanzenförmig, gestielt,
nicht sonderlich tief eingekerbt, oben ziemlich glatt, unten
aber wollicht anzufühlen. Die Oberfläche ihrer Stiele war
ganz flach und purpurfarbicht angelaufen. Eben diese purpurröthliche Farbe zeigte sich auch an den Hauptrippen der

meisten untern Blätter; die Stengel hingegen hatten nur hie
und da etwas [7] weniges davon angenommen. Der grösste
Durchmesser des Hauptstengels betrug 1", 3'". Die Anzahl
der Seitenstengel mit ihren vornehmsten Aesten belief sich
ohngefehr auf hundert und siebenzig; worunter aber auch die
neuen gegen den Herbst hin aus der Wurzel ausgeschlagenen
Triebe mit begriffen sind. Die Stengel waren stark gestreift.
und mit einer sehr kurzen und dünnen Wolle bedeckt, und
überhaupt viel glatter, als bey ♂. Die Anzahl der Blumen,
die aus dem Winkel eines jeden Blatts hervorkamen, und ihre
Entfernung von einander verhielt sich eben so, wie bey der
Mutter- und Vaterpflanze. Es theilte sich auch der Hauptstengel, wie bey eben diesen, erst einen Schuh hoch von der
Wurzel in seine Seitenstengel, und also in einer weit grössern
Entfernung von derselben, als bey denjenigen Bastartgattungen,
zu deren Erzeugung entweder das Verbasc. phoenic. oder Blattar.
als Vater oder Mutter zu einer von den beyden natürlichen
dieses Versuchs genommen worden. Auch die Seitenstengel
und Aeste verhielten sich in Ansehung ihrer Länge gegen
den Hauptstengel, wie bey ihren Eltern, und waren folglich
bey weitem nicht so lang und geschlank, als sie bey diesen
ersterwähnten Bastartgattungen zu werden pflegen. Die Blumenstielchen waren 2—3'" lang, und mit einer zarten weisslichten
Wolle überzogen. Mit eben dergleichen war auch die äussere
Fläche des Blumenkelchs und der Eyerstock versehen. nur
mit dem Unterschiede, dass der letztere dichter damit [8] besetzt gewesen, als jene. Die Einschnitte des Blumenkelchs
waren ganz schmal und spitzig, und überhaupt der Gestalt
nach von ♀ und ♂ wenig unterschieden. Das Blumenblatt
war etwas blassgelblicht, und, wie gewöhnlich, in fünf ungleiche, länglichte Lappen abgetheilt. Der mittlere Theil
desselben war mit vier bis fünf schmalen purpurrothen Streifen
durchschnitten, die sich gegen die Blumenlappen hinzogen.
Die Staubfäden hochgelb, und der Saamenstaub pomeranzengelb. Der Eyerstock länglicht-walzenförmig. und der Stiel
samt dem Stigma blassgrünlicht.

Eben derselben Vergleichung mit ihrer Mutter-
und Vaterpflanze.

Stengel: ungefehr wie bey ♀ und ♂.
Blätter: grössere, hellgrünere und wollichtere, als bey ♀;

aber kleinere, dunkelgrünere und glattere, als bey ♂. Die untersten gestielt und an obbemeldten Stellen purpurfarbicht unterlaufen, aber mit kürzern Stielen versehen, und von einer nicht so dunkeln Farbe dieser Art, als bey ♀; bey ♂ hingegen alle ohne Stiel, und fast ohne alle röthliche Farbe.

Blumenstielchen: etwas längere, dickere und wollichtere, als bey ♀; aber kürzere, dünnere und mit einer nicht so dichten Wolle versehene, als bey ♂.

[9] Blumen: dem Umfange und der Anzahl nach ungefehr wie bey ♀ und ♂.

Blumenkelch: mit etwas kürzern und wollichtern Einschnitten, als bey ♀; aber mit etwas längern und weniger wollichten, als bey ♂.

Blumenblatt: blassgelblichtes, bey der ♀ hingegen gelb und bey ♂ weiss; mit länglichtern und schmalern Lappen, als bey ♀: aber mit weniger länglichten und breitern, als bey ♂.

Staubfäden: etwas kürzere, blassere und mit nicht so dichten und dunkelpurpurfarbichten Haaren, als bey ♀: aber etwas längere und gelblichtere, als bey ♂, und mit dichtern und purpurröthlichen Haaren, die hingegen bey eben dieser ins weissgelblichte fallen. Eine gleiche Bewandtniss hatte es auch mit dem in der Mitte der Blume befindlichen unterbrochenen und unmerklichern Kreise.

Pistill: der Gestalt nach fast wie bey ♀ und ♂; der Eyerstock hingegen mit einer dichtern Wolle bekleidet, als bey ♀; aber mit einer dünnern, als bey ♂.

Alle diese Pflanzen setzten eine Menge kleiner Kapseln an, worinn sich aber nach erfolgter Reife kein einiger guter Saamen gefunden. Bey einer derselben zeigten sich ausser den natürlich gestalteten Blumen an verschiedenen Stengeln auch noch eine ziemliche Anzahl anderer, die viel Missgeburtmässiges [10] an sich hatten: das Blumenblatt war nämlich ungleich kleiner, als bey den vollkommenen, und bey vielen von ihnen so klein, dass sich seine Lappen oft kaum eine Linie weit über die Einschnitte des Blumenkelchs erstreckten; an Farbe weissgelblicht, und der mittlere Theil der Lappen grünlicht. Die Staubfäden ausserordentlich kurz, mit weisslichten Haaren besetzt, und mit ganz tauben, obgleich

ziemlich grossen Kölbchen versehen. Der Stiel ebenfalls viel
kürzer und dünner, als er sonst gewöhnlichermassen zu seyn
pflegt. Es unterscheidete sich diese Pflanze auch noch überdem dadurch, dass sie viel kleiner, als die andern geblieben.

§ 5.

IV. Vers.

Verbasc. Lychnit. fl. alb. ♀. ·

Verbasc. nigrum. ♂.

Ich versetzte den 23sten May 1764 vier von diesem Versuche erhaltene Pflanzen ins Land, und fünf in Scherben.
Jene kamen, bis auf eine, noch in demselbigen Sommer zur
Blüte, die übrigen alle aber blieben zurück, und fingen erst
zu Anfang des Jun. 1765 an zu blühen. Sie kamen mit
denen vom vorhergehenden umgekehrten Vers. § 4. in allen
Stücken überein.

[11]   § 6.

V. Vers.

Verbasc. nigrum. ♀.

Verbasc. Blattar. fl. flav. ♂.

Von diesen aus drey Kapseln genommenen und den
17ten März in ein Mistbeet gesäeten Saamen giengen nach
Verlauf etlicher Wochen viele auf. Ich versetzte den 22sten
May 1764 drey dieser jungen Pflanzen ins Land, und eine
in Scherben. Jene fingen vom 1—16 Aug. an zu blühen,
diese aber kam erst in dem darauf folgenden Jahr zur Blüte.
Die grösste Höhe von einer ins Land versetzten Pflanze betrug nach erreichter Vollkommenheit 3', 8", und bey einer
andern 4'. Die grössten Blätter nächst über der Wurzel
waren 1', 7" lang und 5", 4''' breit, und mit Stielen versehen,
deren untere Fläche ziemlich erhaben, die obere aber etwas
rinnenförmig ausgehölt war, wiewohl nicht so stark, als bey
♀. Ihre Gestalt kam der lanzenförmigen ziemlich nahe.
Die Oberfläche derselben war etwas runzlicht und glatt, und
der Rand nach Art der ♂ in grosse rundlichte Kerben, und
diese wieder in kleinere eingeschnitten. Die Hauptnerven der

untern Blätter waren bey den meisten dieser Pflanzen purpurfarbicht; und eben diese Farbe zeigte sich auch an den
Haupt- und Seitenstengeln in einem sehr hohen Grade. Eine
andere hingegen hatte nur sehr wenig davon angenommen.
Der Hauptstengel, dessen grösster Durchmesser ungefehr 9‴
betrug, theilte sich nicht weit über [12] der Wurzel in ziemlich lange, dünne und geschlanke Seitenstengel, und diese sich
wieder in Aeste, die alle in kleinen Entfernungen von einander, und wegen des merklich spitzigen Winkels, unter dem
sie entspringen, ziemlich parallel beysammen stunden. Die
Seitenstengel waren zum Theil so lang, dass sie dem Hauptstengel in der Länge fast nichts nachgaben; und eben dieses
Verhältniss zeigte sich auch zwischen den Seitenstengeln und
ihren Aesten. Ueberhaupt hatte dieses Bastartwollkraut seiner
ganzen Anlage nach eine grosse Aehnlichkeit mit dem Verbasc.
phoenic. ♀. nigr. ♂. Uebrigens waren die Stengel mit vielen
Furchen und Streifen durchzogen, aber eben so wenig mit
Haaren versehen, als die Blätter. Die Anzahl der Seitenstengel mit ihren vornehmsten Aesten belief sich bey einer
dieser Pflanzen auf siebenzig, und bey einer andern gegen
hundert. Gemeiniglich kamen aus dem Winkel eines jeden
Blatts drey bis vier, nicht selten aber auch, besonders an
den schwächern Aesten und ihren äussersten Enden, nur zwo
Blumen, oder auch gar nur eine hervor. Die Blumenstielchen
waren 2 bis 3¹/₂, auch 4‴ lang, und gleich dem Blumenkelche und Eyerstocke mit kurzen und dünnen Härchen besetzt; doch war der letztere stärker damit versehen, als jener.
Das Blumenblatt war gelb und in fast rundlichte Lappen abgetheilt. Der mittlere Theil desselben zeigte einen doppelten
purpurfarbichten Kreiss: der äussere war hie und da etwas
unterbrochen, der innere aber gemeiniglich [13] ganz. Bey
den Blumen von der einen dieser Pflanzen war der obere Theil
des äussern Kreisses nicht selten mit purpurfarbichten Härchen
besetzt. Die Staubfäden waren in der Mitte purpurfarbicht,
unten und oben aber hochgelb; die daran befindlichen Haare
ziemlich lang und purpurfarbicht, die obersten der drey kürzern
Staubfäden ausgenommen, die ins weisslichte fielen. Die Kölbchen
blassgrünlicht, und der Saamenstaub, wie gewöhnlich, pomeranzengelb. Der Eyerstock rundlicht; der Stiel blassgrün,
oben aber purpurfarbicht und mit einem grünlichten Stigma
versehen.

Eben derselben Vergleichung mit ihrer Mutter-
und Vaterpflanze.

Stengel: längere, nicht so tief gestreifte und geschlankere.
als bey ♀; aber kürzere, mehrere, tiefer gestreifte
und stoifere, als bey ♂. Der Winkel, unter welchem
die Seitenstengel aus dem Hauptstengel ausgehen,
etwas spitziger, als bey ♀, aber doch nicht so spitzig.
als bey ♂. Der Ursprung der Seitenstengel und
Aeste in einer grössern Entfernung von der Wurzel.
als bey ♀; aber in einer kleinern, als bey ♂.

Blätter: schmalere, an der untern Seite weniger haarichte.
mit tiefern und grössern Kerben, und kürzern, auch
nicht so dunkelpurpurfarbichten Stielen. als bey ♀;
aber breitere, nicht so ganz [14] glatte und unge-
stielte, mit weniger tiefen und kleinern Kerben, auch
weit mehr purpurfarbichten an den Hauptnerven und
Stengeln, als bey ♂.

Blumenstielchen: längere und dickere, als bey ♀; aber
kürzere und dünnere, als bey ♂. Die Härchen.
womit die Stengel, Blumenstielchen, Kelch und Eyerstock besetzt sind, etwas dünner, aber ordentlicher
ausgetheilt, als bey ♀, aber doch nicht so dünn und
regelmässig, als bey ♂.

Blumen: weniger aus einem Punkte ausgehende und weiter
von einander entfernte, als bey ♀; aber mehr aus
einem Punkte ausgehende und näher bey einander
stehende, als bey ♂.

Blumenkelch: grösserer, mit breitern Einschnitten, als bey
♀; hingegen kleinerer, mit schmalern Einschnitten,
als bey ♂.

Blumenblatt: leichter abzulösendes und grösseres, mit rundlichtern Lappen, als bey ♀; aber schwerer abzulösendes und kleineres, mit nicht völlig so rundlichten
Lappen, als bey ♂.

Staubfäden: längere, mit längern Haaren, als bey ♀; aber
kürzere, mit kürzern Haaren, als bey ♂. Der obere
Theil der zwey längern Staubfäden auf eine grössere
Weite von Haaren entblösst, als bey ♀; aber auf
eine kleinere, als bey ♂.

[15] Pistill: rundlichterer, mit nicht so feinen Härchen besetzter Eyerstock, als bey ♀; hingegen weniger rundlichter, mit zartern Härchen, als bey ♂. Der Stiel nicht ganz grünlicht, sondern oben purpurfarbicht und länger, als bey ♀; aber auch nicht ganz purpurfarbicht, sondern unten blassgrünlicht, und kürzer, als bey ♂. Das Stigma zwar nicht so kolbicht, als bey ♀, aber doch etwas kolbichter, als bey ♂.

Die meisten dieser Pflanzen hinterliessen ganz deutliche Spuren einer gänzlichen Unfruchtbarkeit; doch setzte die im Scherben befindliche hie und da einige Kapseln an, die nach erfolgter Reife an Grösse die von ♀ noch etwas übertrafen, aber, so viel ich bemerkte, keinen vollkommenen Saamen enthielten. Aller Wahrscheinlichkeit nach hatten diese halb befruchteten Kapseln ihren Ursprung von den natürlichen genommen, die zu gleicher Zeit und nächst bey ihr in der Blüte gestanden sind.

§ 7.

VI. Vers.

Verbasc. Blattar. fl. flav. ♀.

Verbasc. nigrum. ♂.

Den 17ten März 1764 wurde eine Kapsel voll dieser Saamen in ein Mistbeet gesäet. Sie giengen sehr spät, nämlich erst den 27sten May auf, und den 30sten Jun. wurden sieben von den jungen Pflanzen in Scherben versetzt. Als sie im [16] darauf folgenden Jahr gegen das Ende des Jun. insgesamt zu blühen angefangen: so zeigte sich zwischen ihnen und denen vom vorhergehenden umgekehrten Vers. § 6. kein wesentlicher Unterschied; blos die Blätter waren etwas stumpfer, und der untern ihre Stiele gemeiniglich zu beyden Seiten oberhalb, nach der Art der ♀, mit einigen abgesonderten Fortsätzen von der Blättersubstanz, gleichsam wie mit kleinen Flügeln versehen. Uebrigens war an ihnen ebenfalls fast gar keine Spur von halbbefruchteten Kapseln zu finden.

173

§ 8.

VII. Vers.

Verbasc. Blattar. fl. flav. ♀.

Verbasc. phoenic. ♂.

Es giengen von den Saamen, die aus einer von diesem
Versuche erhaltenen Kapsel genommen, und den 5ten April
1764 in ein Mistbeet gesäet worden. innerhalb vierzehen Tagen
die meisten auf. Ich versetzte den 23sten May fünf dieser
jungen Pflanzen ins Land, und eine in Scherben. Vom 5 bis
10ten Jul. fiengen sie alle an zu blühen. Man sah zwischen
ihnen und denen vom umgekehrten Versuche zweyt. Forts.
S. 31. § 5.) nicht den geringsten Unterschied. Nur bey einer
einigen von ihnen fiel die Farbe der Blumen ins strohgelbe.
und zeigte fast gar keine Spur von der violetten Farbe der
Vaterpflanze. Sie setzten auch, wie die erst angezeigten. hie
und da einige Kapseln an. die an Grösse denen von ♂ ziemlich beykamen. aber keine befruchtete Saamen enthielten.

[17]   § 9.

VIII. Vers.

Verbasc. Lychnit. fl. alb. ♀.

Verbasc. Blattar. fl. flav. ♂.

Von einer kleinen Anzahl Saamen. die ich aus verschiedenen von diesem Versuche erhaltenen Kapseln genommen,
und theils den 17ten März. theils den 5ten April 1764 in
ein Mistbeet gesäet hatte, giengen bereits innerhalb zehen
Tagen nicht wenige auf. Ich versetzte den 23sten May fünf
junge Pflanzen ins Land. und zwey in Scherben. Jene kamen
noch in eben demselben Sommer. diese aber erst in dem darauf folgenden zur Blüte. Die grösste Höhe von einer ins
Land versetzten Pflanze betrug nach erreichter gänzlichen
Vollkommenheit 5'. 6". Die Blätter waren ziemlich glatt.
nach Proportion schmaler. länger. und mit grössern. rundlichtern und tiefern Kerben versehen. als bey ♀ : aber breiter.
kürzer. und in kleinere. etwas spitzigere und nicht so tiefe

Kerben eingeschnitten, als bey ♂. Der grösste Durchmesser des Hauptstengels betrug ungefehr 1″. Die Anzahl der Stengel belief sich bey einer Pflanze von mittlerer Grösse auf zwey und vierzig. Die Seitenstengel waren ziemlich geschlank, und nach Proportion um ein merkliches länger und dünner, als bey ♀, aber auch kürzer, dicker und steifer, als bey ♂. Einige der grössten hatten 2′, 3″ in der Länge. Haupt- und Seitenstengel waren fast ganz glatt, mit keinen sonderlich tiefen Streifen und Furchen durchzogen, und hie und da etwas [18] purpurfarbicht unterlaufen. Die Entfernung der Blumen untereinander war grösser, als bey ♀, aber geringer, als bey ♂, und die mittlere Anzahl der zu einem jeden Büschelchen gehörigen Blumen belief sich auf drey bis vier, und die geringste auf zwey. Die Blumenstielchen waren 2—3$\frac{1}{2}$‴ lang, und, wie der Stengel, Blumenkelch und Eyerstock mit sehr zarten, kurzen und dünnen weisslichten Wollenhärchen besetzt. Das Blumenblatt war gelb und in umgekehrt eyförmige Lappen abgetheilt. Der mittlere Theil desselben zeigte in der Gegend der drey kürzern Staubfäden einige purpurrothe zarte Streifen von ungleicher Länge, die mit Haaren von gleicher Farbe besetzt waren, und sich gegen die Lappen hinzogen. Die Staubfäden waren grösstentheils blassgrüngelblicht und mit ziemlich langen, dichten und kolbichten Haaren bekleidet. Die zu oberst und unterst an dem kürzesten Staubfaden stehende Haare waren nebst denen, die an der untern Seite der vier übrigen sassen, weissgelblicht, die mittlern hingegen von jenem und die von der obern Seite der letztern fielen ins purpurfarbichte. Die Kölbchen waren blassgrünlicht. Der Eyerstock oval; der Stiel grösstentheils blasspurpurfarbicht, unten aber blassgrün, und mit einigen wenigen kurzen Härchen besetzt; das Stigma grünlicht.

[19]   Eben derselben Vergleichung mit ihrer
      Mutter- und Vaterpflanze.

Stengel: ⎫
          ⎬ Siehe oben die Beschr.
Blätter: ⎭

Blumenstielchen: längere und dickere, als bey ♀, aber kürzere und dünnere, als bey ♂. Die Härchen, womit die Stengel, Blumenstielchen, Kelch und Eyerstock besetzt sind, etwas dünner, aber ordentlicher ausgetheilt, als bey ♀, aber doch nicht so dünn und regelmässig, als bey ♂.

Blumen: weniger aus einem Punkte ausgehende und weiter von einander entfernte, als bey ♀, aber mehr aus einem Punkte ausgehende und näher bey einander stehende, als bey ♂.

Blumenkelch: grösserer, mit breitern und längern Einschnitten, als bey ♀; aber kleinerer, mit schmalern und kürzern Einschnitten, als bey ♂.

Blumenblatt: leichter abzulösendes und grösseres, mit viel rundlichtern Lappen, als bey ♀; hingegen schwerer abzulösendes und kleineres, als bey ♂, mit keinen runden, sondern umgekehrt eyförmigen Lappen. An Farbe etwas blasser, als bey ♂; an ♀ hingegen weisslicht.

Staubfäden: längere und dickere, mit grössern Kölbchen, als bey ♀: aber kürzere und [20] dünnere, mit kleinern Kölbchen, als bey ♂. Die daran befindlichen Haare länger, kolbicht und grösstentheils blasspurpurfarbicht; bey ♀ hingegen durchgehends weissgelblicht, kürzer, und ohne Kolben; und bey ♂ dunkelpurpurfarbicht, länger und mit starken Kolben versehen.

Pistill: rundlichterer und nicht so wollichter Eyerstock, als bey ♀; aber länglichterer und nicht so glatter und kahler, als bey ♂. Der Stiel länger und gerader ausgestreckt, mit einem weniger kolbichten Stigma, als bey ♀, aber kürzer und nicht so ganz gerade ausgestreckt, mit einem kolbichten Stigma, als bey ♂; an Farbe grösstentheils blasspurpurröthlich, bey ♀ hingegen blassgrünlicht und bey ♂ dunkelpurpurfarbicht.

Es war bey allen denjenigen Pflanzen, die ins Land versetzt worden, nicht die geringste Spur von einer auf die Blüte erfolgten Befruchtung zu finden; die im Scherben befindliche, und in der Nachbarschaft der natürlichen gestandene aber hatte hie und da einige Kapseln angesetzt, die an Grösse denen von ♀ fast gleich kamen, aber keinen einigen guten befruchteten Saamen enthielten.

[21]

§ 10.

IX. Vers.

Verbasc. Blattar. fl. flav. ♀.

Verbasc. Lychnit. fl. alb. ♂.

Den 25sten April 1764 wurde eine kleine Anzahl dieser Saamen in ein Mistbeet gesäet. Die jungen Pfläuzchen kamen erst nach vier Wochen zum Vorschein. Ich versetzte den 25sten Jun. vier derselben ins Land, und vier in Scherben. Sie zeigten sich erst in dem darauf folgenden Jahr in der Blüte. Es war zwischen ihnen und denen vom vorhergehenden umgekehrten Versuche § 9. nicht der geringste Unterschied wahrzunehmen.

§ 11.

X. Vers.

Verbasc. nigrum. ♀.

Verbasc. Thaps. ♂.

Von diesen aus verschiedenen Kapseln genommenen und theils den 17ten März, theils den 5ten April 1764 in ein Mistbeet gesäeten Saamen giengen in einer Zeit von etlichen Wochen viele auf. Ich versetzte den 22sten May von diesen jungen Pflanzen sechs ins Land, und drey in Scherben. Jene kamen vom 31sten Jul. bis zum 4ten Oct. alle nach einander zur Blüte, diese aber fiengen erst das darauf folgende Frühjahr an zu blühen. Die grösste Höhe von einer ins Land versetzten Pflanze mittlerer Grösse betrug 5′, 6″, und von einer andern etwas vollkommenern 7′, 4″. Die Blätter waren durchgehends mattgrün, und besonders an der untern Fläche ganz [22] wollicht anzufühlen, an Gestalt breit lanzenförmig, ziemlich runzlicht, und in keine sonderlich tiefe Kerben eingeschnitten. Die untersten hatten zum Theil wahre Stiele, deren untere Seite etwas flacher, als bey ♀, aber hingegen auch erhabener, als bey ♂, war; bey den meisten von ihnen aber lief die Blättersubstanz noch in Gestalt eines sehr schmalen und dünnen Saums längst an dem Stiel bis an den Grund hinunter. Die mittlern Blätter hingegen waren mit keinen eigentlichen Stielen, sondern bis an den Grund hin

12 *

mit einem ziemlich breiton Saume versehen, der einigermassen
nach Art der ♂ bey den allermeisten noch unter ihrem Ansatze in Gestalt kurzer Flügel an dem Stengel fortlief. Die
Hauptrippen der Blätter nebst den Stengeln spielten ins purpurfarbichte. Die Stengel waren stark gestreift, und besonders an ihrem untern Theil mit scharfen Ecken versehen.
auch durchaus mit einer ziemlich merklichen Wolle besetzt.
und nach Proportion viel dicker und steifer, als bey ♀. Die
untern Blumen stunden noch in einer ziemlichen Entfernung
von einander, und waren auch in dieser Gegend noch mit
Blättern bekleidet; sie trafen aber in ihrem weitern Fortgange
bald so nahe zusammen, dass sie, ohne dem Stengel eine
Blösse zu geben, einander allenthalben berührten, und ihre
Blätter in ganz unmerkliche Schuppen verwandelten; doch
entfernten sie sich gegen das äusserste Ende der Stengel auch
wieder ein wenig von einander. Die Seitenstengel waren
ziemlich [23] lang und ohne Aeste; die längsten derselben
hatten 3' in der Länge. Die Anzahl der Seitenstengel, den
Hauptstengel mit eingerechnet, belief sich auf dreyzehn bis
achtzehn, und die mittlere Anzahl der zu einem jeden
Büschelchen gehörigen Blumen auf zehn bis funfzehn, und
die geringste auf vier bis sechs. Die Blumenstielchen waren
1 — 1/2''' lang, und mit einer ziemlich dichten weisslichten
Wolle überzogen. Die Einschnitte des Blumenkelchs lanzenförmig und an ihrer äussern Fläche mit einer eben so dichten
Wolle versehen. Das Blumenblatt gelb, mit umgekehrt eyförmigen Lappen. und an seiner Unterfläche, besonders in
der Gegend der kurzen Blumenröhre mit feinen weisslichten
Wollenhärchen besetzt. Von einem purpurröthlichen Kreise.
womit die Blumen der ♀ bezeichnet sind, war bey einigen
dieser Pflanzen nicht die geringste Spur, bey andern aber
nur etwas weniges davon zu sehen. Die Staubfäden waren
hochgelb, und an ihrer obern Seite in der Mitten purpurfarbicht; die meisten der daran befindlichen Haare von einer
etwas blassern Farbe, die untersten an allen, und die obersten
an den drey kürzern Staubfäden ausgenommen, die insgesamt
ins weisslichte fielen. Die untere Seite der zwey längern
Staubfäden war ganz kahl. Die Kölbchen hatten eine grünlichte Farbe. Der Eyerstock war eyförmig, und ganz dicht
mit weisslichter Wolle bedeckt; der Stiel blassgrünlicht, an
seiner untern Hälfte mit zarten [24] weisslichten Haaren versehen, an der obern aber ganz kahl; das Stigma rundlicht.

Eben derselben Vergleichung mit ihrer Mutter-
und Vaterpflanze.

Stengel: wenigere, kürzere, dickere und steifere, als bey ♀,
aber mehrere, längere, dünnere und geschlankere,
als bey ♂. Der Ursprung der Seitenstengel in einer
grössern Entfernung von der Wurzel, als bey ♀,
aber in einer kleinern, als bey ♂.

Blätter: grössere, weniger runzlichte, stumpfere, viel wollichtere und von einer mattern Farbe, als bey ♀,
aber kleinere, runzlichtere, schmalere, spitzigere, bey
weitem nicht so wollichte und von einer frischern
Farbe, als bey ♂; die untersten mit Stielen versehen, zwar mit nicht so langen, als bey ♀, an ♂
hingegen alle ohngestielt.

Blumenstielchen: kürzere, dickere und viel haarichtere,
als bey ♀; aber längere, dünnere und bey weitem
nicht so wollichte, als bey ♂.

Blumen: näher bey einander stehende, als bey ♀, aber
weiter von einander entfernte, als bey ♂.

Blumenkelch: haarichterer, mit breitern Einschnitten, als
bey ♀; aber weniger wollichter, [25] mit schmalern
Einschnitten, als bey ♂.

Blumenblatt: grösseres, etwas blasseres, mit rundlichtern
Lappen, als bey ♀; aber kleineres und hochgelberes,
mit nicht so rundlichten Lappen, als bey ♂. Längere,
weitere und steifere Blumenröhre, als bey ♀, aber
kürzere, engere und zartere, als bey ♂. Die untere
Fläche des Blumenblatts mit zarten und kurzen Wollenhärchen überzogen, bey ♀ hingegen ganz glatt, und
bey ♂ sehr merklich wollicht.

Staubfäden: längere, mit längern, aber nicht so dicht
stehenden Haaren, als bey ♀; hingegen kürzere,
mit kürzern und dichter stehenden Haaren, als bey
♂. Eben diese Haare grösstentheils blasspurpurfarbicht, bey ♀ hingegen dunkelpurpurfarbicht, und
bey ♂ weisslicht.

Pistill: rundlichterer, grösserer und ungleich wollichterer
Eyerstock, als bey ♀; aber etwas weniger rund-
licht, kleiner, und nicht so wollicht, als bey ♂.
Der Stiel unten etwas haaricht; bey ♀ hingegen

ganz glatt, und bey ♂ unten mit ziemlich vielen
Haaren besetzt.

An allen den ins Land versetzten Pflanzen war unter
so viel tausend Blumen keine Spur von einer befruchteten
Kapsel zu finden: da hingegen [26] die im Scherben befindliche, ohne Zweifel, weil sie in der Nachbarschaft der natürlichen gestanden, eine Menge ganz kleiner Kapseln ansetzten.
die zwar reif wurden, aber keinen guten Saamen enthielten.

§ 12.

XI. Vers.

Verbasc. Thaps. ♀.
Verbasc. nigrum. ♂.

Die aus diesem Versuche erhaltene und aus zwey verschiedenen Kapseln genommene Saamen, die von einer jeden
besonders, theils den 5ten, theils den 25sten Apr. 1764 in
ein Mistbeet gesäet worden, giengen in einer Zeit von drey
bis vier Wochen glücklich auf. Ich versetzte vom 23sten
May bis zum 25sten Jun. sechs dieser jungen Pflanzen ins
Land, und vier in Scherben. Sie kamen insgesamt erst in
dem darauf folgenden Sommer zur Blüte. Es war zwischen
ihnen und denen vom vorhergehenden umgekehrten Versuche
kein wesentlicher Unterschied zu entdecken; nur schienen die
Blatter bey einigen dieser Pflanzen von einer derbern und
steifern Substanz zu seyn, als jener ihre; so, dass man wohl
sieht, dass dieser Umstand seinen Grund in keiner wesentlichen Verschiedenheit der Natur der einen Art von der Natur
der andern, sondern in einer bloss zufälligen Ursache haben
muss.

[27]   § 13.

XII. Vers.

Verbasc. phlomoid. ♀.
Verbasc. nigrum. ♂.

Ich versetzte den 16ten Jul. 1764 zwo aus diesem Versuche erzogene Pflanzen in Scherben. Sie fiengen fast zu
gleicher Zeit mit den vorhergehenden erst in dem darauf
folgenden Sommer an zu blühen. Die untersten Blätter hatten
wahre Stiele: denn die Blättersubstanz setzte an denselben

noch weit von ihrem Ansatze gleichsam auf einmal ab, und lief nur in Gestalt eines sehr schmalen und kaum merklichen Saums längst an dem Stiel hinunter: die mittlern Blätter hingegen sassen schon ohne Stiel an dem Stengel auf, ohne jedoch mit ihrer Substanz unter der Gestalt eines Flügels an demselben fortzulaufen. Der Rand der Blätter war in mehrere und merklichere Kerben eingeschnitten, als bey ♀, doch aber auch nicht in so viele und kleine, als bey ♂. Uebrigens waren sie insgesamt mattgrün, ganz wollicht anzufühlen, dabey ziemlich runzlicht und von einer breit lanzenförmigen Gestalt. Die Stiele und Hauptrippen der grössern Blätter, nebst dem untern Theil des Stengels spielten ins purpurfarbichte. Die untere Fläche der Hauptrippen war erhabener, als sie bey ♀ zu seyn pflegt, aber doch nicht so sehr, als bey ♂. Der Stengel war etwas stark gestreift, nach Proportion dünner, geschlanker, und durchaus mit einer ziemlich merklichen, wiewohl noch lange nicht so dichten [28] Wolle besetzt, als bey ♀. Die Blumen stunden zwar etwas näher, als an ♂, aber doch nirgends so dicht beysammen, dass sich der Stengel nicht hie und da zwischen ihnen ganz bloss gezeigt hätte. Die mittlere Anzahl der zu einem jeden Büschelchen gehörigen Blumen belief sich auf acht bis zehen. Die Blumenstielchen waren 2 bis $2\frac{1}{2}'''$ lang, und nebst dem Blumenkelche mit einer ziemlich dichten und weisslichten Wolle überzogen. Die Einschnitte des Blumenkelchs lanzenförmig. Das Blumenblatt gelb, mit länglichtrunden Lappen, und an seiner untern Fläche, besonders in der Gegend der kurzen Blumenröhre, mit sehr feinen, aber noch kürzern und dünnern weisslichten Wollenhärchen besetzt, als bey den Pflanzen der beyden vorhergehenden Versuche (§ 11 und 12.) In der Mitte der Blume zeigte sich ein blasspurpurröthlicher Kreis. Die Staubfäden waren hochgelb, und an ihrer obern Seite in der Mitten purpurfarbicht: die daran befindlichen Haare grösstentheils blassviolet oder purpurfarbicht, die untersten an allen und die obersten an den drey kürzern Staubfäden ausgenommen, die ins weissgelblichte fielen. Die untere Seite der zween längern Staubfäden war fast ganz kahl. Die Kölbchen blassgrünlicht. Der Eyerstock bey nahe walzenförmig, und ganz dicht mit weisslichter Wolle bedeckt; der Stiel blassgrünlicht, und gegen den Eyerstock hin mit zarten weisslichten Haaren versehen. Das Stigma zog sich mit seiner Substanz, nach Art der ♀, zu beyden Seiten ein wenig an dem Stiel hinab.

[29]   Eben derselben Vergleichung mit ihrer
Mutter- und Vaterpflanze.

Siehe die Vergleichung bey den Pflanzen des X. Vers.
die aber durchgehends nach dem umgekehrten Verstande zu
nehmen. Ueberhaupt erhellet aus der ganzen Beschreibung.
dass diese Bastartgattung von den Pflanzen der beyden vorhergehenden Versuche (§ 11 und 12.) nicht viel, und zwar
blos darinn unterschieden ist, dass sie etwas breitere, spitzigere
und merklicher eingekerbte Blätter hat, etwas grössere und
nicht völlig so dicht an einander stehende Blumen, mit längern
Blumenstielchen und rundlichtern Lappen trägt, als jene, und
dass sich noch ausserdem die Stigmasubstanz zu beyden Seiten
an dem Stiel ein wenig herabzieht; welches bey den andern
nicht geschieht.

Sie setzten beyde eine Menge kleiner Kapseln an, die
an Grösse denen von ♂ beykamen, die von § 11 und 12.
aber darinn noch übertrafen. Es sprangen auch dieselben
nach erfolgter Reife auf, enthielten aber, wie es schien, keinen
einigen guten Saamen.

§ 14.

XIII. Vers.

Verbasc. phlomoides. ♀.

Verbasc. Lichnit. fl. alb. ♂.

Die Aussaat der von diesem Versuche erhaltenen und
aus verschiedenen Kapseln genommenen Saamen geschah theils
den 17ten März, theils [30] den 5ten April 1764. In einer
Zeit von zehen bis funfzehn Tagen gieng eine genugsame
Anzahl derselben auf. Ich versetzte den 22sten May vier
dieser jungen Pflanzen ins Land, und eine in Scherben. Sie
kamen alle erst in dem darauf folgenden Jahr zur Blüte. Die
Blätter dieser Pflanzen waren breit lanzenförmig, blass- oder
mattgrün, ohngestielt, und auf beyden Seiten ziemlich wollicht
anzufühlen. Sie liefen mit ihrer Substanz noch unter ihrem
Ansatze gemeiniglich etwas weiter an dem Stengel hinunter, doch bey weitem nicht so stark, als bey ♀. Ihre
Anzahl war beträchtlicher, die Entfernung von einander hingegen geringer, als bey ♂. Die Hauptrippen der untersten

spiolten ein wenig ins purpurfarbichte, welches sie von der
♂, an der sie ebenfalls zuweilen röthlich gefärbt sind, angenommen haben. Die Blumen stunden allenthalben noch in
einer so weiten Entfernung von einander, dass sich der Stengel
immer noch hie und da zwischen ihnen zeigte. Die mittlere
Anzahl der zu einem jeden Büschelchen gehörigen Blumen
belief sich auf sechs bis acht, oder noch auf etwas weniger.
Die Blumenstielchen waren 2 bis $2^{1}/_{3}'''$ lang, und also hierinn
von ♀ und ♂ wenig unterschieden. Der Blumenkelch hatte
etwas breite lanzenförmige Einschnitte. Das Blumenblatt war
blassgelb und in länglichte oder ovale Lappen abgetheilt.
Die Staubfäden blassgelb, und die an ihnen befindlichen Haare
weissgelblicht; die untere Seite der zwey längern, nach Art
der ♀, ganz kahl, [31] die obere aber fast nach der ganzen
Länge hin mit Haaren besetzt. Der Eyerstock fast eyförmig
und ganz dicht mit einer gelblichtweissen Wolle bekleidet;
der Stiel blassgrünlicht und nächst an dem Eyerstocke mit
zarten weisslichten Härchen versehen; das Stigma zog sich,
nach Art der ♀, mit seiner Substanz zu beyden Seiten ein
wenig an dem Stiel hinab. Ueberhaupt kamen diese Pflanzen,
was die Gestalt, Lage und Grösse ihrer Blumen anbetrift, mit
denen vom vorhergehenden Versuche (§ 13.) ziemlich überein.

Eben derselben Vergleichung mit ihrer Mutter-
und Vaterpflanze.

Stengel: dünnere, geschlankere und weniger wollichte, als
bey ♀; aber dickere, und steifere. mit einer dichtern,
doch nicht völlig so weisslichten Wolle, als bey ♂.
Mehrere und längere Seitenstengel. als bey ♀, aber
wenigere und kürzere, als bey ♂.

Blätter: kleinere, schmalere, dunkelgrünere und weniger
wollichte, mit grössern und merklichern Kerben, als
bey ♀; hingegen grössere, breitere, mattgrünere
und viel wollichtere, mit kleinern und nicht so tiefen
Kerben, als bey ♂.

Blumenstielchen: dünnere und mit einer nicht so dichten
Wolle besetzte, als bey ♀; aber dickere und wollichtere, als bey ♂.

[32] Blumen: etwas weiter von einander entfernte, als
bey ♀; aber etwas näher beysammenstehende, als
bey ♂.

Blumenkelch: kleinerer und nicht so wollichter, mit schmalern und spitzigern Einschnitten, als bey ♀; hingegen grösserer und wollichterer, mit breitern und stumpfern Einschnitten, als bey ♂.
Blumenblatt: kleineres und von einer etwas blassern Farbe. mit schmalern und länglichtern Lappen, als bey ♀: aber grösseres, mit breitern und rundlichtern Lappen. als bey ♂; kürzere, engere und zartere Blumenröhre, als bey ♀, aber längere, weitere und steifere, als bey ♂.
Staubfäden: kleinere, dünnerere und blassgelbere, als bey ♀; aber grössere, dickere und stärker gefärbte, als bey ♂. Die an ihnen befindlichen Haare zeigten in allem und auch in Ansehung ihrer Farbe das Mittel zwischen ♀ und ♂.
Pistill: walzenförmigerer und kleinerer Eyerstock, als bey ♀; aber eyförmigerer und grösserer, als bey ♂: der Stiel mit seinem Stigma kürzer und dünner, als bey ♀, aber länger und dicker, als bey ♂; das Stigma auf beyden Seiten ein wenig abwärts gezogen, bey ♀ hingegen sehr stark, und bey ♂ gar nicht.
[33] Diese Pflanzen stunden alle in der Nachbarschaf: der natürlichen, und gaben ohne Zweifel auch daher viele Kapseln, die an Grösse denen von ♂ fast gleich kamen, und zuweilen einen dem Ansehen nach befruchteten vollkommenen Saamen enthielten.

Die Erzeugung dieser und der vorhergehenden Bastartgattung (§ 13.) habe ich der Gefälligkeit meines lieben Bruders. des Medic. Licent. *Christoph Cunrad Kölreuters* zu danken. der in meiner Abwesenheit die Vereinigung der natürlichen auf mein Anrathen mit aller erforderlichen Behutsamkeit in Sulz am Neckar bewerkstelliget hat.

§ 15.

XIV. Vers.

Verbasc. Thaps. ♀.

Verbasc. Lychnit. fl. alb. ♂.

Diese aus einer Kapsel genommene, und theils den 17ten März, theils den 5ten April 1764 in ein Mistbeet gesäete

Saamen giengen innerhalb zehen bis funfzehn Tagen auf.
Ich versetzte vom 15ten bis zum 23sten May sechs junge
Pflanzen ins Land, und eine in Scherben. Sie fiengen alle
erst in dem darauf folgenden Jahre an zu blühen. Der ganze
Unterschied zwischen diesen Pflanzen und denen vom vorhergehenden Versuche (§ 14.) bestund hauptsächlich darinn,
dass die gegenwärtigen etwas schmalere und in weniger merkliche Kerben eingeschnittene Blätter, kürzere Blumenstielchen,
kleinere und noch etwas blassere [34] Blumen, mit schmalern
und länglichtern Lappen und einem rundlichten Stigma hatten.
Sie setzten auch, wie die vorigen, hie und da kleine, aber,
wie es schien, ganz leere Kapseln an.

§ 16.

XV. Vers.

Verbasc. Lychnit. fl. alb. ♀.

Verbasc. Thaps. ♂.

Die von diesem Versuche erhaltene und aus verschiedenen
Kapseln genommene Saamen wurden theils den 17ten März,
theils den 5ten April 1764 in ein Mistbeet gesäet. Sie giengen
in einer Zeit von zwey bis drey Wochen auf. Ich versetzte
vom 10 bis 23sten May acht dieser jungen Pflanzen ins Land.
Sie fiengen erst in dem darauf folgenden Jahr vom 12 bis
18ten Jun. an zu blühen, und es zeigte sich alsdenn, dass
sie mit denen von vorhergehenden umgekehrten Versuche
(§ 15.) in allen Stücken völlig übereinkamen, ausgenommen,
dass die Blumen an einer derselben in der Mitten eine weisslichte und nur gegen dem Rand hin eine blassgelblichte Farbe
angenommen hatten.

§ 17.

XVI. Vers.

Verbasc. Lychnit. fl. alb. ♀.

Verbasc. Lychnit. fl. flav. ♂.

Vier aus diesem Versuche erzogene Pflanzen, die in Ansehung der Farbe ihrer Blumen zwischen ♀ und ♂ das Mittel
hielten, bewiesen durch die gänzliche Beybehaltung ihrer gewöhnlichen Fruchtbarkeit [35] zur Genüge, dass die beyden

185

natürlichen, aus denen sie entstanden, dem wesentlichen nach keineswegs von einander unterschieden seyn müssen. Es ist demnach eine von der andern nur als ein blosse, und zwar natürliche und beständige Varietät anzusehen: Denn sie wachsen beyde in der Gegend von Calw gleich stark, und oft kaum einen Schuh weit von einander, und schlagen, so viel ich bisher an denen gesehen habe, die ich in einer beträchtlichen Anzahl schon seit vier Jahren her in einem Grund und Boden und unter einerley Umständen erzogen, nicht aus der Art. Ich getraue mir nicht, die wirkende Ursache dieser kleinen Verschiedenheit anzugeben: nur so viel will ich noch melden, dass es grosse Bezirke giebt, wo man nur die mit weissen Blumen ganz allein zu sehen bekommt.

§ 18.

XVII. Vers.

Verbasc. nigrum. ♀.

Verbasc. Lychnit. fl. flav. ♂.

Ich erzog von diesem Versuche vier Pflanzen. Es war zwischen ihnen und denen vom III. Vers. § 4. nicht der geringste Unterschied zu finden, ausser, dass die Farbe bey den Blumen der gegenwärtigen etwas höher, als bey jenen, ausgefallen.

[36]   § 19.

XVIII. Vers.

Verbasc. Blattar. fl. flav. ♀.

Verbasc. Lychnit. fl. flav. ♂.

Es hatte mit sechs aus diesem Versuche erzogenen Pflanzen in Ansehung der Farbe ihrer Blumen eine gleiche Bewandniss, wie mit den vorhergehenden: im übrigen kamen sie mit den Pflanzen des IX. Vers. § 10. und mit denen vom umgekehrten VIII. Vers. § 9. in allen Stücken, und unter andern auch darinn überein, dass sich bey nicht wenigen derselben das Blumenblatt öfters an sehr vielen Blumen schon ablösete, ehe sie sich noch geöffnet hatten.

§ 20.

Da die durch die Kunst fruchtbar bewirkte Vermischung unserer fünf einheimischen Gattungen Wollkraut so glücklich

und sicher von statten gegangen : so entstehet billig die Frage;
ob nicht etwan auch eine oder die andere dieser hier beschriebenen Bastartpflanzen in der Wildniss, wo die Natur
gänzlich sich selbst überlassen ist, schon bisweilen entstanden
sey, oder, wenn sich dieser Zufall noch niemals ereignet haben
sollte, worinn denn eigentlich die wahre Hinderniss liege, die
der natürlichen Erzeugung derselben durch so viele tausend
Jahre hindurch bis auf den heutigen Tag immer im Wege
gestanden? Was den erstern Punkt betrift: so findet sich
weder in den Schriften der Alten, noch in den Werken der
neuern [37] Kräuterverständigen, irgend eine Beschreibung
einer solchen in der Wildniss angetroffenen Bastartpflanze aus
diesem Geschlechte, woran man eine oder die andere der hier
vorgetragenen zuverlässig erkennen könnte; denn zu geschweigen,
dass es hier ohnehin an einer hinlänglichen Anzeige solcher
Merkmale fehlt, wodurch sich die mittlere Natur einer Pflanze
von dieser Art verriethe, so ist des wesentlichen Unterschei-
dungscharakters, der doch einem jeden so gleich in die Augen
hätte fallen müssen, ich meyne der gänzlichen oder zum wenigsten sehr merklichen Unfruchtbarkeit nirgends nur mit einem
Wort gedacht. Der weltberühmte Ritter, *Carl von Linnee*,
giebt uns zwar in einer seiner akademischen Abhandlungen*)
eine kleine Nachricht von einem Bastartwollkraut, das im botanischen Garten zu Upsala aus dem Verbasc. Lychnit. ♀ und
Verbasc. Thaps. ♂, die beyde seit vielen Jahren her in einem
Beete beysammen gewesen, von sich selbst entstanden . und
seiner Meynung nach eben diejenige Gattung gewesen seyn
soll, die *Joh. Bauhin* vom *Agerius* aufgetrocknet zugeschickt
bekommen, und in seiner Hist. Pl. p. 856. unter dem Namen:
Verbascum angustifolium, ramosum, flore aureo, folio crassiori,
angeführt hat. Ungeachtet es nun zu wünschen gewesen wäre,
dass uns der *Herr von Linnee* eine umständlichere und mehr
nach der Natur, als nach seiner abentheurlichen und wider
[38] alle Erfahrung laufenden Theorie von der Generation
gemachte Beschreibung davon geliefert hätte: so zweifle ich
dennoch an dem von ihm angegebenen Ursprung dieser Pflanze
keineswegs, und zwar hauptsächlich deswegen nicht, weil er
ausdrücklich sagt, dass sie keinen Saamen gegeben habe.
Allein es ist vors erste noch lange nicht erwiesen, ob die
Agerische Pflanze von der nämlichen Art, und, was noch mehr

---

*) Amoenit. acad. Vol. VI. Holm. 1763. p. 293.

ist, auch eine wirkliche Bastartpflanze gewesen; zweytens fragt
es sich noch, wenn man auch alles dieses zugeben wollte, ob
nicht zu der Erzeugung der Agerischen Pflanze so wohl, als
der Linnäischen, irgend ein besonderer Umstand Anlass gegeben, der sich bey der sich selbst überlassenen Natur vielleicht niemals zu ereignen pflegt. Von jener lässt sich überhaupt nicht viel sagen, weil es uns an einer nähern Nachricht
von dem Geburtsorte und der eigentlichen Beschaffenheit des
Grunds und Bodens mangelt, in welchem die Mutter- oder
Vaterpflanze dieses vermeintlichen Bastarts aufgewachsen; bey
dieser aber hat man alle Ursache zu vermuthen, dass verschiedene widernatürliche Umstände, die in der Wildniss nicht
vorkommen, ihre Erzeugung mögen veranlasst haben. Ich
finde bey dem zweyten Punkte der obgedachten Frage, den
ich nun zu erörtern gedenke, die beste Gelegenheit, mich
hierüber eines nähern zu erklären. Wenn ich meine Leser
aus neuern, unzähligemal wiederholten, Beobachtungen ver-
sichere, dass die Insekten fast bey allen nur bekannten Gattungen Wollkraut, [39] und vorzüglich bey dem Verbasc.
Lychnit. nigr. und Blattar. zur Bestäubung das allermeiste
beytragen; wenn ich ihnen ferner melde, dass bald diese,
bald jene Gattung unserer einheimischen von einer andern oft
kaum einen oder etliche Schuh weit entfernt ist, und durch
diese geschäftigen Creaturen täglich solche Vermischungen
und Verwechslungen des Saamenstaubs bey ihnen bewirkt
werden, woraus unter gewissen, aber in der Wildniss nicht
Statt findenden Umständen, nothwendigerweise Bastarte entstehen müssten, und doch dem allen ungeachtet weder von
mir, noch von so vielen andern Kräuterkennern jemals dergleichen in einem ganz freyen Felde angetroffen worden: so
wird man mit mir die weise Einrichtung des grossen Schöpfers
nicht genug bewundern können, der durch ein gewisses in
die Natur gelegtes Gesetz, das bey so mancherley Befruchtungen auf das strengste befolgt wird, allen denen daher zu
besorgenden Unordnungen und Verwirrungen vollkommen vor-
gebeugt hat. Es besteht darinn, dass bey einer zur Befruchtung hinreichenden Quantität von eigenem und fremdem Saamenstaube, wenn beede ungefehr zu gleicher Zeit auf das Stigma
kommen, der eigene männliche Saame bey diesem wichtigen
Geschäfte nur allein angenommen, der fremde hingegen gänzlich verdrungen, und von der Befruchtung ausgeschlossen wird;
eine Wirkung die ich durch die zuverlässigsten Erfahrungen

ausser allen Zweifel gesetzt habe. Es ist dieses Gesetz der
nähern Verwandtschaft [40] allem Ansehen nach von einem
sehr grossen Umfange in der Natur, und es gründen sich,
wie es scheint, auf eben dasselbe eine Menge schon längst
bekannter Erscheinungen, die so wohl in der Chemie, als
Physik, täglich vorkommen. Wie, wenn nun aber sich einmal z. B. bey dem Verbasc. Lychnit. der Zufall ereignete,
dass die Staubkölbchen noch ungewöhnlich lange nach erfolgter Oeffnung der Blumen geschlossen blieben, oder gar
etwan einen unfruchtbaren Saamenstaub von sich gäben! Würde
nicht unter diesen Umständen, wenn demselben die Insekten
den befruchtenden Staub von einer andern Gattung, z. B. von
dem Verbasc. Thaps. noch zu rechter Zeit zutrügen, gerade
solche Bastarte erzeugt werden müssen, dergleichen einer dem
Herrn von Linnee in dem botanischen Garten zu Upsala aufgewachsen? Allerdings; und aus einem solchen widernatürlichen Umstande, er mag nun bestanden seyn, worinn er will,
und davon sich einer oder der andere bey dem Verbasc.
Lychnit. als einer im Königreiche Schweden, oder zum wenigsten in der dortigen Gegend ausländischen, und noch überdem im Garten, und also unter einem fremden, von dem süd-
lichen sehr unterschiedenen Clima und in einem andern Boden
erzogenen Pflanze gar leicht hat ereignen können, leite ich
den Ursprung desselben her. Es ist ja bekannt, dass verschiedene Krankheiten, Ausartungen und Unvollkommenheiten
bey vielen unserer ausländischen Gewächse öfters keinen andern
Grund haben. Ich [41] will zu näherer Bestätigung der Sache
nur das Verbasc. phoenic. zum Beyspiel anführen, das in vielen
Ländern von Europa, und unter andern auch in Niedersachsen
und Schlesien wild wächsst, in unsern Gegenden aber als eine
ausländische Pflanze in den Gärten erzogen wird. Dieses war
im Jahr 1762 in Sulz am Neckar, und 1763 in Calw fast
die ganze Blütezeit über (zweyt. Forts. S. 10 u. 11.) von
der männlichen Seite, in Absicht auf sich selbst, unfruchtbar:
im Jahr 1764 zeigte sich die Unfruchtbarkeit so wohl an den
nämlichen Pflanzen, die ich aus dem Würtembergischen mit
nach Carlsruh gebracht, als auch an mehrern andern, die ich
erst in eben demselben Sommer und auch das darauf folgende
Jahr aus dem Saamen erzogen hatte, nur von Zeit zu Zeit,
und zwar wechselsweise bald von der männlichen, bald von
der weiblichen Seite, öfters auch von beyden zugleich; und
manchmal waren sie hingegen wieder auf einige wenige Tage

von beyden Seiten fruchtbar: zwey einige, etwas ältere Pflanzen
ausgenommen, die ihre ganze Blütezeit über vollkommen fruchtbar gewesen sind. Würden nicht unter einigen dieser Umstände, besonders in dem Falle, da die Unfruchtbarkeit von
der männlichen Seite den ganzen Sommer über fortgedauert
hat, lauter Bastarte erzeugt worden seyn, wenn unsere einheimischen Gattungen in ihrer Nachbarschaft gestanden wären?
Dass sich dieser Zufall wirklich einmal ereignet haben muss,
schliesse ich daraus, weil ich im Jahr 1763 aus dem Saamen,
[42] der mir von einem meiner Correspondenten unter dem
Namen: Verbasc. phoenic. zugeschickt worden, lauter solche
Bastartpflanzen erhalten habe, dergleichen aus der Vermischung
des phoenic. ♀ mit der Blattar. fl. lut. ♂ zu entstehen pflegen.
Es giebt aber auch noch einen andern Fall, da sich das violette Schabenkraut so gar zu einer Zeit, da es von der männlichen Seite fruchtbar ist, mit einer andern Gattung verbinden
kann, wenn nämlich seine Staubkölbchen, wie es in unsern
Gegenden, vornehmlich bey kalter Witterung, öfters geschieht,
noch lange nach Eröffnung der Blumen geschlossen bleiben,
und der Saamenstaub von einer andern Gattung dieses Geschlechts von den Insekten an ihrem Stigma frühzeitig abgestreift wird; da es denn leicht möglich ist, dass in dieser
geraumen Zwischenzeit der fremde männliche Saame dem eigenen
zuvor kommt, und die Befruchtung noch ungehindert bewirkt.
Aber alle diese Fälle werden bey dem Verbasc. phoenic. in
seinem Vaterlande aller Wahrscheinlichkeit nach so wenig, als
bey unsern einheimischen vorkommen, bey dem Verbasc. Lychnit.
hingegen sich aus gleichen Ursachen in Schweden gar leicht
ereignen können. Ich glaube daher den in meiner Vorläuf.
Nachr. § 16. vorgetragenen Satz noch immer mit gutem
Grunde behaupten zu können, dass bey der ordentlichen Einrichtung und gewöhnlichen Anlage, die die Natur bey dem
Pflanzenreiche gemacht hat, schwerlich jemals Bastartpflanzen
erzeugt worden, oder noch entstehen [43] können. Und gesetzt, es hätte auch einmal ein Kräuterkenner das Glück, eine
wahre Bastartpflanze im freyen Felde anzutreffen; so blieb
alsdenn immer noch die Frage übrig, ob sich dieser Zufall
auch in einer solchen Gegend zugetragen, wo die natürliche
Anlage im Ganzen, weder mittelbar, noch unmittelbar, auf
irgend eine Weise gestöhrt oder verändert worden: denn ein
anders ist eine eigentliche Wildniss, so wie sie aus der Hand
der Natur kommt, ein anders ein freyes, aber durch Menschen-

hände, in Absicht auf hunderterley Dinge, oft sehr verändertes Feld.

Ich finde vor nöthig, über verschiedene Punkte, die die Eigenschaften der erstbeschriebenen Bastarte betreffen, noch etwas weniges zu sagen. Es ist aus der nach der Natur gemachten Beschreibung eines jeden abermals ganz klar und deutlich zu ersehen, dass bey ihnen insgesamt die mittlere Proportion durch alle, auch so gar die allerkleinsten Theile hindurch Statt gefunden; welches unter andern auch daraus erhellet, dass die aus dem II, IV, VI, VII, IX, XI, XV. Vers. erzogene Pflanzen mit denen von dem umgekehrten der zweyt. Forts. I und IV Vers. desgl. dem III, V, VIII, X, XIV, der gegenwärtigen Abhandlung dem wesentlichen nach in allen Stücken übereingekommen, wodurch denn auch mein ehedem geäussertes Urtheil über die scheinbare ungleiche Aehnlichkeit (zweyt. Forts. S. 37.) aufs vollkommenste bekräftiget wird.

[44] Die beyderseitige Unfruchtbarkeit scheint in der That eine wesentliche Eigenschaft aller Bastarte aus dem Wollkrautgeschlechte zu seyn, wenn anders die vom XIII. Vers. nicht eine kleine Ausnahme davon machen: denn, wenn die hie und da bey ihnen einzeln angetroffenen Saamen wirklich gut gewesen sind: so wäre es ein sicheres Zeichen, dass diese besondere Gattung von der weiblichen Seite noch einen ganz geringen Grad der Fruchtbarkeit gehabt hätte. Vielleicht lässt sich die Sache mit der Zeit durch eine kleine Probe gänzlich entscheiden. Uebrigens ist, wie aus der Beschreibung erhellet, fast bey allen etwas von einer halben Befruchtung vorgegangen, die aber wahrscheinlicherweise nicht vom eigenen Saamenstaube, sondern von den in der Nachbarschaft gestandenen natürlichen Pflanzen ihren Ursprung genommen.

Es hat bey nahe das Ansehen, als wenn das schnellere Wachsthum, die beschleunigte, frühere und verlängerte Blütezeit, die neuen gegen den Herbst sich zeigenden Triebe junger Stengel aus der Wurzel so wohl, als aus dem Stamme, und eine längere Dauer der Pflanze mit unter die allgemeinern Eigenschaften der Bastarte zu rechnen wären. Alles diess hat noch bisher bey den meisten Bastarten aus dem Wollkrautgeschlechte, besonders bey den ins Land versetzten, und zwar auch bey solchen Gattungen eingetroffen, deren einheimische Mutter- oder Vaterpflanzen gemeiniglich erst im zweyten Jahre zu blühen, und nach [45] vollbrachter Blüte gänzlich abzusterben pflegen. Es ist sehr schwer, von der verstärkten Vegetationskraft vor der Blüte einen tüchtigen Grund anzugeben; hingegen liesse sich die Fortdauer derselben nach der Blüte vielleicht daraus erklären, weil sich diese Pflanzen nicht. wie die natürlichen, durch die Ernährung des Saamens erschöpfen und ausmergeln können. Es werden im folgenden noch mehrere merkwürdige Beyspiele hievon vorkommen, die zur Bekräftigung dieses Satzes nicht wenig beytragen. Ich wollte wünschen, dass ich, oder ein anderer, einmal so glücklich wäre, einen Bastart aus Bäumen zu erhalten, die in Ansehung der Benutzung ihres Holzes einen grossen Einfluss in die Oekonomie haben. Vielleicht würden dergleichen Bäume unter andern guten Eigenschaften auch diese haben. dass sie. wenn die natürlichen zu ihrem völligen Wachsthum z. E. hundert Jahre nöthig hätten, denselben schon in der Helfte dieser Zeit erreichten. Wenigstens sehe ich nicht ein, warum sie sich hierinn anders, als andere Bastartpflanzen, verhalten solten.

Die Raupen, deren in der zweyt. Forts. S. 40. Erwähnung geschehen, haben sich auch bey den meisten in gegenwärtiger Abhandlung beschriebenen Pflanzen in einer solchen Menge eingefunden, dass ich viel Mühe hatte, sie vor ihrer Fressbegierde zu bewahren.

[46] Ich war so glücklich, ausser den hier vorgetragenen Bastarten, auch noch aus der wechselsweisen Verbindung des Verbasc. Thaps. und Blattar. verschiedene junge Pflanzen zu erhalten, verlohr sie aber zufälliger Weise wieder. Indessen will ich trachten, sie nebst mehrern andern aus diesem Geschlechte, die ich noch im Vorrathe habe, ins künftige nachzuholen.

§ 21.

Ich habe in der zweyt. Forts. meiner vorläuf. Nachr. S. 51. angezeigt, dass an dem S. 70 und 80 beschriebenen Bastarttabak im zweyten aufsteigenden Grade fünferley Versuche gemacht worden. Nun will ich meinen Lesern melden. was im darauf folgenden Jahre, 1764, aus einem jeden derselben heraus gekommen.

XIX. Vers.

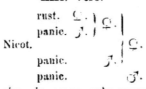

rust.
panic.
Nicot.
panic.
panic.
prim. vic. propr. pulv. consp.

Ich erzog von diesem Versuche sieben Pflanzen. Sie hatten insgesamt einen noch höhern Grad der Fruchtbarkeit und noch mehr Aehnlichkeit mit der panic. als unter ihrem vorigen Zustande.

[47]
XX. Vers.

rust.
panic.
Nicot.
panic.
panic.
Nicot. panic.

Zeben dieser Pflanzen waren der panic. in allen Stücken bereits so ähnlich, und so fruchtbar, dass man dem äusserlichen Ansehen nach gar keinen merklichen Unterschied mehr zwischen ihnen wahrnehmen konnte. Doch zeigten sich unter ihrem Saamenstaube. vornähmlich gegen den Herbst hin. noch hie und da, unter einer grossen Menge vollkommener, noch einige wenige schlechte, leere Stäubchen.

XXI. Vers.

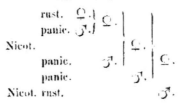

rust.
panic.
Nicot.
panic.
panic.
Nicot. rust.

Von den aus diesem Versuche erhaltenen Saamen gieng kein einiger auf. Man darf sich aber hierüber gar nicht

13*

wundern, da die Verbindung der natürlichen panic. ♀ mit
der rust. ♂ öfters eben so fruchtlos abläuft.

[48]   **XXII. Vers.**

$$\text{Nicot. rust. ♀.}$$

$$\text{Nicot.} \quad \left.\begin{array}{l}\text{rust.} \;\; ♀.\; \\ \text{panic.} \; ♂.\end{array}\right\} ♀.\; \left.\begin{array}{l} \\ \\ \end{array}\right\} ♀.\; \left.\begin{array}{l} \\ \\ \end{array}\right| ♂.$$

$$\left.\begin{array}{l}\text{panic.} \quad\quad ♂. \\ \text{panic.} \quad\quad\quad\;\; ♂.\end{array}\right.$$

Von diesem Versuche wurden sechs Pflanzen erzogen.
Ich konnte zwischen ihnen und den einfachen aus der rust. ♀
und panic. ♂ erzeugten Bastarten keinen merklichen Unterschied finden.

                       XXIII. Vers.

$$\text{Nicot.} \quad \left.\begin{array}{l}\text{rust.} \;\; ♀.\; \\ \text{panic.} \; ♂.\end{array}\right\} ♀.$$

$$\text{Nicot.} \quad \left.\begin{array}{l}\text{rust.} \;\; ♀.\; \\ \text{panic.} \; ♂.\end{array}\right\} ♀.\; \left.\begin{array}{l} \\ \\ \end{array}\right| ♀.\; \left.\begin{array}{l} \\ \\ \end{array}\right| ♂.$$

$$\left.\begin{array}{l}\text{panic.} \quad\quad ♂. \\ \text{panic.} \quad\quad\quad ♂.\end{array}\right.$$

Ich erzog hievon drey Pflanzen. Eine derselben war
ihrer ganzen äusserlichen Anlage nach dem in der zweyt.
Forts. § 16. S. 73. etc. beschriebenen Bastart im ersten
aufsteigenden Grade sehr ähnlich, und hinterliess viele, aber
ganz leere Kapseln. Die zwo übrigen hatten etwas weniger
Aehnlichkeit mit der panic. als die erstern, und setzten nur
sehr wenige, ziemlich spitzige und ebenfalls ganz leere Kapseln
an. Man sieht hieraus, [49] dass sie mit mehrern andern
dergleichen Bastarten im ersten aufsteigenden Grade übereingekommen sind.

Es erhellet demnach aus diesem allen offenbar, dass meine
in der zweyt. Forts. S. 82 etc. geäusserte Gedanken über
den Erfolg dieser Versuche vollkommen gegründet gewesen.

Die weitere Bestätigung derselben wird, in Absicht auf die nach dem XIX und XX Vers. zu erwartende Verwandlung, aus dem folgenden mit mehrerem zu ersehen seyn.

§ 22.

XXIV. Vers.

Nicot. panic. ♀.
rust. ♂. } ♀.
rust. ♂.

Sem. sp. nat.

Es ist in der zweyt. Forts. S. 87. zu Ende des § 19. die Meldung geschehen, dass ich von dem ersten daselbst beschriebenen fruchtbaren Bastart Saamen eingesammlet hätte, in der Hoffnung, mit der Zeit Pflanzen daraus zu erhalten, die der rust. noch ähnlicher, als zuvor, seyn, und, wo nicht alle, doch grösstentheils eine eigenthümliche Fruchtbarkeit, und zwar in einem nicht geringen Grade besitzen müssten. Dass ich mich in dieser meiner Erwartung nicht betrogen habe, bewiesen die im Jahre 1764 daraus erzogene Pflanzen. Die meisten waren der rust. sehr ähnlich, und gaben bereits schon eine beträchtliche [50] Anzahl vollkommener Saamen. Einige andere trugen etwas kleinere Kapseln, und auch eine geringere Anzahl guter Saamen. Es waren auch ein paar zwergartige Bastarte darunter, davon der eine ziemlich viel Kapseln, mit einigen wenigen befruchteten Saamen, der andere aber nur wenige und ganz leere Kapseln gegeben. Ich belegte sechs Blumen von einer der vollkommensten dieser Pflanzen mit dem Saamenstaube der rust. und erhielt von ihren Kapseln sechzig, achtzig bis hundert befruchtete Saamen.

§ 23.

XXV. Vers.

Nicot. rust. ♀.
panic. ♂. } ♀.
rust. ♂.

Sem. sp. nat.

Vier im Jahr 1764 aus dem Saamen eines solchen fruchtbaren Bastarts im ersten absteigenden Grade (zweyt. Forts.

S. 90.) erzogene Pflanzen hatten ausser der nicht geringen Aehnlichkeit mit der rust. auch schon wieder einen ziemlich hohen Grad einer eigenthümlichen Fruchtbarkeit von beyden Seiten angenommen. Es würden sich also dieselben bey dem schon wieder auf eine so ausnehmende Weise sich zeigenden Uebergewichte ihres beyderseitigen, ursprünglich mütterlichen Saamenstoffs, wenn man sie noch etlichemal mit ihrem eigenen Saamenstaube, oder, welches [51] noch wirksamer wäre, mit der rust. befruchten wollte, ohne allen Anstand endlich nach weniger Jahren wieder in Mutterpflanzen verwandeln lassen.

§ 21.

Gänzlich vollbrachte Verwandlung einer natürlichen Pflanzengattung in die andere.

XXVI. Vers.

rust.
panic.
Nicot. panic.
panic.
panic.
Nicot. panic.

Sen

Nicotiana rustica in Nicotianam paniculatam penitus transmutata.

Ich erzog den verwichenen Sommer 1765 aus den Saamen des im vorhergehenden § 21. XX. Vers. beschriebenen und noch einmal mit der panic. befruchteten Bastarts im dritten aufsteigenden Grade sechs Pflanzen. Sie kamen alle so wohl ihrer äusserlichen als innerlichen Beschaffenheit nach mit der natürlichen panic. vollkommen überein, ohne sich durch das geringste Merkmal irgend einer ihnen noch anklebenden Unvollkommenheit von denselben zu unterscheiden. Es ist diese Verwandlung der Nicot. rust. in eine [52] Nicot. panic. im Jahr 1761 in St. Petersburg (Vorläuf. Nachr. S. 42) angefangen. in den beyden darauf folgenden in Sulz am Neckar (Forts. der Vorläuf. Nachr. S. 18.) und in Calw (zweyte Forts. S. 81.) fortgesetzt, und im Jahr 1764 in Carlsru

(§ 21. XX. Vers.) folglich unter dem vierten aufsteigenden Grade, vollends glücklich zu Stande gebracht worden.

Es giebt vielleicht Pflanzen, die, um gänzlich verwandelt zu werden, noch einige Grade mehr zu durchlaufen haben; vielleicht aber auch andere, die das Ziel ihrer völligen Verwandlung schon im zweyten, oder höchstens im dritten aufsteigenden Grade erreichen. Zum wenigsten habe ich alle Hoffnung vor mir, meinen Lesern einige Beyspiele von der letztern Art in kurzem aufweisen zu können. Allem Vermuthen nach steht die frühere oder spätere Verwandlung einer Pflanze in die andere in einem angemessenen Verhältnisse mit dem grössern oder geringern Grade der Fruchtbarkeit, den die aus ihnen erzeugten Bastarte in dem Stande ihres Gleichgewichts zeigen; die Zeit der völligen Reduction einer bereits verwandelten Gattung aber, in die ursprüngliche Mutterpflanze zurück, wird wahrscheinlicherweise der Zeit ihrer Verwandlung, oder ihres Uebergangs in die andere, proportionirt seyn.

[53] § 25.

XXVII. Vers.

Nicot.

rust.
panic.
panic.
panic.

sec. vic. propr. pulv. consp.

In eben diesem Jahr erzog ich aus dem Saamen der im vorhergehenden § 21. XIX. Vers. beschriebenen und zum zweytenmal mit ihrem eigenen Saamenstaube befruchteten unächten panic. vier Pflanzen. Sie hatten sich alle der natürlichen panic. abermals wieder um ein merkliches genähert, und kamen in Ansehung ihrer Vollkommenheit ungefehr mit denen vom XX. Vers. überein. Es ist also nicht im geringsten mehr zu zweifeln, dass sie, wenn man sie noch ein- oder zweymal mit sich selbst bestäubt, aus eigenen Kräften von ihrem Bastartstande in den Stand der gänzlichen Vollkommenheit übergehen werden.

§ 26.

XXVIII. Vers.

panic. ♀. |
Nicot. rust. ♂. | ♀. | ♀.
rust.   ♂. |
Sem. sp. nat. |

Nicot. rust.   ♂.

Es ist § 22. unter dem XXIV. Vers. gemeldet worden, dass ich von einem der daselbst beschriebenen [54] und aufs neue mit der rust. befruchteten Bastart Saamen erhalten hätte. Aus diesem erzog ich den letztern Sommer 1765 sechs Pflanzen. Sie kamen ihrer äusserlichen Anlage nach nunmehr schon ziemlich mit einander überein, und zeigten in allen Stücken eine noch grössere Aehnlichkeit mit der rust. als unter ihrem vorigen Zustande. Der Saamenstaub enthielt schon eine Menge vollkommener Theilchen, und ihre Kapseln gaben, nach einer nochmaligen Befruchtung mit der rust. zwey bis dritthalb hundert gute Saamen. Bey dem allen aber waren die Kapseln noch etwas kleiner und länglichter, als bey eben dieser; es kamen auch die Saamen selbst in Ansehung der Grösse jener ihren noch nicht völlig gleich. Indessen ist es nun bereits schon so weit mit diesen Pflanzen gekommen, dass sie sich in etlichen wenigen Jahren nach der gewöhnlichen Methode vollends gänzlich in rust. werden verwandeln lassen.

§ 27.

Ich hatte im Jahr 1764. ausser den im § 21. 22 und 23 beschriebenen Bastarttabakpflanzen, auch wieder solche erzogen, dergleichen in der Forts. meiner vorläuf. Nachr. unter dem II und VIII Vers. und in der zweyt. Forts. unter dem V. XI und XXXIII Vers. schon bereits vorgekommen sind. Unter denen vom jetzt angeführten II Vers. war eine Pflanze mit einem missgestalten Kelche und gespaltener Blumenröhre; sie setzte, nebst einer andern, die nichts missgeburtmässiges an sich [55] hatte, keine einige Kapsel an. Die dritte hatte einen geringen Grad einer eigenthümlichen Fruchtbarkeit von beyden Seiten; sie setzte viele Kapseln an, worinn ich gemeiniglich acht bis zwölf vollkommene

Saamen angetroffen. Die vierte gab auch viele, aber ganz
taube Kapseln. Eine vom VIII. zeigte abermals in allem
mehr Aehnlichkeit mit der rust. als mit der panic. Der
Saamenstaub bestund aus lauter leeren Bälgen, und die Blumen
fielen insgesamt, nach vollbrachter Blüte, ab, ohne eine einige
Kapsel anzusetzen. Eine Pflanze vom V. und zwo vom XI.
waren, wie die ehedem beschriebene, beschaffen. Etliche vom
XXXIII. gaben viele, aber meistentheils leere Kapseln; übrigens
hatten sie mit der rust. schon viele Aehnlichkeit. Es werden
also hiedurch verschiedene der in obgedachten Schriften vorgetragenen Sätze aufs neue bestätiget. Endlich ist auch anzumerken, dass die Nicot. rust. die aus demjenigen Saamen
erzogen worden, bey dessen Befruchtung ich mich des
Leinöls (zweyt. Forts. S. 93.) bedient hatte, durch diese
widernatürliche Vermischung nicht die geringste Veränderung
erlitten.

§ 28.

XXIX. Vers.

Dianth. barbat. ♀.

Dianth. chinens. ♂.

Ich belegte im Jahr 1763 sieben Blumen ♀ mit dem
Saamenstaube der ♂, und erhielt von einer jeden Kapsel
funfzig bis sechzig schwärzliche, [56] vollkommene Saamen.
Im darauf folgenden Jahre erzog ich von denselben achtzehn
Pflanzen, theils in Scherben, theils im freyen Lande. Sie
kamen vom 12 — 25 Jun. alle zur Blüte. Es war zwischen
ihnen und denen vom umgekehrten Versuche (Forts. der
Vorläuf. Nachr. S. 44.) kein merklicher Unterschied zu
finden. Man erinnere sich hier desjenigen Urtheils wieder,
das bey einer andern Gelegenheit (zweyt. Forts. S. 37.)
und zwar in einem ähnlichen Falle über die scheinbare ungleiche Aehnlichkeit gefällt worden. Da die Chinesernelken
das Ziel ihrer Vollkommenheit gemeiniglich noch etwas später
zu erreichen pflegen, als diese beyderley Bastartgattungen,
und die Cartheusernelken gar erst im zweyten Jahre zur Blüte
kommen: so giebt sich die verstärkte Vegetationskraft hier
abermals als eine besondere Eigenschaft der Bastarte auf eine
ganz merkliche Weise zu erkennen.

Ich nehme hiebey Anlass, meinen Lesern zu melden,
dass ich nun schon seit zwey Jahren her nicht allein eben

dergleichen ursprüngliche Bastartnelken, sondern auch andere
im ersten und zweyten auf- oder absteigenden Grade von eben
der Zucht, in einem der hiesigen herrschaftlichen Blumen-
gärten unter den natürlichen von sich selbst entstehen gesehen. Man versicherte mich, als ich meine Verwunderung
darüber bezeugte, dass es gar nichts ungewöhnliches sey, dergleichen Sorten aus dem Nelkensaamen zu erhalten. Nichts
ist leichter, als den Ursprung derselben [57] aus einem gewissen widernatürlichen Zustande, dem so wohl die natürlichen Pflanzen, als auch die aus ihnen erzeugten Bastarte
gar oft unterworfen sind, zu erklären. Es geschieht nämlich
zuweilen, wie ich schon an einem andern Orte (zweyt. Forts.
S. 107.) erwähnt habe, dass die Staubfäden öfters bey sehr
vielen Blumen frühzeitig absterben und zurück bleiben, wenn
alle übrige Theile derselben, und folglich auch die Stigmate,
in den Stand ihrer Vollkommenheit treten. Stehen nun zu
der Zeit z. E. staubtragende Chinesernelken in der Nachbarschaft solcher Cartheusernelken, die gedachter Zufall wirklich
betroffen hat: so schleppen die Insekten den befruchtenden
Staub von jenen auf die Blumen der letztern, und geben dadurch zu Erzeugung einer Menge Bastartsaamen die schönste
und beste Gelegenheit. Eben diess geschieht auch in den
umgekehrten und in allen andern möglichen Fällen. Dieser
widernatürliche Zustand trift, wie ich aus einer vieljährigen
Erfahrung weiss, nicht allein die Cartheuser- Chineser- Feder-
und Gartennelken sehr oft, sondern auch andere einheimische
wilde Gattungen, wenn sie in Gärten erzogen werden. Vielleicht sind auch schon durch eben diesen Weg, aus der Vermischung der Chineser- und Cartheuser- mit Gartennelken
Bastarte entstanden: da aber unter diesen Gattungen selten
eine fruchtbare Verbindung statt findet, und, wenn sie glücklich vor sich geht, sich nur bis auf einen oder etliche wenig
Saamen erstreckt; so ist es 58] kein Wunder, wenn dergleichen Bastarte theils ihrer Seltenheit, theils ihrer geringen
Schönheit wegen, von den Blumenliebhabern übersehen worden.
Genug, dass durch die jetzt angezeigten unleugbaren Beyspiele so wohl die in der Vorläuf. Nachr. S. 38. geäusserte
Muthmassung über die Möglichkeit der Bastarterzeugungen in
Gärten bekräftiget, als auch das § 20. bey Gelegenheit des
in Upsala von sich selbst entstandenen Wollkraut-Bastarts
über eben diesen Punkt gefällte Urtheil aufs neue bestätiget wird.

§ 29.

XXX. Vers.

Dianth. chin. ☉. ⚤
barb. ♂. ⚤

barb. ♂.

Sem. sp. nat.

Nachdem ich mich bey etlichen dieser Pflanzen vergebens bemüht hatte, sie aufs neue wieder mit dem Saamenstaube der ♂ zu befruchten: so sammlete ich den von sich selbst in reichlicher Anzahl entstandenen Saamen eines andern solchen Bastarts im ersten aufsteigenden Grade ein, und erzog davon im Jahr 1764 acht Pflanzen, die meistens noch in eben demselben Sommer zur Blüte kamen. Sie hatten durchgehends in allen Stücken eine noch weit grössere Aehnlichkeit mit den Cartheusernelken, als unter ihrem vorigen Stande, und gaben diesen in Ansehung ihrer Fruchtbarkeit wenig oder nichts mehr nach; denn der Saamenstaub [59] bestund schon fast aus lauter vollkommenen Theilchen, und die Kapseln enthielten nicht selten sechzig bis siebenzig guter Saamen.

Es erhellet demnach unter andern hieraus, dass 1' die aus Chineser- und Cartheusernelken erzogenen Bastarte unter dem ersten aufsteigenden Grade zum Theil auch die geringe eigenthümliche Fruchtbarkeit von beyden Seiten verlieren, die sie noch unter ihrem ursprünglichen Stande zu haben pflegen. zum Theil aber auch fruchtbarer werden, als sie unter eben diesem niemals sind; 2) dass sich diese hier beschriebene Pflanzen, nachdem sie einmal einen so hohen Grad der Fruchtbarkeit angenommen, wahrscheinlicherweise endlich aus eigenen Kräften in Cartheusernelken verwandeln werden.

§ 30.

XXXI. Vers.

Dianth. chin. ☉. ⚤
barb. ♂. ⚤

chin. ♂.

Sem. sp. nat.

Ich sammlete im Jahr 1763 den von sich selbst entstandenen Saamen von derjenigen Varietät ein, die in der zweyt. Forts. S. 97. unter f.) angegeben worden, und erzog im darauf folgenden von demselben sieben Pflanzen. Sie hatten meistentheils so wohl unter sich selbst, als mit ihren ursprünglichen Mutterpflanzen bereits wieder so viel Aehnlichkeit, nebst einem so hohen Grade der Fruchtbarkeit angenommen, dass ich [60] keinen merklichen Unterschied mehr unter ihnen wahrnehmen konnte. Eben diess kann ich auch von zehn Pflanzen des umgekehrten Versuchs (zweyt. Forts. § 25.) versichern, die ich theils von einer mit sich selbst bestäubten Varietät, theils von einer andern, die von freyen Stücken Saamen angesetzt, erzogen hatte, mit dem einigen Unterschiede, dass sich die letztern noch um ein merkliches fruchtbarer bewiesen, als jene; welches allem Vermuthen nach daher rühren mochte, dass die ehedem in der Nähe gestandenen Chinesernelken zu ihrer Erzeugung vielleicht das meiste beygetragen, die andern hingegen nur von einem Saamenstaube erzeugt worden, dem noch vieles von der alten Bastart-Eigenschaft angehangen. Man sieht also wohl, dass an einer völligen Reduction dieser Bastarte in ihre ursprüngliche Mutterpflanze zurück keineswegs zu zweifeln ist.

§ 31.

XXXII. Vers.

chin. ♀.⎱
Dianth. barb. ♂.⎰ ♀ ⎸ ♀.
chin.   ♂.⎸
Dianth. barb.   ♂.

Ich befruchtete im Jahr 1763 einen dieser Bastarte im ersten absteigenden Grade ♀ (zweyt. Forts. S. 98. 1.) auf neue wieder mit dem Saamenstaube der ♂, und erzog in darauf folgenden aus den davon erhaltenen Saamen sech? Pflanzen. Sie waren zum Theil von den ursprünglichen [6? Bastarten, den chin. ♀, barb. ♂ fast nicht zu unterscheiden zum Theil aber hatten sie sich auch den Cartheusernelken ein wenig genähert, und unter diesem Stande alle Fruchtbarkeit verlohren. Es verräth sich hiedurch schon das geringe Uebergewicht, das die Natur des barb. über die Natur des chin. durch den gegenwärtigen Versuch erhalten, nebst einigen seiner nicht ungewöhnlichen Wirkungen ganz deutlich.

§ 32.

XXXIII. Vers.

$$\left.\begin{array}{l}\text{chin.} \quad \text{♀.} \\ \text{Dianth. barb.} \quad \text{♂.} \\ \text{hort.} \qquad \text{♂.}\end{array}\right\} \left.\begin{array}{l}\text{♀.} \\ \text{♂.}\end{array}\right\} \text{♀.}$$

Dianth. chin. ♂.

Drey im Jahr 1763 durch den gegenwärtigen Versuch entstandene Pflanzen sind aus eben demjenigen zusammengesetzten Bastart mit hochkermesinrothen, einfachen Blumen, der in der zweyt. Forts. § 27. beschrieben, und aus einer vervielfältigten Chinesernelke erzeugt worden. Es waren die einigen, die mir von verschiedenen Kapseln im Jahr 1764 aus dem Saamen aufgegangen. Alles, was ich von ihnen sagen kann, ist diess, dass sie sich den Chinesernelken wieder um etwas weniges genähert hatten.

[62]   § 33.

XXXIV. Vers.

$$\left.\begin{array}{l}\text{chin.} \quad \text{♀.} \\ \text{Dianth. barb.} \quad \text{♂.} \\ \text{hort.} \qquad \text{♂.}\end{array}\right\} \left.\begin{array}{l}\text{♀.} \\ \text{♂.}\end{array}\right\} \text{♀.}$$

Dianth. hort. fl. multipl. ♂.

e viol. purp.

Die ♀ war eben diejenige aus dreyen zusammengesetzte Bastartpflanze, die ich auch bey dem nächst vorhergehenden Versuche zur Mutter genommen hatte, die ♂ aber eine vervielfältigte, violet - purpurrothe Gartennelke. Ich bekam von einer dieser Verbindung erhaltenen Kapsel im Jahr 1764 nur eine einige Pflanze, die erst um den Anfang des Jun. 1765 zu blühen angefangen. Sie war dem äusserlichen Ansehen nach den Gartennelken bereits so ähnlich, dass man sie fast nimmer von ihnen unterscheiden konnte, und schien auch von der weiblichen Seite einen merklich grössern Grad der Fruchtbarkeit, als unter ihrer vorigen Gestalt, erreicht zu haben. Ihre Blumen waren rosenfarbicht und gefüllt, mit lauter abgestandenen Staubfäden. Man sieht hieraus abermals den glücklichen Einfluss der gefüllten Blumen auf einfache, zugleich aber auch, dass unter dergleichen Bastarten eben nicht immer die mittlere Farbe von ♀ und ♂ herauskommt.

[63]   § 34.

XXXV. Vers.

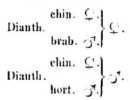

Die ♂ war eben diejenige Bastartnelke, die in der zweyt. Forts. § 28. S. 109. unter Nr. 1.) beschrieben worden. Ich befruchtete mit ihrem Saamenstaube den 25sten Aug. 1763 eine Blume von ♀, und erhielt aus dieser Vermischung zwölf schwarze, dem äusserlichen Ansehen nach vollkommene Saamen. In Jahr 1764 erzog ich aus denselben vier Pflanzen. Sie fiengen noch in eben diesem Sommer an zu blühen, und zeigten insgesamt ganz kenntliche Merkmale von dem ihnen zugefallenen männlichen Grundstoffe der ♂. Eine dieser Pflanzen hatte kermesinfarbichte und in der Mitten hochscharlachrothe Blumen, mit dunkelkermesinrothe gegen den Rand zu laufenden Adern. Eine andere mit kermesinrothen, und in der Mitten etwas dunkleren Blumen hatte diess besondere an sich, dass die Kelchschuppen vervielfältigt waren, und gleichsam eine Kornähre vorstelleten: eine Varietät, die den Blumenliebhabern unter den Gartennelken nicht unbekannt ist.

[64]   § 35.

XXXVI. Vers.

Dianth. { chinens. ♀. | earth. sylv. ♂. } ♀.

Dianth. chinens.   ♂.

Ich erzog im Jahr 1764 nur zwo einige Pflanzen von diesem bey der, in der zweyt. Forts. § 29. beschriebene

Bastartnelke angestellten Versuche, die den 15ten Jul. zu blühen angefangen. Die Blumen stunden an beyden schon wieder um ein merkliches weiter von einander, als bey ♀, aber doch noch näher beysammen, als bey ♂: die Blumenschuppen waren auch schon etwas stumpfer, als bey ♀, aber noch spitziger, als sie bey ♂ zu seyn pflegen. Der mittlere Theil der Blumen war bey der einen kermesinroth, der äussere aber von einer etwas helleren Farbe und mit dunkleren Adern durchzogen. An statt des Kreises zeigten sich an einem jeden Blumenblatte nur drey schwärzliche Streifen auf einem dunkelkermesinrothen Grunde. Der andern ihre Blumen hingegen waren hochscharlachroth, und bereits wieder mit einem schwarzrothen Kreise bezeichnet.

[65]   § 36.

XXXVII. Vers.

chinens. ♀. |
Dianth. | ♀.
carth. sylv. ♂. |
Dianth. barbat.   ♂.

Von der Verbindung eben dieses Bastarts ♀ mit der ♂ erzog ich in dem nämlichen Jahr sechs Pflanzen. Ihre Blumen waren kermesinroth, und zeigten eine etwas schwache Spuhr von Adern und Punkten: an statt des Kreises aber drey dunkle Flecken auf einem jeden ihrer Blumenblätter. Ueberhaupt aber hatten diese Pflanzen mit den chin. ♀.\ ♀, barb. ♂.
barb. ♂.∫
(zweyt. Forts. § 23.) eine nicht geringe Aehnlichkeit, und gaben zum Theil von sich selbst eine kleine Anzahl schwarzer, vollkommener Saamen.

§ 37.

XXXVIII. Vers.

chin. ♀.
Dianth. ☿.
hort. ♂.
propr. pulv. consp.

Ich befruchtete den 25sten Aug. 1763 eine Blume von der in der zweyt. Forts. § 25. S. 109. unter Nr. 1.)

beschriebenen Bastartnelke mit ihrem eigenen Saamenstaube
und erhielt dadurch eine kleine Anzahl grosser, schwarzer
und allem [66] Ansehen nach vollkommener Saamen. Sie
wurden den 5ten April 1764 in ein Mistbeet gesäet, und den
15ten eben dieses Monats giengen fünf derselben auf. Ich
erzog aber davon nur zwo Pflanzen, deren eine den 7ten Aug
1764, die andere aber erst im darauf folgenden Jahr zu blühen
angefangen. Sie waren beyde von einem ganz niedrigen
Wuchse, und trugen kleine, weisse Blumen. Die von der
einen Pflanze zeigten in der Mitten einen blasskermesinröth-
lichen Kreiss, nebst einigen etwas dunkleren Adern; an denen
von der andern aber war nicht die geringste Spuhr von einem
Kreise zu sehen. Im übrigen hatten sie mit den ♂ nec
immer viele Aehnlichkeit.

§ 38.

XXXIX. Vers.

Dianth. hort. ♀.

Dianth. chin. ♂.

Da ich mir leicht vorstellen kann, dass eine fruchtbar
Verbindung bey diesem Versuche etwas eben so seltenes ser
würde, als bey dem umgekehrten (zweyt. Forts. § 2
XL. Vers.) so wunderte ich mich nicht, da ich unter viel
Kapseln nur hie und da einige gefunden, die einen oder e
liche wenige befruchtete Saamen gegeben hatten. Ich erhi
unter andern im Jahr 1763 von einer vervielfältigten, dunk
purpurrothen Gartennelke ♀, und einer einfachen, hoch sch
lachrothen und in der Mitten mit einem schwarzen Kreise b
zeichneten Chinesernelke ♂ vier [67] grosse, schwarzbrau
vollkommene Saamen. Sie wurden den 5ten April 1764
ein Mistbeet gesäet, und davon drey Pflanzen erzogen. Zu
derselben fiengen noch in eben diesem Jahr, nämlich d
23sten Jul. und den 7ten Aug. an zu blühen. Die dr
aber kam erst im darauf folgenden zur Blüte. Die Blu
der 1) waren einfach, dunkelpurpurroth, mit einem schwac
Schatten eines Kreises. Die 2) trug gefüllte Blumen
gleicher Farbe, ohne die geringste Spuhr eines Kreises
zeigen. Die 3) hatte stark vervielfältigte, kermesinro
Blumen, mit etwas dunkleren Adern durchzogen. Au

diesen erhielt ich im Jahr 1764 von einer andern Kapsel
noch eine 4), die den 29sten Aug. zu blühen angefangen,
und einfache purpurrothe und mit etwas dunkleren Adern
durchzogene Blumen getragen. Es kam diese letztere mit der
in der zweyt. Forts. § 28. unter Nr. 1.) beschriebenen in
sehr vielen Stücken überein. Ueberhaupt war zwischen allen
diesen Pflanzen und denen vom umgekehrten Versuche, so
wohl, was die ganze äusserliche Anlage betraf, als auch in
Ansehung ihrer innern Eigenschaften kein wesentlicher Unterschied zu finden.

[68]   § 39.

XL. Vers.

chin. ♀.
Dianth.   ♀ .
hort. ♂.

Dianth. hort.   ♂.

Von diesem Versuche erzog ich im Jahr 1764 sechs
Pflanzen. Die 1) 2) 3) und 4) hatte den in der zweyt.
Forts. § 28. unter Nr. 1. beschriebenen ursprünglichen Stammbastart zur Mutter, und eine einfache, kermesinrothe, und mit
zinnoberrothen Streifen bezeichnete Gartennelke zum Vater.
Die Mutter der 5) und 6) aber war der eben daselbst unter
Nr. 4. vorgekommene ursprüngliche Stammbastart, und der
Vater eine vervielfältigte, violetpurpurrothe und mit blassen
kermesinrothen Streifen durchzogene Gartennelke. Sie kamen
alle erst im zweyten Jahr zur Blüte. Die Blumen der 1)
waren weiss und mit blassrothen Streifen gezieret; der 2)
ihre durchaus schön zinnoberroth; der 3) ganz weiss; der 4)
ebenfalls weiss, und mit einer Menge kleiner, blutrother
Streifen durchsetzt; der 5) und 6) ganz kermesinroth; bey
allen diesen Pflanzen aber insgesamt einfach. Sie hatten
durchgehends als Bastarte im ersten aufsteigenden Grade
eine noch ungleich grössere Aehnlichkeit mit den Gartennelken, als sie unter ihrem vorigen Stande gehabt haben,
und waren, der ganzen äusserlichen Anlage, Substanz und
Farbe nach, von [69] eben diesen fast gar nicht mehr zu
unterscheiden. Auch der Geruch ihrer Blumen hatte an Stärke
um ein merkliches zugenommen. Der Saamenstaub, den die
beyden erstern gegeben, war gelblichtweiss, und bestund bereits

207

grösstentheils aus vollkommenen Theilchen. Dass sich aber
auch die Fruchtbarkeit von der weiblichen Seite verstärkt
haben musste, konnte ich daraus abnehmen, weil sie fast alle
schon eine ziemliche Anzahl dem äusserlichen Ansehen nach
befruchteter Saamen gegeben, wenn sie noch einmal mit den
Gartennelken bestäubt worden. Da sie sich nun, wie aus
dieser ganzen Beschreibung erhellet, den letztern schon unter
ihrem ersten aufsteigenden Grade so sehr genähert haben:
so hoffe ich zuversichtlich, sie höchstens unter dem dritten
und vierten gänzlich verwandelt zu sehen.

§ 40.

XLI. Vers.

Dianth. chinens. ♀.

Dianth. superb. ♂. *)

Ich habe in der zweyt. Forts. § 32. S. 122. angezeigt,
dass sich die Chinesernelken mit dem [70] Saamenstaube
unserer einheimischen Federnelken eben so sicher und vollkommen, als mit ihrem eigenen, befruchten lassen. Es war
den 18ten Aug. 1763, da ich diesen Versuch an einer vervielfältigten, hochkermesinrothen und mit einem etwas schmalen,
ununterbrochenen, schwärzlichen Kreise bezeichneten Chinesernelke zum erstenmal machte. Die Blumen der ♂ waren, wie
sie in der Gegend von Calw gewöhnlichermassen zu seyn pflegen,
Anfangs weisslicht, und gegen die Zeit ihrer herannahenden
Verwelkung blassviolet, an dem innersten schmalen Theil,
nächst an dem sogenannten Nagel eines jeden Blumenblatts,
grünlicht, und daselbst mit vielen, ziemlich langen und steifen
schwarzrothen Haaren besetzt. Ich hatte kaum den glücklichen Erfolg von dieser Verbindung wahrgenommen, so wiederholte ich dieselbe theils an eben dergleichen ♀, theils an
andern einfachen, scharlachrothen, gegen den äussern fleischfarbichten Theil hin mit vielen blutrothen Adern durchzogenen

---

*) Dianthus *Superbus*. Linn. Sp. Pl. edit. sec. p. 589. n. 11.
Hort. Aichst. aest. ord. 14. t. 13. f. 1.
   Iaquin. Obs. bot. Part. I. p. 40. Tab. 25.
   Tunica petalis profundissime laciniatis. Hall. Enum. Stirp. Helv.
p. 382.
   Anm. In der zweyt. Forts. S. 121 ist, an statt dessen, aus
Versehen der plumarius angegeben worden.

und mit einem breiten, ununterbrochenen, schwarzrothen Kreise bezeichneten Blumen, und erhielt allemal von einer jeden daraus entstandenen Kapsel eine Menge dunkelbrauner, vollkommen befruchteter Saamen. Den 17ten März 1764 säete ich von beyderley Sorten eine Kapsel voll solcher Bastartsaamen in ein Mistbeet. Sie giengen in wenigen Tagen auf. Ich versetzte vom 1—11 May zehn dieser jungen Pflanzen ins Land und eben so viel in Scherben. Gegen das Ende des Jun. und um den Anfang [71] des Jul. fiengen sie alle an zu blühen, und waren in dem Stande ihrer Vollkommenheit folgendergestalt beschaffen. Die Blätter waren länger, biegsamer, und von einer etwas dunkleren mattgrünen, oder weniger gelblichtgrünen Farbe, als bey ♀; hingegen kürzer, etwas steifer oder dicker, und von einer helleren Farbe, als bey ♂. Die Stengel gerader und steifer aufwärts gerichtet, höher und mit mehrern Blumen besetzt, als bey ♀. An Farbe hielten sie, gleich den Blättern, zwischen der gelblichtgrünen der ♀ und dunkleren der ♂ das Mittel. Die Anlage der Stengel und Aeste geschah durch öfters wiederholte gabelförmige Abtheilungen. Die äussersten Aeste und Blumenstiele waren dünner, als bey ♀, aber dicker, als bey ♂. Die Blumenschuppen waren kürzer, schmaler und spitziger, und stunden von dem Kelche weniger ab, als bey ♀; hingegen waren sie länger, breiter und nicht so scharf zugespitzt, legten sich auch an dem Kelche nicht so hart an, als bey ♂. Der Blumenkelch mehr walzenförmig, länger, dünner, und mit schmalern und länger zugespitzten Einschnitten versehen, als bey ♀; hingegen nicht völlig so walzenförmig, lang und dünn, auch in etwas breitere und nicht so spitzig zulaufende Einschnitte abgetheilt, als bey ♂. Die Blumenschuppen hatten auch nebst dem Kelche hie und da etwas von der purpurröthlichen Farbe der ♂ angenommen, wovon sich hingegen sonst an ♀ gar nichts zeigt. Die Blumen waren grösser, als bey ♀, aber von einem kleineren Umfange, [72] als bey ♂, rosenfarb oder blasskermesinroth und in der Mitten an statt des den ♀ gewöhnlichen ununterbrochenen Kreises, auf einem jeden Blumenblatte gemeiniglich mit drey nach der Länge hin laufenden purpurrothen Streifen bezeichnet, und zwischen denselben mit ziemlich vielen und langen Haaren von gleicher Farbe besetzt. An einigen andern Pflanzen vereinigten sich diese Streifen oben durch einige dazwischen befindliche Flecken in etwas miteinander, und stellten gleichsam

14*

einen halb unterbrochenen Kreis vor; zuweilen zeigten sie
aber auch bey andern, statt der Streifen, oben nur drey w
einander abgesonderte dunkelrothe Flecken. Ausserhalb diese
Streifen und Flecken sah man eine leichte Spuhr von Adern.
die sich über das ganze Blumenblatt hin ausbreiteten. D
Blumenblätter waren in der Gegend der Streifen so schm
und so stark ausgeschnitten, dass sie einander daselbst nich
berührten, da sie hingegen bey ♀ einander zu berühren un
bey ♂ ganz von einander abzustehen pflegen. Von de
grünlichten Farbe, die sich zwischen den Streifen der ♂
einem merklichen Grade zeigt, war wegen der beygemischte
röthlichen offt nur wenig oder nichts zu sehen. Der Ran
der Blumenblätter war nicht, wie bey ♀, nur in blosse
Kerben, sondern in ziemlich lange, schmale und spitzi
Fransen eingeschnitten, die aber denen von ♂ an Länge un
Feinheit noch bey weitem nicht gleich kamen. Der Saame
staub war blaulichtgrau, und bestund theils aus vollkommene
theils aus [73] eingefallenen und leeren Kügelchen. Die Stig
mate waren weiss, und oben gemeiniglich etlichemal umg
krümt. Ueberhaupt hielten diese Pflanzen in allen Stücke
zwischen ♀ und ♂ das Mittel, ausgenommen, dass sie früh
und länger geblüht hatten. Die Blumen aller derjenigen, d
von der einfachen Chinesernelke herstammten, waren ebenfa
nur einfach; hingegen sind unter denen, die die vervielfältig
zur Mutter gehabt, nicht wenige doppelte, auch stärker ve
vielfältigte, und verschiedene ganz gefüllte ausgefallen. d
zum Theil von einer nicht geringen Schönheit gewesen. B
einigen der doppelten stund die innere Reihe der Blume
blätter um etwas höher, als die äussere, so, dass es das A
sehen hatte, als wenn eine Blume in der andern steckte. w
z. E. an einer, den Blumenliebhabern wohlbekannten, Varie
von Schlüsselblumen. Die Farbe der Blumen wurde geg
den Herbst hin immer höher; welches bey mehrern Pflanz
und unter andern auch bey dem virginianischen Tabak (For
der Vorläuf. Nachr. S. 40.) zu geschehen pflegt.

Alle diese Pflanzen scheinen von ihrer männlichen Se
in Absicht auf sich selbst, ganz unfruchtbar zu seyn: de
es erfolgte bey den meisten ihrer Blumen keine Befruchtun
auch nicht einmal bey denen, die ich mit ihrem eigen
Saamenstaube reichlich belegt hatte. Hingegen hatten
einige ganz gefüllte ausgenommen, von der weiblichen na
einen geringen Grad der Fruchtbarkeit: [74] denn sie setz

nicht nur allein von freyen Stücken, in der Nachbarschaft
verschiedener anderer natürlicher Gattungen nicht selten
Kapseln an, worinn ich gemeiniglich zwey bis vier grosse,
schwarze, vollkommene Saamen angetroffen, sondern sie gaben
auch, wenn ich sie mit einigen der letzteren bestäubte, meistentheils etliche wenige, höchstens aber sechs bis acht befruchtete
Saamen. Die so früh beschleunigte und bis in den späten
Herbst hinein immer fortdauernde Blüte dieser Pflanzen giebt
hier abermals die ihrer Bastartnatur zu Theil gewordene verstärkte Vegetationskraft auf das deutlichste zu erkennen: eine
Eigenschaft, die bey den natürlichen nicht statt findet; denn
die Chinesernelken pflegen insgemein fast einen ganzen Monat
später zu blühen, und bringen auch ihre Blütezeit eher zum
Ende, als jene, und die Federnelken blühen gemeiniglich gar
erst im zweyten Jahr: zum wenigsten fangen sie, wenn sie
ja noch im erstern zur Blüte kommen, welches doch nur selten
geschieht, vor dem September niemals an zu blühen. Was
die Vervielfältigung der Blumenblätter bey einigen der hier
beschriebenen Bastarte anbetrift, so sieht man offenbar, dass
der weibliche Saame, in Ansehung dieses Umstands, von einer
gleichen Wirksamkeit und Eigenschaft mit dem männlichen ist.

[75] § 41.

XLII. Vers.

Dianth.
$\left.\begin{array}{l}\text{chin. } ♀. \\ \text{barb. } ♂.\end{array}\right\} ♀.$

Dianth. superb. ♂.

Dieser Versuch wurde den 19ten und 23sten Aug. 1763
an einer Bastartpflanze ♀ gemacht, deren Blumen in der
Mitten dunkelkermesinroth, der äussere und innere Theil derselben aber, und die in dem mittlern eingesprengte Punkte
von einer helleren, doch schon ziemlich hohen Kermesinfarbe
gewesen. Ich erhielt von einer jeden Kapsel neun bis vierzehn schwarze, vollkommene Saamen, und erzog von ihnen
im Jahr 1764 zwölf Pflanzen, die gegen das Ende des Jul.
insgesamt zu blühen angefangen. Sie unterschieden sich
von den Pflanzen des vorhergehenden XLI. Versuchs, in Ansehung der äusserlichen Anlage, vornehmlich dadurch, dass
sie breitere, dunkelgrünere Blätter, kürzere Stengel, und etwas

enger beysammenstehende und kleinere Blumen getragen. Die
Blumen selbst waren mehr oder weniger kermesinroth, mit
etwas dunkleren Adern und weisslichten Punkten durchsetzt,
und in ziemlich tiefe Fransen eingeschnitten. Doch waren
die letztern noch etwas kürzer, und ihr Abstand von einander
nicht so weitschichtig, als bey jenen. Sie schienen ebenfalls
durchgehends von der männlichen Seite ganz unfruchtbar zu
seyn; von der weiblichen [76] aber hatten sie, wie die vorhergehende, noch einen geringen Grad der Fruchtbarkeit:
denn es gaben viele ihrer Kapseln noch zwey bis vier schwarze,
gute Saamen, die aller Wahrscheinlichkeit nach von den in
der Nachbarschaft gestandenen natürlichen Gattungen befruchtet worden.

§ 42.

XLIII. Vers.

$$\left.\begin{array}{l}\text{chin. } \female. \\ \text{Dianth.} \\ \text{hort. } \male.\end{array}\right\} \female.$$

Dianth. superb. $\male$.

Nachdem es mir im Jahr 1763 gelungen, verschiedene
Blumen von den in der zweyt. Forts. § 28. unter Nr. 1.)
und 4.) beschriebenen Bastarten mit der $\male$ des gegenwärtigen
Versuchs zu befruchten, und von ihren Kapseln einen oder
auch etliche wenige vollkommene Saamen zu erhalten: so
säete ich dieselben in dem darauf folgenden Jahr 1764 aus,
und erzog davon drey Pflanzen, die noch in eben diesem Jahr zur
Blüte gekommen, und durch die kenntlichsten Merkmale die
mittlere Aehnlichkeit zwischen $\female$ und $\male$ verrathen haben.
Die Blätter waren um ein merkliches länger, breiter, biegsamer und von einer frischeren grünen Farbe, als unter ihrem
vorigen Bastartstande. So stunden auch die Blumen nunmehr
dichter beysammen, als zuvor; die drey paar Kelchschuppen
waren mit einem häutichten Rande und etwas langen, auswärts gerichteten Spitzen versehen; der Blumenkelch [77]
ebenfalls länger und schmaler, und die Blumenblätter viel
grösser, als bey ihrer Bastartmutter, der $\female$, und nach Art
der $\male$, ungefehr in ebenso tiefe Fransen eingeschnitten, als
bey den Pflanzen des XLI. Versuchs. Von eben diesen aber
unterscheideten sie sich hauptsächlich durch die mehrere

Steifigkeit und Grösse aller ihrer Theile. Die Blumen aller dieser aus dreyen zusammengesetzten Pflanzen waren blasskermesinroth, und in der Mitten mit drey dunkleren und mit kurzen Härchen besetzten Strichen bezeichnet. Der Saamenstaub war grau, und bestund aus ungleich mehr schlechten, als guten Theilchen. Ich belegte etliche ihrer Blumen mit demselben; es erfolgte aber keine Befruchtung darauf. Hingegen erhielt ich von zwo andern, die den 24sten Aug. aufs neue wieder mit der wilden Federnelke bestäubt worden, vier schwarze, vollkommene Saamen.

§ 43.

XLIV. Vers.

Dianth. barbat. ♀.
Dianth. hort. ♂.

Ich belegte den 15ten Jul. 1763 zwölf Blumen einer hochkermesinrothen und kaum merklich punktirten Cartheusernelke mit dem Saamenstaube einer einfachen, dunkelpurpurrothen Gartennelke, und erhielt, von allen Kapseln zusammengenommen, kaum etliche wenige schwarze, befruchtete Saamen. Von diesen erzog ich das darauf folgende Jahr eine einige Pflanze im Scherben, [78] die aber erst im Jahr 1765 zur Blüte gekommen. Ihre Blätter waren schmaler, dicker, steifer und von einer mattgrüneren und weniger glänzenden Farbe, als bey ♀, aber breiter, dünner, biegsamer und von einer frischeren Farbe, als bey ♂. Die grösste Breite der untersten Blätter betrug 5''', die grösste Länge aber 4''. Die Stengel waren ziemlich dick, hie und da etwas purpurfarbicht unterlaufen, 6 — 8''*) lang, und endigten sich oben mit vier bis sechs ganz nahe' an einander stehenden Blumen. Die Blumen waren kermesinroth, ohne merkliche Punkte, grösser und von einem stärkeren Geruche, als bey ♀, aber kleiner und von einem schwächeren Geruche, als bey ♂. Der Saamenstaub war blaulicht, und schien aus einer grösseren Anzahl guter, als schlechter Theilchen, zu bestehen. Ich belegte etliche

---

*) Anm. Die vornehmsten Stengel so wohl von dieser, als der nächst folgenden Bastartpflanze sind im Frühjahr, da sie eben im besten Triebe begriffen waren, aus Unvorsichtigkeit abgeschnitten worden.

Blumen dieser Bastartpflanze mit ihrem eigenen Saamenstaube:
es erfolgte aber keine Befruchtung darauf. Hingegen erhielt
ich von einigen andern, die mit einer einfachen, blassrosen-
farbichten Gartennelke bestäubt worden, eine kleine Anzahl
schwarzer, dem äusserlichen Ansehen nach, vollkommener
Saamen.

[79]   § 44.

XLV. Vers.

Dianth. hort. ♀.
Dianth. barb. ♂.

Da sich bey dem gegenwärtigen Versuche keine geringere
Schwierigkeit zeigt, als bey dem vorhergehenden: so erhielt
ich auch von der Verbindung einer vervielfältigten, purpurrothen Gartennelke ♀ und einer hochkermesinrothen Cartheusernelke ♂ nicht mehr, als eine einige Pflanze, die zugleich mit der erst beschriebenen aufgewachsen, und auch fast
um die nehmliche Zeit zu blühen angefangen. Sie kam in
der Hauptsache mit dieser völlig überein, und zeigte ganz
deutlich, dass sie an beyderley Naturen gleichen Antheil genommen.

§ 45.

XLVI. Vers.

Dianth. barbat. ♀.
Dianth. deltoid. ♂.*)

Es war den 18ten Jul. 1763, da ich etliche Blumen einer
hochkermesinrothen und kaum merklich punktirten Cartheusernelke mit dem Saamenstaube einer, in der Gegend von Calw
wildwachsenden, halb kriechenden Grasnelke, mit kurzen,
stumpfen Blättern, und kleinen blasskermesinrothen und weiss
punktirten Blumen belegte. Nach [80] Verflusse eines Monats
erhielt ich von diesem Versuche nur einige wenige, kleine,
schwarze, befruchtete Saamen. Ich finde vor nöthig, ehe ich
auf die daraus entstandene Bastartnelke selbst komme, vorher
von erst erwähnter einheimischen Gattung eine kurze Beschreibung zu machen. Die Hauptwurzel dieser Pflanze ist

---

*) Dianthus *deltoides*. Linn. Sp. Pl. edit. sec. p. 588. n. 7.

dick, grünlicht, und mit vielen langen Fasern versehen. Die
nächst an der Erde befindliche Blätter dunkelgrün, schmal
elliptisch, etwas stumpf, acht bis neun Linien lang, und eine
bis zwo Linien breit; sie machen, ihrer grossen Menge wegen,
gleichsam einen dicken Rasen unter sich, aus welchem viele
dünne, etwas rauhe, niederhängende, gemeiniglich in gabelförmige Aeste abgetheilte, und ungefähr einen Schuh lange
Stengel hervorkommen. Die an ihnen sitzende Blätter sind
um vieles schmaler und spitziger, als jene. Auf dem äussersten
Ende eines jeden Stengels oder Asts sitzt eine einzelne Blume.
Die Kelchschuppen laufen von einem eyförmigen Grunde, womit sie sich hart an den Kelch anlegen, gleichsam auf einmal
in eine ziemlich lange Spitze aus. Der Kelch ist lang, cylindrisch, und oben in borstenförmige Einschnitte abgetheilt.
Die Blume ist auf ihrer obern Fläche blasskermesinroth oder
hoch rosenfarbicht, an der untern aber spielt sie ein wenig
ins kupferfarbichte. In der Mitten zeigt sich ein schmaler,
dunkelrother und mit weisslichten Punkten besprengter Kreis.
Mehrere dergleichen Punkte sieht man ausserhalb demselben
auf dem übrigen mittleren [81] Theil der Blumen. Die
Blumenblätter sind länglicht-elliptischer Gestalt, in ungleiche
und spitzige Randkerben eingeschnitten, und an der punktirten
Stelle mit feinen Härchen besetzt. Der Saamenstaub ist blaulicht; die Stigmate weiss und krum gebogen. Die Kapseln
sind schmal und enge, und enthalten ganz kleine, schwarze
Saamen. Es wächsst diese Pflanze sehr häufig in dürrem,
abhängenden Grasboden, und schlägt alle Jahr wieder aufs
neue von der Wurzel aus. Nun folgt die Beschreibung der
aus dieser wilden Gattung, als ♂, erzeugten Bastartnelke.
Ich bekam von dem Saamen des gegenwärtigen Versuchs nur
eine einige Pflanze, die im Monat May 1764 aufgegangen,
den 30sten Jun. in einen Scherben versetzt worden, und den
13ten Sept. zu blühen angefangen. Sie hatte schmalere und
kürzere Blätter, als die ♀, aber breitere und längere, als
die ♂. Der Rand derselben war mit kurzen und etwas
steifen Härchen besetzt, und daher ganz rauh anzufühlen.
Sie trieb in dem ersten Sommer nur noch einen einigen, etwas
rauhen, niederhängenden Stengel, der sich oben mit drey,
ziemlich nahe beysammen stehenden Blumen endigte. Die
Dicke dieses Stengels hielt das Mittel zwischen dem von ♀
und ♂. Die Blume war kermesinroth, in der Mitten mit
einem schmalen, ununterbrochenen, purpurrothen Kreise, und

ausserhalb diesem mit deutlichen, kleinen, weisslichten Punkten bezeichnet, die aber gegen den Rand der Blume hin allmählig unkenntlicher [82] wurden. Die Blumenblätter selbst waren etwas länglichter, als bey ♀, aber rundlichter, als bey ♂. Die Randkerben ungefehr wie bey ♀ und ♂. Es muss diese Bastartpflanze allem Ansehen nach ganz unfruchtbar seyn: denn sie gab, ungeachtet sie nahe bey andern natürlichen Gattungen gestanden, nicht eine einige befruchtete Kapsel.

§ 46.

XLVII. Vers.

Dianth. chinens. ♀.

Dianth. deltoid. ♂.

Ich bestäubte im Aug. 1763 verschiedene Blumen von einer kermesinrothen und mit einem schwarzrothen Kreise bezeichneten Chinesernelke mit der erst beschriebenen, einheimischen Grasnelke, und erhielt von den daraus entstandenen Kapseln nur selten einen, oder höchstens etliche wenige vollkommene Saamen. Ich erzog im darauf folgenden Jahr nur eine einige Pflanze davon, die den 15ten Jul. zu blühen anfieng, nachdem sie zuvor zween Hauptstengel getrieben hatte. Die an denselben befindliche Blätter waren von einer mattgrünen und ziemlich ins graue spielenden Farbe, an Gestalt schmal lanzenförmig; die längsten von ihnen 1", 5''' lang, und da, wo sie am breitesten waren, 2 — 2¼''' breit, und meistentheils alle rückwärts umgebogen. Die Stengel kamen in Ansehung ihrer Farbe mit den Blättern überein, und waren, gleich dieser ihrem Rande, allenthalben mit kurzen weisslichten Härchen [83] besetzt. Sie waren nicht viel dicker, als die von ♂, und daher auch so schwach, dass sie sich niederlegten. Der eine Hauptstengel theilte sich oben in eine Gabel oder in zween Aeste von ungleicher Dicke, deren jeglicher in der Mitten eine Blume zur Seiten, zu äusserst aber ihrer zwo, oder auch nur eine hervorgetrieben hatte. Der Blumenkelch war unten mit zwey paar Blumenschuppen besetzt, die mattgrün, gestreift und am Rande häuticht waren, und in eine ziemlich lange und feine Spitze ausliefen. Der Kelch war 6 — 8''' lang, merklich gestreift, und von einer etwas blassern Farbe, als die Schuppen. Die Blume kermesinroth, in der Mitten mit einem ganz dunkelrothen, etwas breiten, ununterbrochenen und sternförmigen Kreise bezeichnet. Innerhalb diesem Kroise und auch hin und wieder ausserhalb demselben waren einige wenige, weisslichte Punkte eingesprengt, die sich aber nicht sehr merklich auszeichneten. Um eben diese Gegend sah man auch einige sehr zarte, aber ziemlich lange Härchen. Die untere Fläche der Blumenblätter war in der Mitten braunröthlich, zuweilen aber auch blassgelblichtgrün, und um den Rand herum rosenfarbicht. Die Blumenblätter selbst hatten eine fast umgekehrt eyförmige Gestalt, und waren vornen ungleich ausgezackt. Der Saamenstaub spielte ins blaulichte, und bestund grösstentheils aus unvollkommenen, leeren Bälgen. Die Stigmate waren weiss. In Ansehung der Unfruchtbarkeit [84] verhielt sich diese Bastartpflanze gerade eben so, wie die vom nächst vorhergehenden Versuche.

§ 47.

XLVIII. Vers.

Dianth. hort. fl. multipl. prof. purp. ♀.
Dianth. hort. fl. multipl. pall. rubr. ♂.
striis prof. purp. not.

XLIX. Vers.

Dianth. hort. fl. plen. sulph. ♀.
Dianth. hort. fl. simpl. prof. carmes. ♂.

Von der den 8ten Aug. 1763 nach dem XLVIII. Vers. angestellten Vermischung einer vervielfältigten, dunkelpurpurrothen mit einer vervielfältigten, blassrothen und dunkel purpurroth gestreiften Gartennelke sind den letztern Sommer 1765 folgende sechs Varietäten ausgefallen: 1.) 2.) und 3.) gefüllte, einfarbichte, dunkelpurpurrothe; 4.) eine einfache, violetpurpurrothe; 5.) eine einfache blasszinnoberröthliche, und 6.) eine gefüllte, kupferfarbichte, mit dunkleren Streifen. Von dem den 19ten Jul. 1763 gemachten XLIX.Versuche hingegen sind durch die Befruchtung einer gefüllten, schwefelgelben mit einer einfachen, dunkelkermesinrothen Gartennelke nachstehende vier Varietäten erzeugt worden: 1.) eine gefüllte, rosenfarbichte, mit einer kaum merklichen Tinctur von gelber Farbe; 2.) eine gefüllte, einfarbichte, rosenrothe; 3.) eine einfache, blasszinnoberrothe, und 4.) eine gefüllte violetpurpurrothe.

[85] So sicher sich sonst bey denjenigen Bastarten, deren
natürliche Mutter- oder Vaterpflanzen, sie seyn nun verschiedene
Gattungen, oder nur blosse Varietäten, noch auf keinerley
Weise aus der Art geschlagen sind, die mittlere Farbe ein-
zufinden pflegt: so unregelmässig scheint es in diesem Stücke
bey solchen herzugehen, die, wie z. E. die Gartennelken und
mehrere andere Gattungen aus diesem Geschlechte, durch die
Cultur auf eine mannigfaltige Art verändert worden. Es erhellet solches nicht nur aus den gegenwärtigen Beyspielen,
sondern auch vornehmlich daraus offenbar, dass von einer
aufs sorgfältigste mit ihrem eigenen Saamenstaube belegten
Blume dieser Art öfters eine nicht geringe Anzahl ganz verschiedener Sorten entspringen, wie ich aus einer zuverlässigen
Erfahrung versichern kann. Vielleicht giebt die mannigfaltige
Veränderung, die in der Natur fast aller, seit einer langen
Reihe von Jahren her einer widernatürlichen Behandlung und
Lebensart unterworfener Pflanzen und Thiere vorgeht, zu Auf-
hebung des Gleichgewichts bey der ordnungsmässigen Erzeugung nicht nur in Absicht auf die Farbe allein, sondern auch
so gar in Ansehung der Gestalt, Lage, Zahl und Proportion
aller Theile untereinander selbst, eben so viel Anlass, als der
erste ab- oder aufsteigende Grad bey der Bastartzucht. Wenigstens lassen sich viele dergleichen Varietäten und Missgeburten so wohl im Thier- als Gewächsreiche aus der ungleichen Mischung einer Saamenfeuchtigkeit mit [86] der
andern, und aus ihrer wechselsweisen ungleichen Wirkung
und Einflusse auf einander, auf eine ganz ungezwungene
Weise herleiten. Sollte wohl z. E. die grössere oder geringere
Aehnlichkeit der Kinder bald mit ihrem Vater, bald mit ihrer
Mutter, und die denselben zu Theil gewordene grössere oder
geringere Fruchtbarkeit, nebst verschiedenen andern Eigenschaften mehr, einen andern Grund haben? Die Natur der
Thiere und Pflanzen wird gewissermassen bastartartig, so bald
sie sich auf irgend eine Weise von derjenigen Bestimmung
entfernen, zu der sie eigentlich erschaffen worden. Und wer
weiss, ob unter den Menschen selbst eben so gar viele vorkommen, die in diesem Verstande nicht halbe Bastarte sind?

§ 18.

L. Vers.

Dianth. chinens. ♀.
Dianth. Armeria. ♂.*)

Ich belegte den 8ten Jul. 1764 etliche Blumen einer vervielfältigten, hochkermesinrothen, und mit einem etwas schmalen,
ununterbrochenen schwärzlichen Kreise bezeichneten Chinesernelke mit dem Saamenstaub unserer wilden Pechnelke, und
erhielt von einer jeden Kapsel vier bis sechs rothbraune, vollkommene Saamen. Im darauf folgenden Jahr wurden zehn
Pflanzen davon erzogen, die gegen das Ende des Jun. und
zu Anfang [87] des Jul. insgesamt zur Blüte gekommen, und
folgendergestalt beschaffen gewesen. Die Blätter waren etwas
schlapper und spitziger, als bey ♀, aber etwas steifer und
stumpfer, als bey ♂. Eben diese, nebst den Stengeln, Kelchschuppen und Blumenkelchen nicht ganz glatt, wie bey ♀,
sondern nach Art der ♂, etwas haaricht und rauh anzufühlen. Die Stengel waren hie und da purpurfarbicht unterlaufen, steifer, höher, gestreckter und nicht so niederhängend,
als bey ♀, und gaben auch ihre Aeste unter einem spitzigern
Winkel von sich, als eben diese zu thun pflegt. So kamen
auch die Aeste gemeiniglich in grösserer Anzahl aus den
Knoten der Stengel hervor, als bey ♀. Die Blumen sassen
theils einzeln auf den kleinen und jüngsten Seitenästen, mehren-
theils aber waren an den äussersten Enden der Stengel und
Aeste ihrer zwo, drey oder vier in lockern Büscheln beysammen. Doch bestunden diese Büschel niemals aus so vielen
und so nahe an einander stehenden Blumen, als bey ♂.
Die Blumenstielchen waren kürzer, als bey ♀, aber länger,
als bey ♂. Die Kelchschuppen schmaler, spitziger und länger,
als bey ♀, aber nicht so schmal, spitzig und lang, als bey
♂. Der Blumenkelch nicht so gross, bauchicht und glatt, wie
bei ♀, sondern kleiner, mehr cylindrisch und gestreift, wiewohl nicht so stark, als an ♂. Die Blumen waren kleiner,
als bey ♀, aber grösser, als bey ♂, kermesinroth und in
der Mitten mit einem ganz schmalen, dunkelrothen Stern, oder
[88] ausgezackten Kreise bezeichnet, dessen innerer Rand ins
weisslichte fiel. Der übrige Raum innerhalb dem Kreise hatte

---

*) Dianthus *Armeria.* Linn. Sp. Pl. edit. sec. p. 586. n. 3.

eine blassere Farbe. als der äussere grössere Theil der Blumen-blätter, und zeigte eine schwache Spuhr von dreyen nach der Länge hin laufenden Streifen. Der mittlere und am stärksten gefärbte Theil eines jeden Blumenblattes war hie und da mit weisslichten Punkten besprengt und mit etwas dunkleren Adern durchzogen. Was die Gestalt der Blumenblätter anbetrifft: so waren dieselben bey diesen Bastartnelken länglicht-eyförmig. da sie sonst bey ♀ mehr dreyeckicht. und bey ♂ fast lanzen-förmig. oder wenigstens schmal elliptisch sind. Ihr Rand war ungleicher ausgezackt, als bey ♀, aber nicht so gar un-gleich, als bey ♂. Auch die obgedachten weisslichten Punkte waren nicht so deutlich und in einer so grossen Anzahl vor-handen. als bey eben dieser. Die untere Fläche der Blumen innerhalb blassgrünlicht, und gegen den Rand hin kupfer-farbicht. Die Staubfäden kamen bey keiner einigen dieser Pflanzen zum Vorschein. Die Stigmate waren weisslicht. ziemlich gross und oberhalb gemeiniglich schnerkelförmig um-gewunden. Unter allen diesen Bastarten war kein einiger mit einfachen, sondern alle entweder mit doppelten, auch stärker vervielfältigten, oder ganz gefüllten sehr zierlichen Blumen versehen: ein Umstand, der die Wirksamkeit des weiblichen Saamens in Ansehung dieses Punkts abermals ausser allem Zweifel setzt. Uebrigens zeigten sich diese Pflanzen durchgehends von der [89] weiblichen Seite im höchsten Grade unfruchtbar: denn sie setzten, ungeachtet sie den ganzen Sommer über in der Nachbarschaft verschiedener anderer natürlicher Gattungen gestanden, und nicht wenige ihrer Blumen theils mit dem Saamenstaube von ♀ und ♂, theils mit anderer Nelken ihrem von mir selbst aufs sorgfältigste belegt worden, nicht eine einige Kapsel an, woran sich nur die geringste Spuhr einer wahren Befruchtung hätte entdecken lassen.

§ 49.

LI. Vers.

Dianth. plumar. Sibir. ♀.*,
Dianth. chinens. ♂.

Die Mutterpflanze des gegenwärtigen Versuchs ist eine einfarbichte, schneeweisse Federnelke, die der weltberühmte

---

*) Caryophyllus rupestris. floribus profunde fimbriatis. lacteis foliis tenuissimis. Gmel. Mspt. Hall. Hort. Gött. MDCCLIII. p. 156.

D. *Gmelin*, mein ehemaliger aufrichtiger Freund und Lehrer, aus Sibirien mit sich gebracht, und in Europa zuerst bekannt gemacht hat. Es macht diese Pflanze im ersten Jahr einen dicken Busch von sehr feinen, zarten und spitzigen Blättern, aus welchem gemeiniglich erst in dem zweyten ganz dünne, geschlanke, niederhängende und mit wenigen Aesten versehene Stengel hervorkommen. Auf den äussersten Enden dieser Stengel und Aeste sitzen einzelne, ganz schneeweisse [90] und in ziemlich tiefe und spitzige Fransen eingeschnittene Blumen, mit kurzen und stumpfen Kelchschuppen und einem kaum merklich gestreiften, langen, dünnen, cylindrischen Blumenkelche. Der Saamenstaub ist weissgrau, und die Stigmate weiss. Die Saamenkapseln sind, nach Art des Blumenkelchs, lang, dünn und cylindrisch, und enthalten viele kleine, schwarze Saamen. Die ganze Pflanze ist glatt, und von einer mattgrünen Farbe. Ich will diese von vielen Kräuterkennern noch nie gesehene Gattung, zum Unterschied anderer, inskünftige die schneeweisse sibirische Federnelke nennen.

Die zu diesem Versuche genommene ♂ war eine einfache, scharlachrothe und mit einem breiten, ununterbrochenen, schwarzrothen Kreise bezeichnete Chinesernelke. Ich belegte den 15ten Jul. 1764 eine Blume der ♀ mit dieser ♂ ihrem Saamenstaube, und erhielt von der aus dieser Vermischung entstandenen Kapsel gegen zwanzig kleine, schwarze, befruchtete Saamen. Es wurden diese den 11ten April 1765 in ein Mistbeet gesäet, worinn sie in kurzer Zeit alle aufgegangen. Ich versetzte den 7ten Jun. funfzehn dieser jungen Pflanzen in Scherben. Sie fiengen vom 5—15 Jul. alle nach einander an zu blühen, nachdem sie zuvor einen ziemlich starken Busch von Blättern gemacht hatten, der aber gleichwohl dem von ♀ an Dicke noch nicht gleich kam. Die Blätter waren etwas mattgrün, schmal und ganz grasartig, und hielten überhaupt zwischen denen [91] von ♀ und ♂ das Mittel: denn sie waren breiter, kürzer, stumpfer, dichter und von einer etwas frischeren Farbe, als bey ♀; hingegen schmaler, länger, spitziger, dünner, auch mehr gekrümmt, und von einer matteren Farbe, als bey ♂. Die Stengel hatten eine schief aufwärts gerichtete Lage, und waren um vieles dicker, grösser und steifer, als bey ♀; aber niederhängender, und um ein merkliches dünner und geschlanker, als bey ♂. An Grösse schienen sie denen von ♂ wenig oder nichts nachzugeben. Die Blumen stunden einzeln auf

etwas längern Stielchen, als bey ♀, aber auf kürzeren, als
bey ♂. In Ansehung ihrer Lage waren sie nicht so sehr
gegen die Erde gerichtet und niederhängend, als bey ♀,
stunden aber auch mit ihrer Fläche nicht so horizontal, als
die von ♂. In der Grösse zeigten sie, wie überhaupt in
allen Stücken, zwischen denen von ♀ und ♂ gerade das
Mittel. Der Blumenkelch war fast cylindrischer Gestalt
kürzer und dicker, als bey ♀, aber länger, gestreckter und
dünner, als bey ♂. Die Kelchschuppen waren ungleich länger
und stärker zugespitzt, als bey ♀, aber um vieles kürzer,
als bey ♂; und, an statt, dass sie bey ♀ hart an den
Blumenkelche anliegen, und bey ♂ grösstentheils davon abstehen, so stunden sie hier nur mit ihren Spitzen von demselben ab. Die Blumen hatten durchgehends eine angenehme
Fleisch- oder Rosenfarbe, und waren in der Mitten mit einem
etwas schmalen, hochkermesinrothen, meistentheils ununterbrochenen und mit [92] weisslichten Flecken durchsetztet
Kreise, und ausserhalb diesem mit einer schwachen Spuhr
von röthlichen Adern bezeichnet. Es verlohr sich aber die
röthliche Grundfarbe der Blumen bey grosser Hitze, oder
wenn sie sehr lange offen geblieben, nach und nach immer
mehr, und gieng zuletzt in eine weisslichte über. Der Rand
war nicht in blosse Kerben, wie bey ♂, sondern nach Art
der ♀, in etwas lange, schmale und spitzige Fransen eingeschnitten. Die Staubfäden kamen bey allen diesen Pflanze
zum Vorschein, und gaben einen graugrünlichten Saamenstaub
der theils aus vollkommenen, theils aus eingeschrumpften
halb leeren Kügelchen bestund. Die Stigmate waren weisslicht, und um ein merkliches zarter und dünner, als bey ♂.
Es ist sehr merkwürdig, dass alle diese neue Bastartnelker
einen ziemlich hohen Grad einer eigenthümlichen Fruchtbarkeit von beyden Seiten angenommen haben: denn sie setzten
nicht nur von freyen Stücken eine Menge befruchteter Kapseln
an, sondern gaben auch, wenn ich sie mit ihrem eigenen
Saamenstaube, oder mit dem von den Chineser- und Cartheusernelken, reichlich belegt hatte, gemeiniglich zwanzig bis
dreyssig ziemlich grosse, schwarze, vollkommene Saamen. Ja
es wurden so gar bey etlichen mit dem Saamenstaube dieser
Bastarte belegten Chinesernelken die in ihrem Eyerstocke vor-
handenen Saamenbläschen grösstentheils auf das vollkommenste
befruchtet. Die Kapseln dieser Bastartpflanzen waren, nach
Art derer von ♀, fast ganz cylindrisch, [93] dünn und neun

völlige Linien lang. Da diese Bastartpflanze von der ganzen
Anzahl Saamen, die man von den natürlichen zu erhalten
pflegt, ungefehr ein Drittheil aus eigenen Kräften gegeben:
so ist sie nebst einer andern, deren im folgenden (§ 63.)
noch gedacht werden soll, unstreitig die fruchtbarste unter
allen denjenigen, die ich bisher durch meine Versuche heraus-
gebracht und beschrieben habe.

§ 50.

LII. Vers.

Dianth. plumar. Sibir. ♀.
Dianth. glauc. ♂.')

Es scheint die ♂ des gegenwärtigen Versuchs eine blosse
Varietät von der ♂ des XLVI. Vers. § 45. und, woferne ich
mich nicht irre, eben diejenige Gattung zu seyn, die der *Herr
von Linnee* unter vorstehendem Namen verstanden wissen
will. Der ganze Unterschied besteht nur darinn, dass die
Blumen der gegenwärtigen weiss, ohne Punkte, und mit einem
violetkermesinrothen Kreise, die von jener hingegen blasskermesinroth, weisspunktirt und mit einem dunkelrothen Kreise
bezeichnet sind. Ausserdem scheinen auch die Blumenblätter
etwas breiter, stumpfer und mehr dreyeckicht zu seyn, als
bey ebenderselben. Es wächst diese Pflanze schon seit einigen
Jahren her in dem hiesigen botanischen Garten, und schlägt,
gleich jener, alle Jahr [94] wieder von der Wurzel aus. Das
was mich am meisten in dem Gedanken bestärkt hat, dass
diese weisse Grasnelke eine blosse Varietät von der blasskermesinrothen seyn müsse, war diess, dass an einer und
eben derselben Pflanze von der letztern Art, die ich selbst aus
dem von den wilden eingesammleten Saamen erzogen, unter
den rothen zu gleicher Zeit auch zuweilen hie und da einige
weisse ausgefallen sind, die jener ihren vollkommen ähnlich
waren.

Ich belegte den 16ten Jun. 1764 eine Blume von der
sibirischen Federnelke mit dem Saamenstaube der itzt gedachten weissen Grasnelke, und erhielt von dieser Vermischung
gegen vierzehn kleine, schwarze, befruchtete Saamen. Sie

---

*) Dianthus *glaucus*. Linn. Sp. Pl. edit. sec. p. 588. n. 8.

wurden den 11ten Apr. 1765 in ein Mistbeet gesäet, worinn
sie innerhalb zehn Tagen fast alle aufgiengen. Den 7ten Jun.
versetzte ich acht dieser jungen Pflanzen in Scherben. Sie
kamen theils zu gleicher Zeit mit den Pflanzen des nächst
vorhergehenden Versuchs, theils aber auch noch etwas später
zur Blüte. Es machten diese Bastartnelken, ehe sie in Stengel
schossen, einen starken Busch von ganz schmalen, etwas
kurzen und grasartigen Blättern, die in Verhältniss gegen die
von ♀ kürzer, breiter, stumpfer und von einer frischern
Farbe, aber länger, schmaler, spitziger und von einer mattern
Farbe waren, als bey ♂. Die Hauptrippe und der äusserste
Rand der Blätter, nebst dem ganzen Stengel, war, nach Art
der ♂, mit sehr kurzen und etwas steifen [95] Härchen besetzt, und deswegen ein wenig rauh anzufühlen. Die aus
dem Blätterbusche hervorgetriebene Stengel hatten eine ganz
schief aufwärts gerichtete Lage, und waren dicker, um ein
merkliches steifer und mehr niederliegend, als bey ♀, aber
etwas dünner, geschlanker und mehr aufrecht stehend, als
bey ♂. Die Aeste giengen unter einem stumpfern Winkel
von dem Stengel aus, als bey ♀, aber unter einem spitzigern,
als bey ♂. Die Blumen stunden meistentheils schief aufwärts, und richteten sich hierinn nach der Lage und Steifigkeit ihrer Stengel und Aeste: bey ♀ hingegen pflegen sie
der sehr zarten, geschlanken und biegsamen Stengel wegen
mehr niederwärts zu hängen, und bey ♂, der niederliegenden
Stengel ungeachtet, gemeiniglich ganz aufrecht zu stehen.
Die Anordnung derselben war ungefehr wie bey ♀ und ♂:
sie stunden nämlich einzeln auf ziemlich langen Stielen, deren
immer zwey und zwey mit dem allen beyden gemeinschaftlichen Aste oder Stengel, aus welchem sie entsprungen, eine
Gabel machten. Die Blumenschuppen waren breit lanzenförmig, etwas mehr zugespitzt und gestreckter, als bey ♀.
aber stumpfer und kürzer, als bey ♂. Der Blumenkelch
war fast ganz cylindrisch und gestreift, doch nicht so stark,
als bey ♂, kürzer, als bey ♀, aber länger, als bey ♂.
Die Blumen waren schneeweiss, in der Mitten mit einem sehr
schmalen, ausgezackten, violetkermesinrothen Kreise bezeichnet,
und, nach Art der ♀, in etwas tiefe und [96] spitzige Fransen
eingeschnitten. An Grösse hielten sie zwischen denen von ♀
und ♂ gerade das Mittel. Was die Staubfäden anbetrift: so
erinnere ich mich nicht, sie bey irgend einer dieser Blumen
gesehen zu haben; folglich kann ich auch von ihrem Saamen-

staube nichts melden. Die Stigmate waren weiss und gewunden. So fruchtbar die Pflanzen des nächst vorhergehenden Versuchs gewesen, so unfruchtbar waren hingegen diese: sie setzten, ungeachtet sie den ganzen Sommer unter andern fruchtbaren Pflanzen aus diesem Geschlechte gestanden, theils gar keine, theils nur hie und da einige halb befruchtete, taube Kapseln an. Ich fand weder in diesen, noch in mehrern andern, deren Blumen mit verschiedenen natürlichen Gattungen von mir bestäubt worden, einen einigen vollkommenen Saamen. Die beschleunigte Blütezeit so wohl bey diesen, als auch einerseits ♀ bey den Pflanzen des vorhergehenden LI. Vers. trägt zur Bestätigung des schon öfters vorgetragenen Satzes von der stärkern Vegetationskraft der Bastarte abermals nicht wenig bey.

§ 51.

LIII. Vers.

Dianth. { chin. ♀. / hort. ♂. / propr. pulv. consp. } ♀.

Dianth. plumar. Sibir. ♂.

Die ♀ des gegenwärtigen Versuchs war die erstere derjenigen Pflanzen, die aus dem XXXVIII. Vers. [97] entstanden, und § 37. beschrieben worden. Ich bestäubte den 27sten Aug. 1764 zwo ihrer Blumen mit der sibirischen Federnelke, und erhielt durch diese Verbindung von der einen zehn, und von der andern siebenzehn weissgelblichte, und dem äusserlichen Ansehen nach vollkommen befruchtete Saamen. Da ich von sechs andern ihrer Blumen, die um die nämliche Zeit mit dem Saamenstaube einer Gartennelke belegt worden, kaum einen einigen guten Saamen erhalten, so befremdete mich der glücklichere Ausgang dieses Versuchs nicht wenig. Im Jahr 1765 erzog ich von denselben vier Pflanzen, die den 23sten May in Scherben versetzt worden, und im Aug. und Sept. zur Blüte kamen. Die Blätter dieser zusammengesetzten Bastarte machten vor dem Triebe der Stengel einen starken Busch unter sich: sie waren grasartig, ziemlich lang und ganz schmal, von einer etwas derben oder steifen Substanz und von einer matten oder graulichtgrünen Farbe. Eben diese mattgrüne

15 *

Farbe zeigte sich auch an den Stengeln und Blumenkelchen. Die Stengel wuchsen ziemlich aufrecht, und es kamen ihrer nicht wenige bey verschiedenen dieser Pflanzen zur Vollkommenheit; sie waren um ein merkliches geschlanker und dünner, als bey ♀, aber auch um vieles steifer und dicker, als bey ♂. Die Blumenschuppen waren eyförmig, und endigten sich in eine kurze Spitze. Der Blumenkelch war ziemlich lang, und fast ganz cylindrisch. Die Blume rosenfarb, und in der Mitten mit einem [98] unterbrochenen gestreiften, kermesinrothen Kreise bezeichnet, von welchem sich drey ästige blasskermesinrothe Hauptadern über das Blumenblatt ausbreiteten. Der Rand der Blumenblätter war, nach Art der ♂, in etwas tiefe Fransen eingeschnitten. Der Saamenstaub graulicht: die Stigmate weiss, an der äussern oder glatten Fläche aber röthlich. Ueberhaupt kamen diese Blumen in sehr vielen Stücken, besonders was die Farbe und Einschnitte der Blumenblätter anbetraf, mit denen vom LI.Vers. § 49. ziemlich überein. Uebrigens zeigten sich an der ganzen Pflanze so wohl von der beyderseitigen Natur der Bastartmutter ♀, als auch von Seiten der ♂, die deutlichsten Merkmale einer mittlern Aehnlichkeit. Es fanden sich in verschiedenen ihrer Kapseln einige wenige befruchtete Saamen, von denen ich aber nicht zuverlässig melden kann, ob sie ihren Ursprung von ihrem eigenen Saamenstaube, oder von irgend einem fremden aus diesem Geschlechte genommen haben.

§ 52.

LIV. Vers.

Dianth. $\left.\begin{array}{l}\text{chinens. ♀.} \\ \text{superb. ♂.}\end{array}\right\}$ ♀.

Dianth. barbat.   ♂.

Ich erzog von diesem, den 18ten Jul. 1764 angestellten Versuche den verwichenen Sommer 1765 sechs Pflanzen aus zwo verschiedenen Kapseln, [99] die den 22sten May in Scherben versetzt worden, und theils den 20sten Jun. und 12ten Jul. zu blühen angefangen, theils aber auch vor dem Winter nimmer zur Blüte gekommen sind.

Es kamen dieselben in der Hauptsache mit den Pflanzen des XLII. Vers. § 41. überein; unter sich selbst aber waren

sie nicht wenig von einander unterschieden. Die Blätter der
1) und 2) waren ziemlich hellgrün, schmal lanzenförmig, und
nicht viel breiter, als sie sonst bey den chin. ♀, barb. ♂
zu seyn pflegen; die von der 3) und 4) aber schon so breit, dass
sie darinn den erstgemeldeten Bastarten, wenn sie im zweyten
oder dritten aufsteigenden Grade begriffen sind, fast nichts
nachgaben. Die Stengel von der 1) und 2) schienen noch
etwas niedriger zu seyn, als bey dem chin. ♀, barb. ♂;
die von der 3) aber kamen denselben ziemlich bey. Die
Lage der Blumen bey der 1) 2) und 3) war ungefehr eben
so beschaffen, wie bey eben diesen. Eine fast gleiche Bewandtniss hatte es auch mit der Gestalt, Grösse und Farbe
aller Blumentheile. Der Unterschied bestund einig und allein
darinn, dass die Kelchschuppen noch etwas länger, die Einschnitte des Kelchs schärfer zugespitzt, der Kelch selbst nebst
den Kapseln etwas länger und gestreckter, die Blumenblätter
weniger dreyeckicht, sondern, nach Art des superb. noch
einigermassen rautenförmig, ihre Randkerben etwas tiefer und
spitziger zugeschnitten, und die Blumen überhaupt ein wenig
grösser gewesen. Die Farbe der Blumenblätter [100] war
bey der 1) kermesinroth, mit drey dunkleren Hauptadern,
zwischen denen sich blasskermesinrothe Punkte zeigten; die
von der 2) grösstentheils weisslicht, in der Mitten mit violetkermesinrothen, zusammenfliessenden Punkten besprengt; und
die von der 3) hellkermesinroth, in der Mitten hochkermesinroth, und auf eben dieser Stelle mit weissen Punkten und
Flecken durchsetzt. Der Saamenstaub fiel ins blaulichte. Die
Saamenkapseln von der 1) und 2) schienen zwar, dem äusserlichen Ansehen nach, befruchtet zu seyn, enthielten aber nur
blosse leere Keime: eine einige Kapsel von der 1) ausgenommen, in welcher ich einen einigen schwarzen, vollkommenen
Saamen angetroffen. Die 3) Pflanze schien ebenfalls an sich
selbst unfruchtbar zu seyn: denn ihre erstern Kapseln waren
gleichfalls ganz taub, die letztern aber, die zur Blütezeit der
in der Nachbarschaft gestandenen Chinesernelken erwachsen,
enthielten nicht selten sechs bis acht befruchtete Saamen.
Die 4) Pflanze hatte zwar auch noch in eben diesem Sommer
ihre Stengel getrieben, brachte sie aber vor dem Winter nimmer
zur Blüte. Diese vier Pflanzen waren alle von einer Kapsel;
die nun folgende 5) und 6) hingegen von einer andern. Beyde
kamen in Ansehung ihrer breiten Blätter mit der 3) und 4)
überein. Die eine erreichte im ersten Jahr ihre Blütezeit

nicht mehr; die andere aber blühete zu gleicher Zeit mit
den übrigen: ihre Blumen waren hellkermesinroth, in der
Mitten mit drey dunkleren Hauptadern und [101] zwischen
denselben mit kaum merklichen weisslichten Punkten bezeichnet.
Die meisten ihrer Kapseln waren ebenfalls leer, einige wenige
aber mit etlichen befruchteten Saamen versehen.

Es erhellet aus der nicht geringen Verschiedenheit dieser
Pflanzen zur Genüge, dass sich bey der Erzeugung derselben
die Saamenfeuchtigkeiten auf eine ziemlich ungleiche Art mit
einander vermischt haben, und der einfache männliche Saamenstoff über den zusammengesetzten weiblichen bey verschiedenen
von ihnen wirklich das Uebergewicht bekommen. Ein ähnliches Beyspiel hievon ist in der Forts. der Vorläuf. Nachr.
§ 19. XVIII. Vers. S. 32. etc. zu finden.

§ 53.

LV. Vers.

Dianth. $\left.\begin{array}{l}\text{barbat.} \;\; \female. \\ \text{chinens.} \;\; \male. \end{array}\right\} \female.$

Dianth. chinens. $\male$.

Ich belegte den 11ten Jul. 1764 eine Blume von der
Bastartmutter des gegenwärtigen Versuchs mit dem Saamenstaube einer einfachen, hochkermesinrothen und mit einem
schwärzlichen Kreise bezeichneten Chinesernelke, und erhielt
von dieser Vermischung dreyzehn schwarze, vollkommene
Saamen. Es wurden im darauf folgenden Jahr 1765 zwo
Pflanzen daraus erzogen. Beyde hatten schon ziemlich schmale,
und mattgrüne Blätter, halb liegende Stengel, stumpfere, dickere
[102] Kelchschuppen, und grössere und weiter·von einander
abgesonderte Blumen, als unter ihrer ersten Bastartgestalt.
Die Blumen der 1) waren in der Mitten hochkermesinroth,
gegen ihren ganz weissen Rand hin mit Adern von gleicher
Farbe geziert, und an der gewöhnlichen Stelle mit einem
schwarzrothen, schmalen und halb unterbrochenen Kreise versehen. Die von der 2) aber hochscharlachroth, mit etwas
dunklern Adern durchzogen, und mit einem schwarzrothen
unterbrochenen Kreise, zuweilen aber auch nur, statt dessen,
auf einem jeden Blumenblatte mit drey länglichten Flecken
von gleicher Farbe bezeichnet. Uebrigens war die 1) von der

2) ausser der Farbe auch noch darinn unterschieden, dass ihre Blumen meistentheils schon einzeln, der andern ihre hingegen noch einigermassen Büschelweise beysammen gestanden. In Ansehung der Fruchtbarkeit schienen sie eher ab- als zugenommen zu haben: denn es erfolgte bey verschiedenen ihrer Blumen, die ich aufs neue wieder mit dem Saamenstaube der Chinesernelke belegt hatte, nur eine blosse Afterbefruchtung: indessen war ich doch so glücklich, durch eben diesen Versuch von einer Kapsel der 1) eilf kleine, bräunlichte, vollkommene Saamen zu erhalten.

Die Verschiedenheit dieser beyden Pflanzen unter einander selbst dient zu fernerer Bestätigung der schon öfters vorgetragenen Wahrheit, dass die Vereinigung der Saamenstoffe bey Erzeugung der Bastarte im ersten ab- oder aufsteigenden [103] Grade bey weitem nicht mit der Regelmässigkeit und Gleichförmigkeit geschieht, als bey der ersten ursprünglichen Bastarterzeugung; die grosse Aehnlichkeit derselben aber, wodurch sie sich unter dem gegenwärtigen Stande ihrer Vaterpflanze bereits genähert haben, und ihre glücklich erfolgte nochmalige Befruchtung mit eben dieser lässt mich zuversichtlich hoffen, die Cartheusernelken mit der Zeit in wahre Chinesernelken verwandelt zu sehen.

§ 54.

LVI. Vers.

chinens. ♀ .
Dianth. hortens. ♂
superb.

Dianth. superb. ♂.

Es ist unter § 42. XLIII. Vers. die Anzeige geschehen, dass ich die ♀ des gegenwärtigen Versuchs aufs neue wieder mit der ♂ verbunden, und von dieser Vermischung vier schwarze, vollkommene Saamen erhalten hätte. Von diesen erzog ich den letztern Sommer 1765 drey Pflanzen, die den 5ten Jun. in Scherben versetzt worden. Zwo derselben kamen in diesem Jahr nimmer zur Blüte; die dritte aber fieng den 21sten Aug. an zu blühen. Die Blätter dieser Pflanze waren lang, schmal, grasartig, von einer ziemlich derben Substanz und einer etwas matten, dunkelgrünen Farbe. Ein jegliches derselben bildete mit seinen aufwärts gebogenen Seiten und

unten merklich hervorragenden [104] Hauptrippe gleichsam
eine Rinne. Sie trieb noch vor dem Spätjahr sieben Hauptstengel von verschiedener Stärke und Grösse, die eine gran-
lichte oder mattgrüne Farbe hatten, und nur mit wenigen
Blumen besetzt waren. Die Kelchschuppen waren oval, und
endigten sich gleichsam auf einmal mit einer kurzen Spitze,
fast wie bey der ♂. Der Blumenkelch war sehr lang, walzenförmig, etwas dünner und weniger merklich gestreift, auch
mit schmaleren Einschnitten versehen, als bey den chinens. ♀.
superb. ♂. Die Blumen waren auch schon um ein merkliches
grösser, an Farbe blassvioletröthlich, und bereits in ungleich
feinere und tiefere Fransen eingeschnitten, als bey eben diesen.
So war auch der innere Theil der Blumenblätter schon viel
schmaler, als er unter jener ersten Bastartgestalt zu werden
pflegt, und es zeigten sich auf demselben bereits sehr starke
Spuhren von der den ♂ eigenen blassgrünlichten und mit
vielen braunrothen, etwas steifen Haaren besetzten Stelle.
Der Saamenstaub war weisslicht, und bestund grösstentheils
aus vollkommenen Kügelchen. Die Kapseln waren nach erfolgter Reife 9 — 10''' lang, und gaben so wohl von freyen
Stücken, als auch in dem Falle, wenn ich die Blumen mit
ihrem eigenen Saamenstaube selbst belegt hatte, gemeiniglich
gegen zwanzig schwärzliche, vollkommene Saamen.

Man sieht aus dieser ganzen Beschreibung zur Genüge,
dass sich diese Pflanze der ♂ nicht allein um sehr vieles genähert, sondern auch unter [105] diesem ihrem ersten aufsteigenden Grade eine nicht geringe eigenthümliche Fruchtbarkeit angenommen. Sie wird sich daher auch aller Wahrscheinlichkeit nach durch eine noch etlichemal zu wiederholende
Befruchtung mit der ♂ endlich mit der Zeit in eine wirkliche Federnelke dieser Art verwandeln lassen.

§ 55.

LVII. Vers.

barbar. ♀.

Dianth. ☿.

chinens. ♂.

propr. pulv. consp.

Ich erhielt im Jahr 1764 von einer, mit ihrem eigenen
Saamenstaube befruchteten Bastartnelke des XXIX. Vers. § 28

eine ganz geringe Anzahl grosser, schwarzer, vollkommener
Saamen, und erzog in darauf folgenden nachstehende drey
Pflanzen aus denselben: die 1) war noch eben so, wie unter
ihrem vorigen Stande, beschaffen, ausgenommen, dass die
Punkte sich fast gänzlich bey ihr verlohren, und dagegen eine
schwache Spuhr von einem sehr schmalen Kreise sich eingefunden hatte; wodurch sie sich den Chinesernelken in etwas
genähert zu haben schien. Die 2) war eine zwergartige
Pflanze, mit purpurrothen und blasspunktirten Blumen. Sie
stunden nicht nur um ein merkliches enger und in stärkern
Büscheln beysammen, sondern waren auch kleiner, als unter
ihrer ersten Bastartgestalt, und [106] hatten folglich mit ihrer
ursprünglichen Mutter, der Cartheusernelke, offenbar mehr
Aehnlichkeit, als zuvor. Die Blumen der 3) waren hochscharlachroth, mit vielen etwas blassern Punkten durchsetzt,
und mit einer schwachen Spuhr eines schmalen, unterbrochenen
Kreises bezeichnet; übrigens aber in Ansehung ihrer geringen
Grösse und engern Lage ungefehr von gleicher Beschaffenheit
mit der zweyten.

Eine nicht geringere Verschiedenheit herrschte auch unter
etlichen Pflanzen von dem umgekehrten Versuche (zweyt.
Forts. § 26. S. 106.) die im Jahr 1764 aus dem Saamen
erzogen worden. Es hatte z. B. eine derselben ganz weisse
Blumen, mit etlichen kurzen, purpurröthlichen Adern. Zwo
andere waren mit ungleich breiteren Blättern versehen, als
unter ihrer vorigen Bastartgestalt, und kamen das erstere
Jahr nimmer zur Blüte: beydes scheint nicht undeutlich zu
erkennen zu geben, dass der Saamenstoff der Cartheusernelken
über den Saamenstoff der Chinesernelken die Oberhand gewonnen. Ein gleiches muss auch bey der Erzeugung der
erst angezeigten 2) und 3) Pflanze geschehen seyn. Von dem
gegenseitigen Falle hingegen haben wir, ausser den eben noch
nicht gar viel bedeutenden Kreisspuhren, bisher noch keine
überzeugende Kennzeichen. So viel ist indessen ganz klar,
dass es bey der Selbstbefruchtung solcher Bastarte ziemlich
ungleich und unordentlich hergehen muss; ja es scheint so
gar, als wenn dadurch bisweilen ein [107] Grund zu Missgeburten gelegt würde; wie aus der zwergartigen Statur der
2) Pflanze des gegenwärtigen, und der beyden Bastarte des
XXXVIII. Vers. § 37. erhellet.

§ 56.

Ich nehme bey dieser Gelegenheit Anlass, mich über das
bey der Erzeugung so wohl natürlicher als ursprünglicher
Bastartpflanzen angenommene, Gleichgewicht etwas näher
zu erklären. Es giebt meines Erachtens nur zween Haupt-
fälle, bey denen es in dem allerstrengsten Verstande
statt findet : nämlich 1· bey der Erzeugung ganz natürlicher
oder noch im geringsten nicht ausgearteter Pflanzen ; 2) bey
der Erzeugung ursprünglicher und von beyden Seiten im
höchsten Grade unfruchtbarer Bastarte. In jenem Falle sehe
ich die grösste mögliche Fruchtbarkeit,· in diesem aber die
grösste mögliche Unfruchtbarkeit als eine natürliche Folge
und unausbleibliche Wirkung davon an. Vielleicht wäre dieser
beyden noch ein 3) Fall, von einer Bastartzeugung beyzufügen. der ohne Zweifel schon eine grosse Aehnlichkeit zwischen
den natürlichen voraussetzt : wenn nämlich eine daraus entstandene Bastartpflanze von beyden Seiten noch einen gewissen.
und zwar gleich grossen Grad der Fruchtbarkeit besitzt. In
diesem Falle werden die durch die Selbstbefruchtung erhaltene
Bastarte grösstentheils aufs neue wieder von beyden Seiten
gleich viel Aehnlichkeit mit ihrer Mutter- und Vaterpflanze
[108] haben, theils aber auch wegen der ungleichen Mischung,
die insgemein bey diesem Versuche vorzugehen pflegt, eine
grössere Aehnlichkeit mit ihrer Mutterpflanze, theils eine
grössere Aehnlichkeit mit ihrer Vaterpflanze, als sie zuvor
unter ihrem ersten Bastartstande gezeigt, annehmen. Im
weitläuftigen Verstande hingegen nehme ich dasselbe
1) bey natürlichen, aber schon mehr oder weniger aus der
Art geschlagenen Pflanzen ; 2 bey ursprünglichen, einfachen
Bastarten, die von einer oder der andern Seite, oder von
beyden zugleich, aber in einem ungleichen Verhältnisse, noch
einen gewissen Grad der eigenthümlichen Fruchtbarkeit besitzen ; 3) bey zusammengesetzten Bastarten, denen ebenfalls
von der einen oder andern Seite, oder von beyden zugleich,
aber in einem ungleichen Verhältnisse, ein gewisser Grad der
eigenthümlichen Fruchtbarkeit zu Theil geworden. In dem
ersten dieser Fälle wird den Pflanzen an der grössten möglichen Fruchtbarkeit etwas abgehen, das ist, sie werden entweder von der weiblichen oder männlichen Seite, oder auch
von beyden zugleich, einen gewissen, obgleich in Verhältniss
gegen die andern Fälle, nur sehr geringen Grad der Unfruchtbarkeit zeigen, der mit der Abart einer jeden Pflanze, als

der wirkenden Ursache, in einer bestimmten Proportion stehen wird. In dem zweyten und dritten Falle hingegen ist der noch übrig gebliebene Grad der Fruchtbarkeit als eine Folge und Wirkung von dem nicht ganz vollkommenen Gleichgewichte, oder, [109] welches einerley ist, von dem geringen Uebergewichte eines oder des andern Saamenstoffs anzusehen. Ist das Uebergewicht auf der weiblichen Seite, nämlich bey der Mutter, sie sey nun eine natürliche, oder bereits eine Bastartpflanze, gewesen: so werden die aus einem solchen mit sich selbst befruchteten Bastarte zu erziehende Pflanzen gemeiniglich eine grössere Aehnlichkeit mit ihrer Mutter annehmen, als sie unter ihrer ersten Bastartgestalt angenommen. Hat aber das Uebergewicht bey der männlichen Seite, nämlich bey dem Vater, er sey nun auch eine natürliche, oder bereits eine Bastartpflanze, statt gefunden: so werden die aus einem solchen mit sich selbst befruchteten Bastarte zu erziehende Pflanzen meistentheils eine grössere Aehnlichkeit mit ihrem Vater zeigen, als sie unter ihrer ersten Bastartgestalt gezeigt hatten. Was den grössern oder geringern Grad der, einer einfachen oder zusammengesetzten Bastartpflanze noch übrig gebliebenen, Fruchtbarkeit und aufs neue erworbenen höhern Aehnlichkeit anbetrift: so wird derselbe mit der Grösse des bey der Erzeugung statt gefundenen Uebergewichts in einem angemessenen Verhältnisse stehen. Es sind alsdenn dergleichen aus der Selbstbefruchtung eines Bastarts erzogene Pflanzen gewissermassen schon als Bastartpflanzen im ersten ab- oder aufsteigenden Grade anzusehen, die sich, bey fortgesetzter wiederholten Selbstbefruchtung, aller Wahrscheinlichkeit nach, endlich aus eigenen Kräften entweder in Mutter- oder Vaterpflanzen [110] werden verwandeln lassen. Uebrigens stehen alle diese Fälle mit der grössern oder geringern Aehnlichkeit und Verwandtschaft, die die natürlichen Pflanzen, oder ihre Varietäten, untereinander haben, in der genauesten Verbindung, wie bereits schon an einem andern Orte (Forts. der Vorläuf. Nachr. S. 55.) erinnert worden.

Woran lässt sich aber die gänzliche Unfruchtbarkeit einer Bastartpflanze, oder der noch übrig gebliebene Grad der Fruchtbarkeit derselben dem äusserlichen nach erkennen? Die Sache hat von der männlichen Seite keine sonderliche Schwierigkeit: denn, wenn der Saamenstaub aus lauter eingefallenen, leeren Bälgen besteht: so kann man auf die gänzliche Unfruchtbarkeit von dieser Seite einen ziemlich sichern Schluss machen.

Sieht man hingegen, dass unter den schlechten noch ei
mehr oder weniger beträchtliche Auzahl guter, vollkommen
Stäubchen vorkommt: so ist an einem gewissen Grade d
Fruchtbarkeit von eben dieser Seite im geringsten nicht z
zweifeln. Hingegen fehlt es uns von der weiblichen Seite a
äusserlichen Kennzeichen gänzlich; es kann daher auch d
grössere oder geringere Vollkommenheit des weiblichen Saamets
oder die gänzliche Unvollkommenheit desselben nicht ander:
als durch Versuche, bestimmt werden.

Ich habe die gänzliche Aehnlichkeit der Bastarte mi
denen vom umgekehrten Versuche bisher als ein untrüglicher
Kennzeichen des Gleichgewichts zwischen beyderley Saamenstoffen angegeben; man muss aber diesen Satz in einem eingeschränkten [111] Verstande nehmen. Es beweisst zwar die
gedachte wechselsweise Aehnlichkeit unumstösslich, dass in
beyderley Fällen überhaupt die nehmliche Proportion in Vermischung der Saamenstoffe beobachtet, keinesweges aber, das
in einem jeden Falle ins besondere dem Maasse oder der Wirksamkeit nach von einem jeden Saamenstoffe gleichviel bey der
Erzeugung angewendet worden. Ich will die Sache durch
ein Exempel erläutern: es sey A der weibliche, B der männliche Saame einer gewissen natürlichen Pflanze, und a der
weibliche, b der männliche Saame einer andern mit jener nahe
verwandten Gattung, auch beyderley Saamenstoffe durchgängig
von gleicher Wirksamkeit. Nun setze man, es werden in dem
einen Falle von A 10 und von b 9 Theile, in dem andern
umgekehrten aber 9 von a und 10 Theile von B bey der
Erzeugung angewendet: so wird in beyden Fällen die Summe
dieser beyderseitigen Theile 19, und folglich die daraus entstandene Pflanzen einander vollkommen ähnlich seyn; in einem
jeden ins besondere aber sich A zu b, wie 10 zu 9, und a
zu B, wie 9 zu 10 verhalten, und also in dem ersten der
weibliche Saame A über den männlichen b, und in dem andern
der männliche Saame B über den weiblichen a das Uebergewicht haben. Oder man nehme an, dass 10 Theile von
einer blauen und 9 von einer gelben Farbe mit einander vermischt werden: so wird eine dritte, nämlich eine grüne Farbe,
und zwar in einem gewissen bestimmten Grade, herauskommen,
[112] ich mag nun die blaue mit der gelben, oder die gelbe
mit der blauen vermischt haben. Es wird aber diese grüne
Farbe desswegen nicht gerade vollkommen das Mittel zwischen
den beyden Grundfarben halten, und folglich von derjenigen

noch unterschieden seyn. die herauskommt, wenn man von einer jeden 10 Theile mit einander vermischt hat. Hiebey muss man aber wieder voraussetzen, dass beide Grundfarben von gleicher Wirksamkeit seyn: denn, wenn z. E. die gelbe um $\frac{1}{10}$ wirksamer wäre, als die blaue: so würde in dem gegebenen Falle, der ungleichen Proportion in der Masse ungeachtet. dennoch eine mittlere Farbe herauskommen. zu der eine jede dieser Grundfarben der Wirksamkeit nach gleich viel beygetragen. Hingegen würde auch bey eben diesem Umstande in dem Falle, wenn von einer jeden 10 Theile genommen worden wären, eine grüne Farbe entstehen, bey der das gelbe über das blaue die Oberhand hätte.

§ 57.

Es sind im Jahr 1764 ausser den bisher beschriebenen Bastartnelken auch noch verschiedene andere erzogen worden, deren hier nur mit wenigen Worten gedacht werden soll.

Ich erhielt von der Vermischung einer, in der zweyt. Forts. § 23. XXXV. Vers. unter I) angegebenen Bastartnelke im ersten absteigenden Grade als ♀, und einer Cartheusernelke als ♂, zwo Pflanzen. Eine derselben hatte sich die ♂ wieder um ein merkliches genähert, und schien unter [113] dieser Gestalt alle Fruchtbarkeit verlohren zu haben; die andere aber war von der chin. ♀, barb. ♂ nicht merklich unterschieden. Aus den von freyen Stücken entstandenen Saamen der erstgedachten Bastartnelke im ersten absteigenden Grade wurden drey Pflanzen erzogen, die den Chinesernelken an Aehnlichkeit und Fruchtbarkeit wenig oder nichts mehr nachgegeben. Eine fast gleiche Bewandtniss hatte es mit acht andern, die ich aus dem von freyen Stücken entstandenen Saamen des umgekehrten Versuchs (zweyt. Forts. § 25. XXXVII. Vers.) erhalten. Eine aus dem XXXVII. Vers. der zweyt. Forts. § 24. als ♀ und dem barb. als ♂ entstandene Pflanze hatte sich in Ansehung ihrer Aehnlichkeit und Fruchtbarkeit den Cartheusernelken noch um ein merkliches mehr, als unter ihrem ersten aufsteigenden Grade, genähert. Siebenzehn chin. ♀, barb. ♂ (Forts. der Vorläuf. Nachr. § 20. XIX. Vers.) und vier $\begin{array}{c}\text{chin. } ♀.\\ \text{barb. } ♂.\end{array}$ ♀ . chin. ♂.

(zweyt. Forts. § 23. XXXV. Vers.) kamen mit den ehedem beschriebenen in der Hauptsache gänzlich überein. Zwo vom letztern Versuche, zu dem diessmal eine vervielfältigte Chineser-

nelke, als ♂, genommen worden, gaben ebenfalls halb gefül-
Blumen. So habe ich auch von dem XXXIX. Vers. der zwey
Forts. und von dem XXXIX, XLIII, XLVI, XLVII. Ver
dieser dritt. Forts. von einem jeden noch eine oder etlic.
Pflanzen bekommen; sie wurden mir aber, da sie kaum [114]
in dem zu ihrer Aussaat genommenen hölzernen Kästeln,
aufgegangen waren, nebst mehrern andern von den Mäu-
abgefressen. Durch eben diesen Zufall sind mir auch
Jahr 1765 einige ganz neue, theils einfache, theils zusammengesetzte Bastartnelken, worunter auch ein aus der sibirisch-
Federnelke als ♀, und einer Gartennelke, als ♂, erzogen
Bastart gewesen, zu Grunde gegangen. Ich werde aber ihre
Verlust wieder zu ersetzen trachten, und sie nebst versch-
denen andern neuen Gattungen, die den letztern Sommer no
nicht zur Blüte gekommen, ins künftige beschreiben.

§ 58.

Es ist in der zweyt. Forts. § 33. gemeldet worde:
dass die im Jahr 1763 aus der wechselsweisen Vermischun
des Hibisc. Manih.*) und Hibisc. vitifol.**) entstandene Pflanz-
denselbigen Sommer nimmer zur Blüte gekommen. Ich er-
daher im Jahr 1764 von dem XLIII. Vers. aufs neue sieb-
und von dem XLIV. vier Pflanzen, die alle noch zu rech:
Zeit zu blühen angefangen. Sie zeigten abermals in all-
Stücken, und zwar auch in Ansehung der verschieden-
Grösse ihrer Blumen, zwischen ihren Eltern die mittlere Aehnlichkeit, und gaben denselben an Fruchtbarkeit im gerings-
nichts nach. Es ist demnach ganz klar, dass ersterwähn-
beyde Pflanzen [115] keine verschiedene Gattungen, wofi
sie doch bisher von den neuern Kräuterverständigen ang-
geben worden, seyn können, sondern eine von ihnen als ein
blosse Varietät von der andern anzusehen ist.

§ 59.

LVIII. Vers.

Datura ferox, fl. alb. ♀. ***)
Datura Tatula, fl. viol. ♂.

Von diesem schon im Jahr 1762 angestellten Versuch

*) Linn. Sp. Pl. edit. sec. p. 980. n. 17.
**) Linn. l. c. p. 980. n. 21.
***) Linn. l. c. p. 255. n. 1.

erzog ich drey Pflanzen. Ihre Blumen waren weisslicht-violet,
mit fünf dunklern Strichen, und zeigten zwischen der ungleich
kleinern von ♀ und grössern von ♂ die mittlere Grösse.
Der Saamenstaub bestund grösstentheils aus eingeschrumpften
Bälgen, indessen waren doch auch ganz vollkommene Kügelchen,
und zwar in einer nicht geringen Anzahl. darunter anzutreffen.
Viele dieser Blumen fielen unbefruchtet ab; doch setzten auch
nicht wenige derselben Kapseln an, worinn ich zuweilen dreyssig
bis vierzig vollkommene Saamen gefunden, deren Befruchtung
theils durch ihren eigenen Saamenstaub, theils aber auch durch
einige in der Nähe gestandene ♂ geschehen seyn mag. Es
ist diese Anzahl gegen die von eben dieser natürlichen Gattung sehr gering; indem ihre Kapseln öfters gegen achthundert
Saamen zu geben pflegen. Uebrigens waren die Stacheln, womit die Kapseln dieser ächten [116] Bastarte besetzt gewesen,
etwas kleiner, als bey ♀, aber grösser, als bey ♂. Der
merklich grosse Grad der Unfruchtbarkeit dieser Pflanzen
dient also hier zu einem offenbaren Beweise, dass die Kräuterkenner ihre Eltern mit allem Rechte als zwo verschiedene
Gattungen angenommen.

§ 60.

LIX. Vers.

fl. rub. ♀.
Ialap.   ♀.
fl. flav. ♂.

Ialap. fl. flav.   ♂.

Ich erzog im Jahr 1764 von dieser Bastartvarietät im
ersten aufsteigenden Grade drey Pflanzen. Die gelbe Farbe
stach bey ihnen um ein merkliches stärker vor. als unter
ihrem vorigen Stande.

§ 61.

LX. Vers.   ### LXI. Vers.

Cheiranth. incan. ♀.   Cheiranth. ann. ♀.
Cheiranth. ann. ♂.   Cheiranth. incan. ♂.

Da mir der wesentliche Unterschied, den man zwischen

---

*) Linn. Sp. Pl. edit. sec. p. 924. n. 6.
**) Linn. l. c. p. 925. n. 7.

den Winter- und Sommerlevcoyen zu finden glaubt, immer
verdächtig vorgekommen: so entschloss ich mich, diese bisher
zweifelhaft gebliebene Sache durch den Verbindungsversuch
gänzlich zu entscheiden. Zu dem Ende stellte ich [117] im
Jahr 1763 eine wechselsweise Vermischung bey ihnen an,
und erhielt durch dieselbe von beyden Seiten vollkommen befruchtete Kapseln. Im darauf folgenden Jahr erzog ich von
einer jeden ins besondere zwo, überhaupt aber von dem
LX. Vers. zwölf und von dem LXI. sechs Pflanzen. Sie kamen
durchgehends in allen Stücken mit einander überein. Die
mittlere Natur verrieth sich bey ihnen vorzüglich dadurch,
dass sie früher und stärker zu blühen anfiengen, als die Winter-
levcoyen im ersten Jahr zu thun pflegen, und hingegen ihre
Blumen später und nicht in der vollständigen Anzahl hervor-
brachten, als es sonst die Art der Sommerlevcoyen mit sich
bringt. Mit einem Worte, die Seitentriebe blühten gänzlich
ab, und es fehlte nicht viel, so wäre auch der Haupttrieb
noch zur Blüte gekommen; welches aber erst im Jahr 1765,
und zwar ziemlich früh, geschehen ist. Uebrigens waren sie
so fruchtbar, als jene beyde Arten nur immer seyn können.
Ich erhielt von ihnen noch im ersten Sommer eine Menge der
vollkommensten Kapseln und Saamen, die den darauf folgenden
Winter in einem kalten Gewächshause vollends ihre gehörige
Reife erreicht' haben. Es wird also, kraft dieser ganz ent-
scheidenden Probe, einer oder der andern jener beyden Pflanzen,
ihrer ungleichen Dauer und anderer kleinen Verschiedenheiten
ungeachtet, ins künftige ein Platz unter den Varietäten angewiesen werden müssen.

[118]   § 62.

LXII. Vers.

Sida crist. min. ♀.*)

Sida crist. maj. ♂.**)

Ich belegte den 1sten Aug. 1763 eine Blume von ♀
mit dem Saamenstaube der ♂. Die Befruchtung gieng ganz

---

*) Abutilon americanum, flore coeruleo. Hall. Hort. Gött.
MDCCLIII. p. 12. Linn. Sp. Pl. edit. sec. p. 964. n. 21. β. Althaea
indica, flore coeruleo, minimo. Bross.
**. Abutilon Lavaterae folio, fructu cristato. H. Elth. T. 2. f. 2.
Hall. Hort. Gött. l. c. Linn. l. c. n. 21.

glücklich von stattten. Im darauf folgenden Jahr wurden vier Pflanzen von diesem Versuche erzogen, die nicht nur in Ansehung der Farbe, Gestalt und Grösse aller Theile, sondern auch in Absicht auf die kleinere Anzahl Saamen von ♀, und die grössere von ♂, die mittlere Proportion gehalten. Die Fruchtbarkeit derselben ist demnach ein sicheres Kennzeichen, dass die beyden natürlichen, von denen sie erzeugt worden, keine verschiedene Gattungen sind, und daher von dem *Herrn von Linnee* ganz recht unter eine zusammengezogen worden.

§ 63.

LXIII. Vers.

Cucurb. ind. min. ♀.[*])
Cucurb. Pepo max. ♂.[**])

Die ♀ war eine ganz kleine, rundlichte, weissgelblichte Kürbse, von der Grösse eines borsdorfer [119] Apfels, mit wenigen, sehr kleinen Saamen; die ♂ hingegen eine sehr grosse, rundlichte, gelbe, gemeine Kürbse, mit vielen, sehr grossen Saamen. Ich befruchtete im Jahr 1763 jene mit dieser, und erzog im darauf folgenden von diesem Versuche zwo Pflanzen. Sie waren vollkommen fruchtbar, und ihre Blätter, Blumen, Früchte und Saamen von mittlerer Grösse, Farbe und Anzahl zwischen ♀ und ♂. Man sieht also wohl, dass diese hier angegebene Varietäten dem Wesentlichen nach eben so wenig von einander unterschieden sind, als ein Schooshündchen von einer englischen Dogge, und folglich beyde, nebst einer Menge anderer Sorten, unter eine Gattung gehören.

§ 64.

LXIV. Vers.   ### LXV. Vers.

Aquileg. vulg. ♀.[a)]   Aquileg. canad. ♀.
Aquileg. canad. ♂.[b)]   Aquileg. vulg. ♂.

Die zu den gegenwärtigen Versuchen genommene euro-

---

*) Pepo fructu minimo, sphaerico. Tourn. 105. Boerh. II. 78. an?
**) Pepo vulgaris. Tourn. 105. Boerh. II. 78. Cucurbita. *Pepo.* Linn. Sp. Pl. edit. sec. p. 1435. n. 2.
a) Linn. Sp. Pl. edit. sec. p. 752. n. 1.
b) Linn. l. c. n. 3.

päische Garten-Ackeley war violet, und hatte fünf Blumen-
und etliche Reihen Nectar-Blätter; die amerikanische aber,
wie gewöhnlich, roth, in der Mitten gelb, und einfach. Es
unterscheidet sich diese von jener noch ausser der Farbe
durch ihre zartere Structur, feiner eingeschnittene Blätter,
längere und schmalere Blumen, längere [120] und gerader
ausgestreckte Nectarhörner, und merklich kleinere Saamen.
Den 20. Jun. 1763 machte ich den LXIV. Vers. an acht,
und den LXV. an zwo Blumen, und erhielt von dieser wechselsweisen Vermischung eine ziemliche Anzahl befruchteter Saamen.
Im darauf folgenden wurde von einer jeden Kapsel etwas weniges ausgesäet, und von dem ersten Versuche zwanzig, und
von dem andern zehn Pflanzen erzogen. Sie kamen insgesammt im May 1765 zur Blüte, und waren in dem Stande
ihrer Vollkommenheit folgendermassen beschaffen.

LXIV. Vers.) Fünf Pflanzen mit gelbröthlichen, oder vielmehr kupferfarbichten, stark vervielfältigten Hörnerblumen.
Die fünf eigentlichen Blumenblätter waren von einer etwas
dunklern Farbe, als die von der andern Art, um ein merkliches kleiner, als sie sonst zu seyn pflegen, und schlugen
sich zwischen den nach einer Spirallinie umgewundenen Nectar-
hörnern durch. Die Anzahl der Nectarblätter belief sich bey
einer jeden Blume insgemein auf funfzig. Es stecken ihrer
immer fünf in einander, und schienen dem äusserlichen Ansehen nach nur in ein Horn auszulaufen, in der That aber
war es aus fünf andern in einander geschobenen Hörnchen
zusammengesetzt, und folglich ein jedes Nectarblatt mit einem
eigenen Horn versehen. Es fand sich auch in dem Grunde
eines jeden Hörnchens eine kleine Quantität Honigsaft. Eben
diese Nectarblätter stunden reihenweise über einander; die
obern waren nach Proportion [121] ungleich mehr, als die
untern, herzförmig ausgeschnitten, und auf ihrem Rücken mit
einem strohgelben Striche bezeichnet, der den untern gänzlich
mangelte. Die Hörner selbst waren um ein merkliches kürzer,
und die Anzahl der Staubfäden geringer, als bey den einfachen Blumen, die ich aus diesem Versuche erhalten. Der
Saamenstaub schien dem äusserlichen Ansehen nach aus lauter
guten Theilchen zu bestehen. Die sechste, die zugleich mit
einer der vorhergehenden in einem Scherben aufgewachsen,
hatte missgestalte, grüne Blumen. Ihre Blätter hatten vieles
von einer purpurröthlichen Farbe angenommen, ehe sie noch
welk zu werden anfiengen. Die Stengel und Blumen waren

kleiner, als gewöhnlich, und die letztern fast ganz grün. Der
Substanz nach waren alle Theile derselben viel steifer, als sie
sonst bey den natürlichen zu seyn pflegen, und kamen darinn
den Blättern gänzlich bey. Die fünf eigentlichen Blumenblätter waren rückwärts umgebogen und rinnenförmig zusammengelegt. Die Nectarblätter hatten keine Hörner: ihre
Gestalt war löffelförmig, mit einem ganz schmalen Stiele und
einer länglichten und vorne eingekerbten Schaufel; an der
Zahl zwanzig bis dreyssig, auch vierzig bis funfzig. Die
Staubfäden waren ganz kurz, und nur mit tauben Kölbchen
versehen. Die Pistille schienen sich ebenfalls in löffelförmige
Blätter verwandelt zu haben, deren Rand bey einigen Blumen
ganz, bey andern hingegen in verschiedene Einschnitte abgetheilt war. Man kann hieraus [122] leicht abnehmen, dass
diese Pflanze im höchsten Grade unfruchtbar gewesen. Die
siebente und achte kamen mit den fünf erstern in allem überein; nur fiel die Farbe ihrer Blumen mehr ins purpurrothe.
Die neunte und zehnte mit ganz blassvioletten, einfachen
Blumen. Die eilfte mit einfachen, blassvioletten und an der
innern Seite der Nectarblätter fast ganz weisslichten Blumen.
Die zwölfte mit einfachen, blassvioletten und an der innern
Seite der Nectarblätter strohgelben Blumen. Sieben andere
mit einfachen, röthlichvioletten Blumen. Die zwanzigste mit
einfachen, blassrothen Blumen; die innere Fläche der Nectarblätter strohgelb, und die äussere, wie bey den Blumenblättern,
aber noch um ein merkliches blasser.

LXV. Versuch.) Fünf Pflanzen, deren Blumen von gleicher
Beschaffenheit und Farbe mit der zwanzigsten des erstern Versuchs gewesen. Die sechste und siebente wie die vorhergehenden, nur noch etwas blasser. Die achte und neunte mit
einfachen, ganz röthlichvioletten, und die zehnde mit einfachen,
blassvioletten Blumen. Uebrigens waren die Blätter aller dieser
aus der wechselsweisen Vermischung erzeugten Pflanzen von
einer zartern Substanz, und in feinere Einschnitte abgetheilt,
und die Stengel nebst den Blumenstielchen etwas dünner und
geschlanker, als bey unserer europäischen; dagegen aber in
allem etwas weniger, als bey der americanischen. Was die
Fruchtbarkeit derselben anbetrift: so gab eine [123] jede ihrer
Blumen so wohl von freyen Stücken, als auch in dem Falle,
wenn ich sie selbst mit ihrem eigenen Saamenstaube belegt
hatte, dreyssig bis vierzig, und von der europäischen ihrem

16*

sechzig bis siebenzig vollkommene Saamen, von mittlerer Grösse
zwischen den beyden natürlichen.

Es verdient bey diesen Bastartpflanzen vorzüglich zweyerley in Betrachtung gezogen zu werden: nämlich die grosse
Verschiedenheit in dem Baue und der Farbe ihrer Blumen,
und die nicht geringe eigenthümliche Fruchtbarkeit derselben.
Jene hat ohne allen Zweifel ihren Grund in der bereits aus-
gearteten Natur unserer Gartenackeley, und bestätiget gewissermassen dasjenige, was schon oben § 47. von den Ursachen des aufgehobenen Gleichgewichts, und dem daher
rührenden Ursprunge vieler Varietäten gesagt worden. Diese
aber könnte einen fast auf die Gedanken bringen, die beständige Erhaltung der gegenwärtigen so wohl, als der § 49.
beschriebenen Bastarte für möglich zu halten. Ich für meinen
Theil bekenne offenherzig, dass ich nichts weniger, als für
diese Meynung eingenommen bin. Meine Gründe dagegen
sind diese. Wenn ich voraussetze, dass die bestimmte Anzahl
Saamen, die eine jede natürliche Gattung jährlich giebt, gerade eben diejenige ist, die zu Erfüllung aller bey ihr statt
habenden, so wohl Haupt- als Nebenendzwecke und in Rück-
sicht auf gewisse unabänderliche Zufälle nothwendig erfordert
wird; eben diese aber bey einem jeden auch noch so fruchtbaren Bastarte doch noch [124] immer um ein merkliches geringer, als bey seinen Eltern, und folglich zu Erreichung der
nehmlichen Endzwecke und Abwendung aller, den Untergang
drohender Zufälle bey weitem nicht hinreichend ist: so fällt
die beständige Erhaltung aller solchen Pflanzen schon aus
diesem Grunde allein von sich selbst hinweg. Es steht aber
derselben, neben der allzueingeschränkten Fruchtbarkeit noch
eine andere, und viel wirksamere, Hinderniss im Wege, die
allem Vermuthen nach, wo nicht in allen, doch in den allermeisten Fällen statt finden mag, und darinn besteht: dass
eine fruchtbare Bastartgattung, kraft des bey ihr obwaltenden
grössern oder geringern Uebergewichts, sich aus eigenen
Kräften, nach einer gewissen Reihe von Zeugungen entweder
wieder in eine Mutterpflanze verwandelt, oder gar in eine
Vaterpflanze übergeht. Es sind von dieser allmäligen Selbst-
verwandlung § 55. bereits einige merkwürdige Beyspiele vorgekommen, und ich hoffe, meinen Lesern mit der Zeit noch
mehrere vorlegen zu können.

§ 65.

Ich habe in der Forts. der Vorläuf. Nachr. § 23. XXII. Vers. gemeldet, dass sich das weisse Bilsenkraut mit dem schwarzrothen Blumengrunde von dem weissen Bilsenkraut mit dem grünen Blumengrunde nicht hätte befruchten lassen, und daraus S. 59. geschlossen, dass diese letztere Pflanze keine blosse Varietät von jener, sondern eine ganz verschiedene Gattung seyn müsse. Nachdem es mir aber im Jahr 1762 und 1763 gelungen, von [125] dieser Vermischung vollkommen befruchtete Saamen zu erhalten, woraus den letztern Sommer Pflanzen von mittlerer Aehnlichkeit in der Farbe und von ganz unveränderter Fruchtbarkeit erzogen worden: so sehe ich mich genöthiget, gedachtes Urtheil zu widerrufen, und das weisse Bilsenkraut mit dem grünen Blumengrunde vor das, was es in der That ist, nämlich vor eine blosse Varietät von dem andern zu erkennen. Der Fehler, den ich damals begangen, lag bloss darinn, dass ich den Verbindungsversuch an den allerersten Blumen, die bey diesen Pflanzen ohnehin nicht leicht Saamen zu geben pflegen, angestellt hatte.

§ 66.

Es wird meinen Lesern ohne Zweifel schon bekannt seyn, dass ein Ungenannter im Jahr 1764 in Florenz eine Abhandlung*) von zwey Bogen in gross Octav herausgegeben, darinn er der gelehrten Welt von einer allerdings neuen Bewegung Nachricht ertheilt, die sich auf eine vorhergegangene Berührung an den kleinen Blümchen zeigt, deren versammlete Menge die Blumen des Distelgeschlechts ausmacht. Ich hatte die Recension dieser Schrift in den Gött. Anz. von gelehrten Sachen 85. St. S. 688. kaum gelesen, [126] so begab ich mich voller Vergnügen über diese schöne Entdeckung so gleich in den hiesigen botanischen Garten, um eine Probe an allen damals blühenden Pflanzen aus der Classe der zusammengesetzten Blumen zu machen, und siehe, ich war so glücklich, diese Bewegung noch denselbigen Tag an verschiedenen solcher Pflanzen, und auch nachher noch an mehrern andern, zu sehen, und vollkommen bewährt zu finden. Es sind folgende: Hieracium *Sabaudum*. Linn. Sp. Pl. edit. sec. n. 27.

----

*) Discorso della irritabilita d'alcuni fiori nuovamente scoperta, etc.
Anm. Da mir diese Schrift noch nicht zu Gesichte gekommen: so weiss ich auch von dem Inhalte derselben weiter nichts, als was mir aus obangeführten Gött. Anz. bekannt ist.

Cichorium, *Intybus*. n. 1. et *Endivia*. n. 2. Scolymus *his-
panicus*. n. 2. Serratula *arvensis*. n. 16. Carduus *casabonae*.
n. 12. Onopordum *arabicum*. n. 3. Cynara, *Scolymus*. n. 1.
et *Cardunculus*. n. 2. Buphthalmum *maritimum*. n. 6. Cen-
taurea *moschata*. n. 2. *nigra*. n. 11. *spinosa*. n. 16. *ragu-
sina*. n. 17. *cineraria*. n. 18. *Scabiosa*. n. 22. *glastifolia*.
n. 33. *benedicta*. n. 42. *eriophora*. n. 43. *salmantica*. n. 54.
Der Herr Verfasser, der nach den Gött. Anz. der Graf J.
Babtista dal Lavola seyn soll, hat ganz recht, wenn er behauptet, dass man diese Bewegung nur an den frischen Blümchen
zu sehen bekomme; es sind immer diejenigen Reihen, die sich
entweder eben öffnen wollen, oder bereits in der besten Blüte
stehen. Bey den veralteten äussern Blümchen, an denen das
Pistill schon sehr weit hervorragt, ist es zu spät, und bey
den noch nicht genugsam erwachsenen innern zu früh, sie zu
sehen. Man kann sie von einem und demselben Blümchen
mehr als einmal wiederholen lassen, wenn man nur immer
wieder nach der geschehenen [127] Bewegung und vor der
neuen Berührung eine kürzere oder längere Zwischenzeit, je
nachdem nämlich die Witterung warm oder kalt ist, abwarten
will. Und eben diese Umstände bestimmen auch die grössere
oder geringere Lebhaftigkeit derselben. Am lebhaftesten und
mannigfaltigsten unter allen habe ich die Blümchen der erst-
angezeigten Gattungen Centaur. n. 16, 17, 18, 33, 43 und
54 sich bewegen, und öfters gleichsam recht hin und her
taumeln gesehen. Sie zeigt sich übrigens nicht immer gleich
unmittelbar auf den geschehenen Stoss oder Berührung, sondern nach einer kurzen Unthätigkeit öfters erst in einer oder
etlichen Secunden darauf. Hat das Blümchen durch seine
vollbrachte Bewegung eine gezwungene Lage bekommen: so
nimmt es nach einiger Zeit, aber auf eine ganz unmerkliche
Weise, nach und nach wieder eine natürlichere an. Bey
einer jedesmaligen Bewegung rückt das Pistill in etwas weiter
fort, und treibt gemeiniglich, wenn es sich bey den jüngern
Blümchen mit seinem vordersten Theil durch die fünfspaltige
Spitze der cylindrischen Staubscheide oben hindurch drengt.
eine kleine Quantität Saamenstaub vor sich her. In der That
scheint diese Bewegung, wie der Herr Graf selbst sagt, von
den sich verkürzenden Staubfäden herzurühren. Zieht sich
nur einer oder auch etliche von einer Seite zugleich zusammen, so bewegt sich auch das Blümchen nach eben derselben Gegend hin, von deren Seite die Verkürzung bewirkt

worden; geschieht hingegen eben [128] diese gleich darauf
bey den entgegengesetzten Staubfäden, so erfolgt eine gegen-
seitige, und so auch eine Circularbewegung, wenn sie sich
wechselsweise geschwinde nach einander verkürzen. In allen
diesen Fällen wird die mit ihnen verbundene Staubscheide
mehr oder weniger abwärts gezogen, und dadurch allemal ein
neuer Theil des Pistills entblösst. Ich will mich etwas näher
hierüber erklären. Man wird wahrnehmen, dass das Pistill
bey diesen Blümchen noch während der Blüte stärker, als alle
übrigen Theile derselben, in die Länge wächst; indem dieses
geschieht, so bemüht es sich mit aller seiner Kraft durch
den Saamenstaub, der ihm gleich anfänglich im Wege liegt,
hindurch zu drengen, und die enge Staubscheide zu öffnen;
die Staubfäden werden dadurch zu gleicher Zeit gespannt,
und veranlasst, ihre Reitzbarkeit zu äussern. Das Pistill
fängt endlich durch die Vereinigung dieser beyden Kräfte an,
den Widerstand, der ihm theils von Seiten seiner Wärzchen
selbst, die sich bey ihrer schief aufwärts gerichteten Lage
allenthalben anstemmen, theils von Seiten des Staubs und der
elastischen Scheidespitze gethan worden, zu überwinden, streckt
sich nach einiger vorher erlittener Krümmung nunmehr gerade
aus, und kömmt endlich an der Spitze der Staubscheide zum
Vorschein. Indessen werden während dieser Operation die
Staubkügelchen von allen Seiten zusammengedrückt, und geben
den in ihnen enthaltenen flüssigsten Theil von männlichen
Saamen durch die [129] Spitzen ihrer Aussonderungsgänge von
sich. Dieser wird alsdenn von den Wärzchen des Pistills
eingesogen, und den Saamenbläschen zugeführt. Alles dieses
geschieht schon von sich selbst, ohne irgend eine äussere
fremde Kraft, aber auf eine ganz unmerkliche, langsame und
unzureichende Weise. Es ist daher, um die Befruchtung desto
mehr zu befördern, und dem Pistill seinen Ausgang zu er-
leichtern, in der Natur die weise Anstalt noch zu einer äussern
Kraft gemacht worden, die auf die Reitzbarkeit der Staubfäden
ungleich nachdrücklicher und schleuniger wirkt, als jene innere.
Diese finden wir in den Insekten, die in dergleichen Blumen
ihre Nahrung suchen, und durch die öftern unvermeidlichen
Stösse, die sie ihnen bey dieser Gelegenheit den Tag über
geben, die Staubfäden von Zeit zu Zeit veranlassen, ihr Amt
auch auf eine wirksamere und augenscheinliche Weise zu verrichten. Es soll mich freuen, wenn ich nicht nur allein den
Endzweck dieser höchst merkwürdigen Eigenschaft errathen,

sondern auch die ganze Erscheinung selbst, auf eine der Natur
der Sache gemässe und begreifliche Art erkläret haben sollte.
Ohne Zweifel wird diese Eigenschaft durch die ganze Classe
der zusammengesetzten Blumen hindurch von einem sehr weiten
und vielleicht allgemeinen Umfange seyn, und bloss der Unterschied dabey statt finden, dass die, durch eine äussere Kraft
erregte Bewegung bey einigen Pflanzen sehr stark in die Augen
fällt, bey andern hingegen [130] wieder um ein merkliches
schwächer, und bey vielen blossen Augen gar nicht sicht-
bar ist.

So allgemein indessen auch diese Eigenschaft bey oft-
erwähnter grossen Classe seyn mag: so selten scheint sie im
Gegentheil bey andern Pflanzen vorzukommen. Mir sind zum
wenigsten nur drey bekannt. an denen man dieselbe wahrgenommen: nämlich die so genannte indianische Feige†, der
Sauerdorn††, und die gemeine Sonnengunsel††† oder Heiden-
ysop. Von der erstern sagt der weltberühmte Herr *Du
Hamel*) dass sich ihre Staubfäden dem Pistill nähern, wenn
man sie berührt; dessgleichen sehe man an der andern, dass
sich eben dieselben, wenn man sie mit der Spitze einer Nadel
an ihrem Grunde ein wenig reizt, zusammenziehen, und dem
Pistill nähern; und bey der dritten mache ein etwas starker
Stoss eben diese Theile sehr empfindlich: das blosse Anhauchen oder ein ganz leichter Reiz verursache bey ihnen
ein sehr seltsames Zittern und convulsivische Bewegungen.
Bey dem Sauerdorn habe ich die Sache noch nicht untersucht:
von der Bewegung der Staubfäden bey der grossen indianischen Feige mit starken Stacheln **) der gemeinen Sonnen-
gunsel und einer [131] andern ihr sehr ähnlichen Gattung***)
aber bin ich selbst ein Augenzeuge, und ich melde meinen
Lesern mit Vergnügen, dass ich das bestimmte und unver-
änderliche Gesetz entdeckt habe, nach welchem sich die Staubfäden dieser Pflanzen so wohl, als auch verschiedener andern
aus der Classe der zusammengesetzten Blumen, zu bewegen
pflegen: eine Beobachtung, die, so viel ich weiss, bisher noch

---

† Cactus. Linn. Opuntia et Ficus indica Bauh.
†† Berberis *vulgaris*. Linn.
††† Cistus, *Helianthemum*. Linn. Sp. Pl. edit. sec. p. 744.
n. 33.
*) Phys. des Arbr. Tom. II. p. 167.
**) Cactus, *Tuna*. Linn. l. c. p. 669. n. 18.
***) Cistus *apenninus*. Linn. l. c. n. 35.

von niemanden gemacht worden. Sie geschieht nämlich allezeit nach der entgegengesetzten Richtung des ihnen beygebrachten Stosses. Ich will die erstbemeldete indianische
Feigenblume, an der sich diese Erscheinung am allerschönsten
und deutlichsten zeigt, zum Beyspiel erwählen. Schnellt man
z. E. mit einem Griffel eine Parthie ihrer Staubfäden auswärts gegen das Blumenblatt hin, so bewegen sie sich einwärts und nähern sich dem Pistill; schnellt man sie einwärts,
so bewegen sie sich auswärts und entfernen sich von demselben. Treibt man sie auf die rechte Seite, so begeben sie
sich auf die linke, und so umgekehrt. Bringt man ihnen
nach einer gewissen Gegend hin einen schiefen Stoss bey, so
laufen sie nach eben dieser schiefen Linie den entgegengesetzten Weg fort. Und so verhält es sich in allen andern
möglichen Fällen. Die Schnelligkeit und Stärke ihrer eigenen
Bewegung scheint ebenfalls der ihnen von aussen beygebrachten
gewissermassen proportionirt zu seyn. Man kann dieses Schauspiel nach Gefallen [132] verändern, wie man will, je nachdem man einer oder der andern Parthie diese oder jene Bewegung entweder zugleich, oder in kurzen Zwischenzeiten
beybringt. Kurz, sie lassen sich, wie ein Regiment Soldaten,
commandiren und machen alle Wendungen, die man nur immer
haben will. Es ist öfters artig anzusehen, wenn sie bald vor
einander fliehen, bald sich dicht auf einen Haufen zusammen-
drengen, bald nach entgegengesetzten Richtungen vor einander
vorbey marschiren. Es versteht sich aber schon von selbst,
dass sich immer nur diejenigen bewegen, die zuvor dazu gereizt worden; es mögen ihrer nun viele oder wenige seyn.
Ich darf hiebey einen gewissen Umstand nicht aus der Acht
lassen, der besonders in Betrachtung gezogen zu werden verdient. Es geschieht nehmlich diese Bewegung nicht so gleich
und unmittelbar auf den beygebrachten Stoss, sondern erst
nach einiger Zwischenzeit. Schnellt oder zieht man z. E. einen
oder mehrere Staubfäden nach einer gewissen Gegend hin, so
fahren sie vermöge ihrer Elasticität, wenn man sie loss lässt,
wieder an ihren alten Ort zurück, bleiben eine kurze Zeit
lang unter ihrer vorigen Lage ganz unbeweglich stehen, und
fangen erst hernach auf einmal an, sich nach der entgegengesetzten hin zu bewegen. Wenn diese Bewegung vorbey ist,
so verharren sie, unempfindlich gegen allen neuen Reiz, einige
Zeit in dieser gezwungenen Lage, und nehmen alsdenn nach
und nach, und ganz unvermerkt, wieder ihre vorige natürliche

an. Nach Verfluss einer [133] viertel oder halben Stunde
aber lassen sie sich schon wieder aufs neue in Bewegung
setzen. Doch kömmt es hierinn ungemein viel auf das Wetter
und die Beschaffenheit der Staubfäden selbst an. Je wärmer
die Witterung ist, desto lebhafter ist ihre Bewegung. Zu
Ende des Septembers hingegen verliehren sie nach und nach
alle Empfindlichkeit. Die veralteten äussern Staubfäden einer
Blume, die ihren Staub schon längst von sich gegeben, sind
bereits abgestorben, und schicken sich zu dieser Erscheinung
eben so wenig, als die allzujunge innere und kürzere, deren
Kölbchen noch völlig geschlossen sind. Es ertragen übrigens
diese Blumen eine ziemlich starke Erschütterung, ohne dass
dadurch die Staubfäden zur Bewegung gereizt würden. Hingegen lassen sich eben diese schon nicht so gleichgültig an,
wenn man sie mit einer Scheere entzwey schneidet, oder ihnen
ihre Kölbchen nimmt. Ohne Zweifel werden die andern Gattungen dieses Geschlechts, worunter auch die americanischen
Fackeldisteln (Cerei) zu rechnen sind, nebst vielen Gattungen
aus dem Cistus-Geschlechte, und noch mehrere andere Pflanzen
von dieser Classe, wo nicht bey uns, doch vielleicht in ihrem
ungleich wärmern Vaterlande, die nehmliche Eigenschaft zeigen.
Ein Naturforscher findet zum wenigsten hier Gelegenheit genug, seine Aufmerksamkeit zu üben. Die Absicht bey dieser
Bewegung, zu welcher die Insekten eben so wohl, als zu der
vorerwähnten, öftern Anlass geben, mag wohl keine andere
seyn, als die Bestäubung [134] des Stigma zu befördern; nur
muss es einen etwas befremden, dass die Natur sich dieses
Mittels gerade in einem solchen Falle bedient haben sollte,
wo es scheint, dass dieser Endzweck bey einem so reichlichen
Vorrathe von Saamenstaub auch ohne dasselbe durch diese
Creaturen zu erreichen stünde.

Bisher haben wir gesehen, dass die männlichen Theile
gewisser Blumen einen grossen Reiz besitzen, und sich kraft
desselben bewegen können. Nun will ich meinen Lesern noch
zeigen, dass auch die weiblichen Theile einiger Pflanzen mit
dieser höchst merkwürdigen Eigenschaft begabt sind. Es ist
bekannt, dass das Stigma bey der americanischen Rüsselpflanze') und der grossen menningrothen Trompetenblume'')

---

*) Martynia annua Linn. Sp. Pl. edit. sec. p. 862. n. 2. an?
Proboscidea Schmiedel. Icon. Plant. p. 49. Tab. XII.
**) Bignonia radicans. Linn. l. c. p. 871. n. 13.

aus zween anfänglich übereinander liegenden Lappen besteht, die sich zu eben der Zeit, wenn die Kölbchen ihren Saamenstaub darbieten, nach und nach von einander begeben, und ihre ganze innere mit Wärzchen besetzte Fläche der freyen Luft aussetzen. In dieser Lage erwarten sie ihre Bestäubung. Trägt man nun alsdenn vermittelst eines zarten Pinsels auf die Wärzchen des obern oder untern Lappens eine kleine Quantität Saamenstanb auf: so fangen sie augenblicklich an, sich gegen einander zu bewegen, und schliessen sich, wenn die Hitze gross ist, in einer [135] oder etlichen Secunden fest über den Saamenstaub zusammen. Eben diess erfolgt auch von einem jeden andern Saamenstaube, oder auch schon blos allein dadurch, wenn man die Wärzchen des noch unbestäubten Stigma nur mit der Spitze einer Nadel, Feder oder Pinsels gelinde reizt und kützelt, oder einen Tropfen Wasser darauf fliessen lässt. In allen diesen Fällen bleibt das Stigma, nach Beschaffenheit der Umstände, eine kürzere oder längere Zeit geschlossen. Von einer hinreichenden Quantität eigenen Saamenstaubs öffnet es sich nicht eher wieder, als bis die Befruchtung grösstentheils vollbracht ist, und ist alsdenn für einen neuen Reiz ganz unempfindlich. Bey einer sehr geringen unzureichenden Quantität hingegen und in allen denjenigen Fällen, wo keine Befruchtung statt findet, schliesst es sich viel früher wieder auf, und lässt sich auch durch die nehmlichen Mittel aufs neue wieder zum Zusammenziehen reizen; und dieses Schauspiel kann man besonders bey dem blossen Reize eines Pinsels oder Federspitze den Tag über an einer und derselben Blume öfters wiederholen. Der Endzweck von dieser eben so merkwürdigen Eigenschaft, die ich an der ersten Pflanze noch bey meinem Aufenthalte in Petersburg, und an der andern in Carlsruh entdeckt habe, ist aller Wahrscheinlichkeit nach dieser, dass der Saamenstaub, indem er auf bemeldte Art eingeschlossen und zusammengepresst wird, vor allen äusserlichen Zufällen gesichert seyn, die Saamenfeuchtigkeit desto leichter von sich geben, und [136] die Befruchtung dadurch befördert und auf keinerley Weise gestöret werden möge. Dass aber derselbe auf keine andere Art, als durch Insekten, dahin kommen kann, wird allen denjenigen leicht begreiflich seyn, denen der Bau dieser Blumen, und die Lage der beyderseitigen Zeugungstheile gegen einander bekannt ist. Ich zweifle keineswegs, dass man mit der Zeit noch mehrere Pflanzen entdecken wird, deren Stigma mi

einem eben so starken Grade der Reizbarkeit begabt ist, als
die hier angeführten zu zeigen pflegen. Die unsichtbare Bewegung einer Menge anderer Pflanzen, die sich nur an der
allmäligen Veränderung in der Lage der Stengel, Blätter,
Blumenstielchen und Blumen erkennen lässt, ist ohne Zweifel
mit dieser stärkern und augenscheinlichen von einerley Ursprunge; sie ist aber sanft, wie das Licht, das in sie wirkt.
Ich gestehe indessen gern, dass ich von dieser, allem Ansehen nach durch das ganze unermessliche Reich aller organischen Wesen ausgebreiteten Eigenschaft so wenig, als irgend
ein anderer, einen Grund anzugeben, und die Art und Weise,
wie die von ihr abhängende Bewegung bewirkt wird, zu erklären weiss.

§ 67.

Da es gewisse Leute giebt, die den in der Vorläuf.
Nachr. § 5. von mir angegebenen organischen Bau des
Saamenstaubs in Zweifel gezogen: so halte ich es für meine
Schuldigkeit, ihnen hierinn aus dem Traume zu helfen, und
eine etwas nähere Erläuterung über diese [137] Materie zu
geben. Vielleicht bin ich so glücklich, ihnen von der Richtigkeit meiner Versuche und Beobachtungen bessere Gedanken
beyzubringen, und sie von der Wahrheit der daraus gezogenen
Schlüsse zu überzeugen.

Ich will ohne allen Umschweif mit der äussern,
dickern Haut, oder harten und elastischen Schale
des Saamenstaubs den Anfang machen. Der Saamenstaub
der Feuerlilie *) scheint bey einer mittelmässigen Vergrösserung eine chagrinirte oder gleichsam mit Wärzchen besetzte
Oberfläche zu haben. Man sieht solches ungleich besser,
wenn er mit Wasser vermischt worden, und aufgeschwollen
ist, als wenn man ihn trocken betrachtet. Bedient man sich
aber bey eben diesem mit Wasser vermischten Saamenstaube
einer starken Vergrösserung, so sieht man statt der blossen
Wärzchen einen netzähnlichen Bau, welcher sich vornehmlich
bey Saamenstäubchen, die ihre vormals in ihnen enthaltene
Materie schon meistens von sich gegeben, und durch ihre
Vermischung mit Wasser einen grossen Grad der Durchsichtigkeit erhalten haben, ziemlich gut erkennen lässt. Will man
ihn aber recht deutlich sehen, so drücke man einige trockene

---

*) Lilium *bulbiferum*. Linn. Sp. Pl. edit. sec. p. 433. n. 2.

Saamenstäubchen zwischen zweyen Frauenglasplättchen gelinde
zusammen, damit sie die in ihnen enthaltene Materie alle von
sich geben, und bringe sie alsdenn unter ein gutes Vergrösserungsglas: so wird man ihre leeren und durchsichtigen Bälge
mit [138] gefässen- oder nervenähnlichen Fasern, die unter
einander verbunden sind, und ein unordentliches Netz mit
eckichten ungleichen Augen vorstellen, ganz durchwebet finden.
Diese Fasern durchschneiden aber einander nirgends, machen
auch da, wo sie zusammentreffen, keine Knoten, sondern
anastomosiren sich gleichsam unter einander: und darinn ist
dieser netzähnliche Bau von einem wirklichen Netze gänzlich
unterschieden. Es muss daher, wenn diese Fasern Saft- oder
Luftgefässe seyn sollten, der Saft oder die Luft von einem
Aste zum andern einen freyen Zufluss oder Durchgang haben.
Eben diesen Bau zeigt auch der Saamenstaub anderer Lilien-
gattungen; und unter andern auch der Saamenstaub der grossen
americanischen Aloe *) und viele Gattungen Knabenkraut. Dass
die Oberfläche eines solchen Saamenstaubs bey einer schwachen
Vergrösserung wie Chagrin aussieht, rührt wahrscheinlicherweise daher, weil sich die Zwischenräume, als die Augen des
Netzes, wegen ihrer grossen Fläche und, wie es scheint, hauptsächlich wegen ihrer erhabenern Lage ungleich besser erkennen
lassen, als die gefässenähnliche Fasern, die nicht nur viel
schmaler, als jene, sind, sondern auch eine tiefere Lage haben,
und sich daher gleichsam nur als ein blosser Schatten zeigen,
der die scheinbaren Wärzchen begrenzt und eben dadurch
kenntlicher macht.

Der rundlichte Saamenstaub der obgedachten Rüsselpflanze
zeigt gewöhnlichermassen stumpfe [139] Kerben, oder, eigentlicher zu reden, eine in lauter erhabene Buckeln abgetheilte
Haut. Der Rand einer jeden stellt ein Sechseck vor, dessen
zwo mittlere Seiten etwas grösser, als die vier übrigen sind.
Eine jede Seite ist die gemeinschaftliche zwischen zwo Buckeln,
eben so, wie bey den Bienenzellen jedwede Wand zwoen derselben gemeinschaftlich ist. Die Ränder aller dieser Buckeln
zusammengenommen sind nichts anders, als gefässenähnliche
Fasern, die in Gestalt eines Netzes mit lauter sechsseitigen
Augen in der Haut oder Schale des Saamenstaubs ausgebreitet
liegen, und, wie bey dem Saamenstaube der Lilien, unter sich
Gemeinschaft zu haben scheinen. Es lässt sich aber dieses

---

*) Agave americana. Linn. l. c. p. 461. n. 1.

Netz nicht eher erkennen, als nachdem der Saamenstaub seine
in ihm enthaltene Materie, die es allzusehr verdunkelt, meistentheils von sich gegeben hat.

Auf der Haut des reifen Saamenstaubs der gemeinen
Passionsblume *) sieht man drey blasse Zirkel, die sich von
der übrigen dunklern Substanz derselben ziemlich gut unterscheiden. Die ganze Oberfläche dieses Saamenstaubs, die
Zirkelbogen ausgenommen, ist ausserdem noch mit einer Menge
kleiner Wärzchen besetzt. Wenn der Saamenstaub ins Wasser
kömmt, und aufzuschwellen anfängt, so erscheinen so wohl
die drey Zirkelbogen, als die Wärzchen, um vieles deutlicher:
am allerdeutlichsten aber sieht man sie, [140] wenn er einen
grossen Theil der in ihm enthaltenen Materie bereits im Wasser,
oder, welches noch besser ist, in irgend einem Oele, von sich
gegeben hat. Man erblickt öfters an diesem Saamenstaube
statt der Zirkel einige Kerben, wie bey dem Saamenstaube
erstgedachter Rüsselpflanze; es scheinen aber diese blos von
den eingesunkenen und zusammengezogenen Zirkeln herzurühren.

Der Nelkensaamenstaub hat zwar wenige, aber sehr grosse
und fast regulaire Sechsecke. —

Bey allen Arten von Malvensaamenstaube ist die ganze
Oberfläche in ziemlich grosse und fast regulaire Sechsecke
abgetheilt, die in gefässähnlichen, unter sich anastomosirenden
und unter der Gestalt eines Netzes mit sechsseitigen Augen
durch die äussere Haut des Saamenstaubs ausgebreiteten Fasern
ihren Grund haben. Auf dem erhabenen Mittelpuncte eines
jeden Sechsecks steht senkrecht ein unten dickerer und gegen
das Ende allmälig zugespitzter Stachel. Man kann diesen
künstlichen Bau an dem Saamenstaube des indianischen Sig-
marskrauts **) mit scharlachrothen Blumen am aller deutlichsten
sehen, weil seine Sechsecke sehr gross sind, und die Stacheln
sehr weit von einander abstehen. Einen diesem ähnlichen
Bau sieht man an dem Saamenstaube des Bocksbarts, der
Sonnen- und Ringelblumen und anderer so genannten zusammengesetzten Blumen mehr; doch fällt er bey dergleichen
kleinen [141] Saamenstaube nicht so deutlich in die Augen,
als bey dem grossen Saamenstaube der Malvengeschlechter.

---

*) Passiflora coerulea. Linn. l. c. p. 1360. n. 24.
**) Pentapetes phoenicea. Linn. l. c. p. 958. n. 1.

Die gelbe und weisse Wasserlilien*) zeigen einen nicht weniger bewundernswürdigen Bau. Der Saamenstaub der erstern ist länglicht oder stumpf elliptisch, und allenthalben mit grossen, röhrenförmigen Spitzen besetzt: der andern ihrer aber oval, und mit einer Menge sehr kurzer und feiner Stacheln versehen. Mit eben dergleichen Stacheln von mancherley Gestalt und Grösse ist auch der Saamenstaub verschiedener Glockenblumen**) und Storchenschnäbel, der americanischen Fackeldisteln und indianischen Feigen, der Ackerscabiosen, gewisser Schwerdtellilien und Winden, der Spitzkletten, des indianischen Rohrs und einer Menge anderer Pflanzen besetzt.

Ohngeachtet ich bey vielen andern Arten Saamenstaub kaum noch mit der stärksten Vergrösserung habe entdecken können, dass ihre Oberfläche mit sehr feinen Wärzchen besetzt ist, oder das Ansehen wie Chagrin hat: so glaube ich doch aus dem Liliensaamenstaube und a. m. bey denen man vermittelst einer geringen Vergrösserung ebenfalls nichts anders zu sehen bekömmt, mit Grunde schliessen zu können, dass bey ihrer Haut ein ähnlicher Bau statt haben muss, der blos seiner Feinheit wegen unsern, obgleich geschärften Augen [142] unsichtbar ist. Eben diess gilt auch von den Spitzen, Stacheln und Härchen, als den wahren Aussonderungsgängen des männlichen Saamens, von allen Arten stachlichten Staubes. Sie sind entweder so fein, dass man sie auch durch die allerbesten Vergrösserungsgläser nicht erblicken kann, oder es sind, wie bey dem glatten Saamenstaube, an ihrer statt nur blosse Oeffnungen vorhanden, deren Daseyn sich so wohl aus der Theorie, als auch aus gewissen Erscheinungen bey dem ordnungsmässigen Abflusse des männlichen Saamens im Wasser, unumstösslich erweisen lässt. Mit einem Wort: es lässt sich mit der grössten Wahrscheinlichkeit behaupten, dass auch so gar diejenigen sehr zahlreichen Arten Saamenstaub, an welchen man theils ihrer allzustarken Durchsichtigkeit und Feinheit, theils ihrer allzugeringen Grösse wegen, kaum eine Spur eines organischen Baues entdecken kann, doch eben so künstlich gebaute Werkzeuge seyn müssen, als man an obigen von mir angezeigten Arten wirklich sieht.

----

*) Nymphaea *lutea*. Linn. l. c. p. 729. n. 1. et *alba*. n. 2.

**) Campanula *pyramidalis*. Linn. l. c. p. 233. n. 7. et *rapunculoides*. p. 234. n. 12.

Das dünnere, ungleich schwächere, weisse Häutchen, das unmittelbar unter der harten elastischen Schale
des Saamenstaubs liegt, sollen meine Leser aus folgenden Beyspielen kennen lernen.

Der weisse, glatte und rundlichte Saamenstaub des Teufelsabbisses *) giebt, sobald er ins [143] Wasser kömmt, eine
grosse Quantität blassschwefelgelbes Oel von sich, schwillt
vom eingesogenen Wasser nach und nach auf, und treibt bald
darauf an drey gleich weit von einander entfernten schwächern
Stellen gemeiniglich drey kegelförmige häutigte Zapfen aus,
die sich so gleich durch ihre Durchsichtigkeit und ungemein
dünne und gleichförmige Substanz von der äussern harten und
undurchsichtigern Schale des Stäubchens merklich unterscheiden.
So wie diese Zapfen oder Hörner nach und nach entstehen,
so sieht man auch das eingesogene Wasser nebst einem Theil
der körnichten Materie in dieselbe hinein dringen, und sie bis
zum Bersten ausdehnen. Kaum haben sie ohngefehr die Länge
des kleinern Durchmessers vom Saamenstäubchen erreicht: so
bekommt eines von ihnen an einer Seite seines Grundes einen
Riss, und in dem Augenblicke zieht sich die zuvor einge-
drungene vermischte Materie wieder gegen den Körper des
Saamenstäubchens zurück, und fährt mit grosser Gewalt durch
den Riss heraus. So gleich zieht sich auch das Saamenstäubchen um ein merkliches zusammen, das zerrissene Horn
neigt sich ein wenig auf die Seite, wird schlapp und etwas
kleiner, die zwey andern aber ziehen sich zu gleicher Zeit
entweder fast gänzlich in das Saamenstäubchen hinein, so,
dass an ihrer Stelle nur gleichsam eine stumpfe Warze zurück
bleibt, oder nehmen wenigstens an Grösse ebenfalls merklich
ab. Zuweilen geschieht es auch, dass statt dreyer Hörner
nur zwey, oder [144] gar nur eins, zum Vorschein kommen.
Je unreifer der Saamenstaub ist, desto geschwinder geht alles
diess von statten; je reifer er hingegen ist, desto mehr hat
man Zeit und Gelegenheit, diese seltsame Erscheinung so
wohl bey dieser, als auch bey mehrern andern Gattungen
Scabiosen, genau zu bemerken.

Der weisse, rundlichte, mit sehr feinen, spitzigen und
kurzen Härchen besetzte Saamenstaub der Cardendistel **) bekömmt im Wasser bald nach seiner Ausdehnung und auf den

---

*) Scabiosa succisa. Linn. l. c. p. 142. n. 6.
**) Dipsacus fullonum. Linn. l. c. p. 140. n. 1.

von allen Seiten erfolgenden Ausguss seiner öhlichten Streifen, auf seiner Oberfläche in einer meistentheils gleichen Entfernung von einander gemeiniglich drey Warzen, die von der an diesen Stellen zerrissenen äussern Schale des Saamenstäubchens gebildet zu werden scheinen, und treibt neben ihnen halb durchsichtige, häutige, kegel- oder keulenförmige Zapfen aus, auf welche endlich eben solche Erscheinungen zu erfolgen pflegen, dergleichen von dem Saamenstaube des Teufelsabbisses bereits angegeben worden. Die Anzahl dieser Warzen steigt zuweilen von einer bis auf vier, sehr selten bis auf fünf. Von Zapfen aber, die öfters von verschiedener Gestalt und Grösse sind, zeigen sich drey, zwey oder auch nur einer. Das Saamenstäubchen bleibt dabey entweder rundlicht, oder wird stumpf dreyeckicht, welches letztere insgemein [145] geschieht, wenn drey Warzen mit eben so viel Zapfen entstanden sind. Bisweilen nimmt es auch währender Entstehung eines einzeln, aber etwas grossen Zapfens eine länglichte Gestalt an.

Der fleischfarbichte, rundlichte, mit sehr feinen spitzigen und kurzen Härchen besetzte Saamenstaub der Knautia*) schwillt im Wasser sehr stark auf, nimmt, währendem Ausflusse des in ihm enthaltenen Oels, gemeiniglich durch drey gleich weit von einander entstehende Warzen die Gestalt eines stumpfen Dreyecks an, und treibt neben einer oder etlichen derselben einen ziemlich kurzen, kegelförmigen, häutigen Zapfen aus, auf welchen erstbemeldte Veränderungen zu erfolgen pflegen.

Der ovale, etwas irregulaire Saamenstaub der Linnaea'' verlängert sich zuweilen im Wasser, und wird fast eyförmig: sein schmaleres Ende spaltet sich; es dringt aus der gewaltsamerweise entstandenen Oeffnung ein häutiger, kegelförmiger, stumpfer Zapfen heraus: dieser bekommt bald hernach an seinem Grunde einen Riss, durch welchen die körnichte Materie mit Gewalt herausfährt, und verschwindet hierauf wieder, indem [146] er sich durch die in der Schale entstandene Spalte, durch die er herausgedrungen, entweder gänzlich, oder doch grösstentheils wieder hineinzieht. Eine ähnliche Erscheinung zeigt sich auch nicht selten an dem Saamenstaube des Asphodills mit röhrichten Blättern''') und anderer mehr.

---

*) Knautia orientalis. Linn. l. c. p. 146. n. 1.
**) Linnaea borealis. Linn. l. c. p. 880. n. 1.
***) Asphodelus fistulosus. Linn. l. c. p. 444. n. 2.

Wenn man den mehr oder weniger rundlichten oder
stumpf dreyeckichten Saamenstaub vieler sowohl afrikanischer
als europäischer Gattungen Storchschnäbel trocken, oder
welches viel besser ist, in irgend einem Oele betrachtet; so
sieht man auf der Oberfläche eines jeden Stäubchens in einer
gleich weiten Entfernung von einander drey länglichte, in
der Mitten mit einem Nabel versehene Vertiefungen. Bring
man den Saamenstaub ins Wasser, so schwillt er von dem
eingesogenen Wasser auf. Zu gleicher Zeit fangen gedachte
drey Nabel an, sich nach und nach in Gestalt kleiner, kegelförmiger, häutiger und durchsichtiger Zapfen über die ungleich
dunklere Schale desselben zu erheben, und bald darauf erfolgt bey einem von ihnen der gewöhnliche Auswurf der körnichten Materie. Sie bleiben aber auch, wenn der Saamenstaub schon sehr reif ist, nicht selten alle ganz, und ziehen
sich nach dem Abdünsten des Wassers [147] wieder völlig
unter die Oberfläche des Stäubchens zurück. Es pflegt dieser
Saamenstaub auch schon von dem blossen Anhauchen aufzuschwellen, und seine Nabel herauszutreiben, aber freylich bey
weitem nicht so stark, als wenn er wirklich ins Wasser ver-
senkt ist.

Alle diese Hörner oder Zapfen sind nichts anders, als
Theile von dem dünnern, ungleich schwächern, weissen Häutchen, das die innere Fläche der äussern Schale umkleidet
und unter vorerwähnten Umständen von dem eingesogenen
zwischen ihm und dem Kern des Saamenstaubs befindlichen
Wasser ausgedehnt, und durch die in der Schale, entweder
bereits vorhandene natürliche, oder erst gewaltsammerweise
entstandene Oeffnung mehr oder weniger herausgetrieben wird.
Man kann an ihm so wenig, als an irgend einer feinen thierischen Membrane einen organischen Bau entdecken. Vor
eben diesem Häutchen werden die obgedachten drey hellen
Zirkelbogen der gemeinen Passionsblume und die drey durchsichtigen, mit einander verbundene Kreuzbänder des zeylanischen Bleykrauts*) die man an ihrem Saamenstaube im
Wasser zu sehen bekommt, gebildet. Ich würde das Daseyn
desselben noch durch mehrere Beyspiele erweisen, wenn ich
nicht glaubte, dass die gegenwärtigen schon allein hinreichend
wären. [148] einen jeden davon aufs vollkommenste zu überzeugen.

----

*) Plumbago Zeylanica. Linn. l. c. p. 215. n. 2.

Die drey schwache Stellen in der äussern Schale des Scabiosen, Cardendistel und Knautien-Saamenstaubs, die drey Nabel bey dem Storchenschnabelkraut, die drey Zirkelbogen der Passionsblume und die Kreuzbänder des zeylanischen Bleykrauts, die den Saamenstäubchen eine Ausdehnung verstatten, bey welcher sie ohne diese künstliche Anlage allem Vermuthen nach schon von einer geringen Quantität eingesogener Feuchtigkeit zerbersten würden, sind ohne Zweifel vornehmlich dazu bestimmt, jene widernatürliche Aussonderung der rohen, körnichten Materie zu verhindern. Eine gleiche Bewandtniss hat es auch mit der scheinbaren Spalte, die man bey vielen Gattungen elliptischen Saamenstaubs an der einen Seite der Stäubchen wahrnimmt. Sie ist nichts anders, als eine schwächere Stelle in der Substanz der äussern Schale, die man bey ganz unreifem Saamenstaube, dessen Häute von vieler wässerichten Feuchtigkeit noch aufgetrieben sind, vergeblich sucht; sie entsteht erst alsdenn, wenn die Saamenstäubchen dieselbe ausgedünstet haben, und die Aussonderung des männlichen Saamens bereits ihren Anfang genommen. So bald diess geschieht, so sinkt die Schale an gedachter Stelle nach und nach ein, und bildet dadurch gleichsam eine Spalte; es verschwindet aber [149] diese wieder, so bald das Saamenstäubchen ins Wasser kömmt, von eingesogener Feuchtigkeit ausgedehnt, und seine elliptische Gestalt in eine eyförmige oder ovale verwandelt wird. Ist der Kern desselben alsdenn noch von einer beträchtlichen Grösse und die vom Wasser bewirkte Ausdehnung übermässig stark, so bekömmt das Stäubchen an dieser schwächern Stelle einen Riss, und stösst die körnichte Materie durch denselben aus. Es würde diese letztere gewiss nicht blos aus einem einigen Punkte und mit einem gewissen damit verbundenen Zwange, wie doch allezeit geschieht, sondern nach der ganzen Länge des Stäubchens hin, mit der grössten Leichtigkeit und auf einmal ausgestossen werden, wenn jene Vertiefung oder Furche eine wahre Spalte oder eine so weite Oeffnung wäre, wie sie sich einige Naturforscher fälschlich vorgestellt haben.

Nun will ich auch noch etwas weniges von dem dritten zum Bau des Saamenstaubs gehörigen Theile, nehmlich dem zellenförmigen Gewebe, melden, das die ganze Höhle desselben ausfüllt, und gleichsam der Kern davon ist. Man kann dieses Gewebe, samt der in ihm steckenden noch rohen, körnichten Materie, alsdenn am allerbesten sehen, wenn es beym Zerplatzen eines

noch sehr unreifen Saamenstäubcheus unter der Gestalt eine:
einigen zusammenhängenden Klumpens oder langen Streife;
heraus fährt. [150] Kein Saamenstaub schickt sich zu diese;
Absicht besser, als der von der gemeinen Passionsblume.
Kaum haben seine Kügelchen angefangen, sich von dem eingesogenen Wasser auszudehnen; so werfen sie ihren Kern
durch eine in dem dünnen Häutchen eines ihrer Zirkelbogen
entstandene Oeffnung mit einer solchen Gewalt aus, dass er
mit der grössten Geschwindigkeit in einer geraden Linie auf
eine grosse Weite unter der Gestalt einer langen Keule weg-
geschleudert wird; in dem Augenblicke aber zieht er sich
nach dieser gewaltsamen Ausdehnung kraft seiner Elasticitä:
wieder gegen sein Kügelchen zurück, und schwimmt alsdenn
unter verschiedentlich angenommener Krümmung in dem Wasser
herum. Es lässt sich diese ganze Erscheinung mit nichts
besser, als mit dem Zerplatzen einer grossen Menge Granaten
vergleichen, und man vermisst bey diesem gewiss sehr ange-
nehmen Schauspiele an der gänzlichen Aehnlichkeit mit diesem
fast nichts, als dass es mit keinem Knalle begleitet ist. In
dem Saamenstaube der öfterwähnten Rüsselpflanze, der Cardendistel und des zeylanischen Bleykrauts und noch vieler anderer
Pflanzen mehr kann man diesen gewaltsamen Auswurf beynahe eben so gut sehen; nur muss man immer einen noch
etwas unreifen Saamenstaub dazu nehmen. Freylich lässt sich
das Gewebe selbst von der in ihm steckenden körnichten
Materie nicht anders, als nur undeutlich, unterscheiden; die
allmähligen Veränderungen [151] aber, die bey erfolgender
Reife der körnichten Materie mit ihm vorgehen, und der ungemein grosse Grad der Elasticität, die es unter vorgedachten
Umständen zeigt, und die gewiss nichts weniger, als eine
Eigenschaft einer Wachsmaterie ist, geben sein Daseyn genugsam zu erkennen.

Alle diese Versuche und Beobachtungen, nebst einer Menge
anderer, deren bey einer andern Gelegenheit gedacht werden
soll, habe ich noch in St. Petersburg, und zwar in Gegenwart
zweyer weltberühmten Mitglieder der Russisch-Kaiserlichen
Akademie der Wissenschaften, des Herrn Staats-Raths *von
Lepinus* und Herrn Prof. *Zeihers*, meiner hochgeschätzten
Freunde, gemacht, und sehr oft wiederholt. Es ist diess eine
Art der Zergliederung, wodurch man den innern Bau dieser
kleinen Körper auch ohne Messer entdecken kann.

Man darf indessen keineswegs glauben, dass diese hier

)eschriobene widernatürliche Erscheinungen, die sich bey ge-
vissen Gattungen Saamenstaub im Wasser zu ereignen pflegen,
eben etwas so ganz gewöhnliches seyn. Es giebt eine ungleich grössere Menge anderer Pflanzen, deren Saamenstaub
dieser gewaltsamen Veränderung im Wasser entweder gar
nicht, oder nur höchst selten unterworfen ist. So habe ich
z. B. bey den Asphodill-Lilien[a] [152] den weissen Lilien,
den Feuerlilien[b] unserm türkischen Bund[c] oder Goldwurzel,
der peruvianischen Judenkirsche[d] dem Flöhkraut[e] den Wasser-
violen[f] allen Gattungen Wollkraut, der Sonnenblume und
vielen andern Pflanzen aus dieser Classe offt unter tausend
Stäubchen, die im Wasser aufgeschwollen sind, kaum ein
einiges zerbersten, und seine körnichte Materie ausstossen gesehen. Fast eben so selten ereignet sich dieser Zufall bey
dem Saamenstaube der gelben Wasserlilien, der braunen
Schwerdtel[g], des indianischen Rohrs, der Zaunlilien[h] aller
Gattungen Tabakpflanzen, der Wasserbetonie[i] der Ackeley,
der Weiderichrösslein[k] des Seifenkrauts, der Nelken, der
Salbey, des Attichs, der Jalape und der meisten Pflanzen aus
der Malven- und Kürbsen-Classe. Ueberhaupt zeigt sich diese
Erscheinung, wie ich schon öfters erinnert habe, nur bey unreifen oder solchen Saamenstäubchen, deren Haut viel zu zart
und [153] dünne sind, als dass sie eine so starke Ausdehnung ertragen könnten.

Zum Beschlusse dieses § will ich meinen Lesern die
natürlichen Veränderungen, die so wohl mit dem Saamenstaube als Stigma während der Blüte und also unmittelbar vor
der Befruchtung, nach und nach vorgehen, unter einem Beyspiele aufs deutlichste anzeigen.

Es war um die Mitte des Jul. 1759, als sich einst an
einem schönen, hellen und warmen Tage des Morgens gegen
9 Uhr eine Blume von Hibisc. Manih. Linn. aufschloss. Ihre

---

a) Hemerocallis *Lilio-Asphodelus*. Linn. l. c. p. 462. n. 1. et 2.
b) Lilium *bulbiferum*. Linn. l. c. p. 433. n. 2.
c) Lilium *Martagon*. Linn. l. c. p. 435. n. 6.
d) Atropa *physalodes*. Linn. l. c. p. 260. n. 3.
e) Polygonum *Persicaria*. Linn. l. c. p. 518. n. 10.
f) Butomus *umbellatus*. Linn. l. c. p. 532. n. 1.
g) Gladiolus *communis*. Linn. l. c. p. 52. n. 1.
h) Lonicera *Periclymenum*. Linn. l. c. p. 247. n. 3.
i) Scrophularia *aquatica*. Linn. l. c. p. 864. n. 3.
k) Epilobium. Linn. l. c.

kermesinrothe Griffel stunden aufrecht und hart an ein-
r. Die weisslichten Staubkölbchen öffneten sich allmählig.
zeigten schon zum Theil ihren blassen, schwefelgelben
noch undurchsichtigen Saamenstanb. Die kolbichten,
elrothen Stigmate, die bisher noch ganz trocken geblieben,
en an, aus ihren sehr langen, feinen und spitzigen
:chen die weibliche Feuchtigkeit auszuschwitzen, und be-
n dadurch einen Glanz, als wenn sie mit einem Firniss
trichen, oder mit einem feinen Oele getränkt worden
n. Ich belegte sie hierauf vermittelst eines zarten Pinsels
oiner geringen Anzahl noch undurchsichtiger Saamen-
chen. Bald hernach bekamen auch diese einen Glanz,
mit demselben eine Durchsichtigkeit, die sie zuvor unter
ı matten Ansehen [154] noch nicht hatten. Der Glanz
Stigmate nahm von der auf ihnen sich anhäufenden
htigkeit immer mehr und mehr zu, und die aufgetragenen
ıkügelchen wurden endlich, eines nach dem andern, so
und durchsichtig, dass die purpurrothe Farbe der unter
ı liegenden Wärzchen sehr stark durch sie hindurch
n. Während er Zeit aber, da sie den höchsten Grad
Reife erreichten, fiengen sie schon an, an Grösse ein
z abzunehmen. Nach und nach verlohren sie auch ihre
lsichtigkeit wieder, wurden immer kleiner, und schienen
rmerkt Runzeln zu bekommen. Zuletzt wurden sie sehr
, schrumpften nach und nach zusammen, verlohren alle
lsichtigkeit, und vertrockneten. Alle diese Veränderungen
;en auch zu gleicher Zeit mit dem übrigen auf den
chen liegen gebliebenen Saamenstaube vor. Unterdessen
u sich die Stigmate allmählig von einander begeben, sich
ärts gezogen, und endlich ihre äussere Helfte gegen den
d der Blume zurückgeschlagen. Ihr Glanz verlohr sich
hrer Feuchtigkeit nach und nach wieder, sie bekamen
nattes Ansehen, und wurden endlich von dem sich schlies-
:n und verwelkenden Blumenblatte bedeckt.
Eben diese Beobachtung habe ich nachher bey der vene-
:chen Stundenblume und mehrern andern Pflanzen aus
Malven-Classe, dessgleichen [155] bey den Kürbsen. den
ın, dem Asphodill mit röhrichten Blättern und überhaupt
solchen Gattungen, die sich wegen der beträchtlichen
se ihrer Saamenstäubchen besonders gut dazu schickten,
sehr offt wiederholt, und an dem, so wohl auf das
na versetzten, als auf den Kölbchen zurückgebliebenen

Saamenstaube keine andern, als erstbemeldte Veränderungen, und zwar bey Sonnenschein in kürzerer Zeit, bey trüben und kühlen Wetter aber langsamer, erfolgen gesehen.

§ 68.

Das Wachs ist meines Erachtens nichts anders, als der gröbere Stoff der männlichen Saamenmaterie, den die blosse Wärme der Atmosphäre bey gewissen Gattungen Saamenstaub nicht aufzulösen vermag; der männliche Saame aber der feinere Theil derselben, der unter eben diesem gelinden Grade der Wärme flüssig gemacht wird. Nun ist bekannt, dass man jenes durch eine öfters wiederholte Destillation nach und nach, und fast ohne allen Abgang in ein ungemein feines Oel, und also aus einem festen in einen flüssigen Körper verwandeln kann. Folglich ist der männliche Saame der Pflanzen nichts anders, als ein über alle massen feines und durch die blosse Wärme der Atmosphäre reif und flüssig gemachtes Wachs. das Wachsöl aber ein durch einen ungleich [156] grössern Grad der Wärme zur Reife und Flüssigkeit gebrachter gröberer Theil der rohen männlichen Saamenmaterie. Die Kunst thut demnach durch den erst gedachten chymischen Process nichts anders, als dass sie diejenige Operation, die die Natur mit dem feinern Theil der körnichten Saamenmaterie bey einer gelinden Wärme angefangen, mit dem gröbern unter einem stärkern Grade der Hitze fortsetzt und vollendet.

Anmerkungen.

Eine Geschlechtlichkeit der Pflanzen war zwar seit Aristoteles öfters in unklarer und unbestimmter Weise gemuthmaasst worden, aber erst durch den Tübinger Professor *R. J. Camerarius* wurde die Sexualität der Pflanzen (1691) empirisch sicher gestellt und der Nachweis erbracht, dass es zur Erzielung von Samen der Einwirkung des Blüthenstaubs auf den Fruchtknoten bedarf.

Den weiteren Ausbau und gewaltigen Fortschritt auf diesem Gebiete verdanken wir wiederum einem Schwaben. *J. G. Kölreuter*, dessen epochemachenden Studien hier im Abdruck geboten werden; es sind dies die »Vorläufige Nachricht von einigen das Geschlecht der Pflanzen betreffenden Versuchen und Beobachtungen« 1761, nebst den sich anschliessenden 3 Fortsetzungen aus den Jahren 1763, 1764 und 1766 (die eingeklammerten Zahlen geben die Seiten des Originals an). Bei der Lectüre dieser Schriften fühlt man sich von dem echten naturwissenschaftlichen Geist angeheimelt, der schon an unsere modernen Zeiten erinnert und gewaltig absticht gegen die bodenlosen Discussionen der meisten botanischen Schriften jener verflossenen Zeiten. Klarheit und Zielbewusstsein in Experiment, in Beobachtungen und in Schlüssen sind in gleicher Weise bewundernswerth, wie die Menge neuer Gedanken, die uns entgegentreten.

In erster Linie waren *Kölreuter's* Studien auf die Bastardirung gerichtet, und seine Studien bilden auch heute, nachdem äusserst zahleiche neue Untersuchungen hinzugekommen sind, immer noch die Fundamente für die ganze Frage und auch *Nägeli* (1855) basirte seine allgemeinen Schlüsse über Bastardirung zum guten Theile auf die Beobachtungen *Kölreuter's*. (Eine Zusammenstellung aller Bastardpflanzen gab *Focke*, die Pflanzen-Mischlinge 1881.) Dabei war sich *Kölreuter* der Bedeutung der Bastardirung für das ganze Wesen der Sexualität in vollstem Maasse bewusst, und indem er das

Wesen der Sexualität in dem Durchdringen der männlichen und weiblichen Theile suchte, kennzeichnete er ja den Rahmen, in welchem sich, trotz aller Fortschritte, auch heute noch die Discussion bewegt.

Kölreuter war übrigens der erste, welcher, von wissenschaftlichen Gesichtspunkten geleitet, Bastardpflanzen erzog, (zuerst gelang ihm die Befruchtung von Nicotiana rustica mit Nicotiana paniculata im Jahre 1760). Die wohl früher (1719) ausgeführte Kreuzung zweier Nelken durch *Fairchild* war ein rein gärtnerischer Versuch, der keine wissenschaftliche Bedeutung erlangte. Ganz ohne solche sind auch die früheren vagen Vermuthungen über die Existenz von Bastardpflanzen, so auch die von *Linné*, gegen welche *Kölreuter* mit Recht polemisirt. Interessant ist es aber, dass schon der Entdecker der pflanzlichen Sexualität, *Camerarius*, auf die mögliche Kreuzung von Pflanzen hinwies.

Durch *Kölreuter* waren die letzten Zweifel über die geschlechtliche Fortpflanzung beseitigt und diese selbst wurde soweit aufgehellt, als es mit den damaligen Mitteln möglich war. Mit der Thatsache der Sexualität waren natürlich die Fragen über die näheren Vorgänge der Befruchtung geboren, Fragen, die ganz unmöglich präcisirt werden konnten in einer Zeit, in welcher mikroskopische Untersuchungen noch in den Kinderschuhen steckten und in welcher z. B. die Pollenschläuche noch nicht entdeckt waren, die erst 1823 gesehen wurden. Wir dürfen uns deshalb nicht wundern, dass die mikroskopischen Studien *Kölreuters* über Bau und Verhalten der Pollenkörner bei der Befruchtung zu unrichtigen Ansichten führten. Immerhin mögen wir aus diesen Mittheilungen die Ansicht gewinnen, dass der geniale Forscher zu Studien solcher Art wohl weniger beanlagt gewesen sein mag.

In vollstem Glanze tritt uns *Kölreuter* wiederum in den Beobachtungen entgegen, die ihn mit aller Sicherheit erkennen und mit allem Nachdruck betonen liessen, dass zwar nicht bei allen, aber doch recht zahlreichen Pflanzen die Honigsaft sammelnden Insekten den Blüthenstaub übertragen und öfters zur Erzielung von Bestäubung nothwendig sind. Diese wichtige Entdeckung fand indess bei den Zeitgenossen ebenso wenig Beachtung wie späterhin die ausgedehnten und ausgezeichneten Untersuchungen von *K. Sprengel* (1793), und erst durch *Darwin* kam bekanntlich dieses Thema zur allgemeinen und vollen Würdigung.

ist hier nicht der Platz für näheres Eingehen auf die
1 wichtigen Entdeckungen. Erwähnt mag sein, dass
er auch schon combinirte Bastarde erzog und durch
e Bestäubung eines Bastards mit dem Blüthenstaub nur
utterpflauze eine Rückverwandlung des Bastards in die
ende Pflanze erreichte. Ferner beobachtete er, dass
ascum der Blüthenstaub nicht befruchtend auf dieselbe
wirkt, diese Pflanze also physiologisch diöcisch ist.
Forts. p. 10.) Auch erkannte *Kölreuter* die Dicho-
ou Epilobium, der er indess keine weitere Aufmerk-
schenkte. Vortrefflich sind auch die biologische Be-
der Reizbewegungen gewisser Staubfäden und Narben.
Ireuter erblickte in der schwäbischen Neckarstadt Sulz
e 1733 das Licht der Welt und in seiner Heimaths-
zog er auch 1760 die erste Bastardpflanze. Von da
1764 führte er seine Versuche theils in Sulz, theils in
/ürttemberg) im Garten des Arztes *Achatius Gärtner*
zte sie aber auch 1760 während seines Aufenthalts in
irg und 1761 in Berlin und Leipzig fort. Von 1764
er dann in Carlsruhe als Professor der Naturgeschichte
sein Lebensende (1806) thätig.

———

(*zu S. 3*). Andere Abhandlungen als die in diesem
bgedruckten wurden von *Kölreuter* nicht über das hier
lte Thema publicirt.
(*zu S. 76*). *Kölreuter* erklärt sich zwar nicht geradezu
lie Möglichkeit einer Erhaltung von Bastarden auf
u Wege, hält aber dafür, dass solche Erhaltung in
ur nicht stattfinde. Spätere Forschungen haben aber
lich fruchtbare Bastarde kennen gelehrt und bekannt-
guter Grund zu der Annahme, dass bei der Entstehung
rten in der Natur auch die Bastardirung eine Rolle
gl. u. a. *Focke*, l. c. p. 37).

———

Druck von Breitkopf & Härtel in Leipzig.